U0844983

一生要学习的应用文书写作与合同文书写作

一生要学习的合同文书写作

yi sheng yao xue xi de he tong wen shu xie zuo

赛 格／编著

时 事 出 版 社

图书在版编目(CIP)数据

一生要学习的应用文书写作与合同文书写作/赛格编著.
—北京:时事出版社,2006
ISBN 978-7-80232-012-7

Ⅰ.一… Ⅱ.赛… Ⅲ.①汉语—应用文—写作
②合同—法律文书—写作—中国 Ⅳ.①H152.3
②D926.13

中国版本图书馆 CIP 数据核字(2006)第 061219 号

一生要学习的合同文书写作

出版发行:时事出版社
地　　址:北京市海淀区万寿寺甲 2 号
邮　　编:100081
发行热线:(010)88547590　88547591
读者服务部:(010)88547595
传　　真:(010)68418647
电子邮箱:shishichubanshe@sina.com
网　　址:www.shishishe.com
印　　刷:北京龙跃印务有限公司

开本:850×1168　1/24　印张:15　字数:260 千字
2010 年 1 月第 2 版　2010 年 1 月第 1 次印刷
定价:26.00 元

前言

qian yan

在日常生活和工作中，个人与个人之间，企业与企业之间，彼此相互需求的经济往来合作关系时有发生。为了加强各种经济的交流合作，进行诚信公平的交易，在合作之初，签订一份合同便显得必不可少。这样，既可以做到维护自身的利益，避免事后引起不必要的麻烦，同样也可以对双方形成一定程度的约束。

如果一份合同漏洞百出，明显有失公正，就很可能难以达到当事人的预期目的，甚至会使其中一方的经济利益受到损失，以至于最后引起合同纠纷的事也屡见不鲜。所以，如何顺利地签订一份完善、公平、公正的合同，对我们来说，则显得至关重要。

合同文书的写作，就是使合同的一些基本格式规范化、标准化，使当事人在完全知情的情况下，心甘情愿地签订合同，在保护好自己合法权益的前提下，顺利地进行交易。

本书中的合同范例几乎涵盖了所有常见的合同，比如:我们经常在应聘工作时，需要与用人单位签订的劳动合同；购买保险时，需要与保险公司签订的保险合同；租住房屋时，需要与房东签订的租赁合同；新房装修时，需要与装饰公司签订的装修合同……这些，我们在生活和工作中，都会经常用到。

值得提醒的一点是，合同的签订，看似简单，但由于合同中经常存在一些欺诈或陷阱行为，所以，尽管有了规范的合同文本，但在真正的签订合同时，风险防范意识依然不能缺少，对一些重要的条款，一定要仔细地加以斟酌，切不可草率从事。

一份成功合同的签订，可以说是通向成功之路的关键。愿本书能助您一臂之力，成为您事业成功路上展翅腾飞的一个好帮手。

目 录

1. 合同

(1)什么是合同

合同,是指两个或两个以上当事人为共同达到一定目的,按照法律规定,就确认各自的权利和义务关系而达成的一种协议。

(2)如何写作合同

根据《合同法》的规定,合同除即时清结外,必须采用书面形式。书面形式的合同主要有条文式和表格式两种,其内容一般由以下几部分组成:

第一部分:标题。合同的标题即合同的名称,需要写明合同的性质,如“借款合同”、“财产租赁合同”。有的标题中还需写明标的物,如“××产品购销合同”、“农副产品购销合同”等。

第二部分:双方当事人的名称。书写签订合同双方当事人的名称,应当按营业执照上核准的名称写,要写全称,不能写简称,更不能写别人不了解的代称、代号。当事人的名称也可以简称甲方和乙方,但这种称谓以便于行文表述而且也不易引起歧义为前提,应统一按照合同文本格式的规定书写。如“工矿产品购销合同”中,称当事人为供方和需方;“财产租赁合同”中为出租方和承租方;“仓储保管合同”中则为存货方和保管方,等等。

第三部分:正文。合同的正文一般包括以下几方面的内容:

第一,双方签订合同的依据和目的。首先交代签约的目的,说明签约的原则。行文要简明扼要,一目了然。

第二,双方协商一致的内容。这是正文最核心的部分,应写明根据法律规定的或按合同性质必须具备的条款,以及当事人的一方要求必须规定的条款。这些条款是合同成立必不可少的内容,也是当事人双方履行合同的依据。

根据合同法及有关条例的规定,合同应该具备以下主要

合同文书

合同,是指两个或两个以上当事人为共同达到一定目的,按照法律规定,就确认各自的权利和义务关系而达成的一种协议。

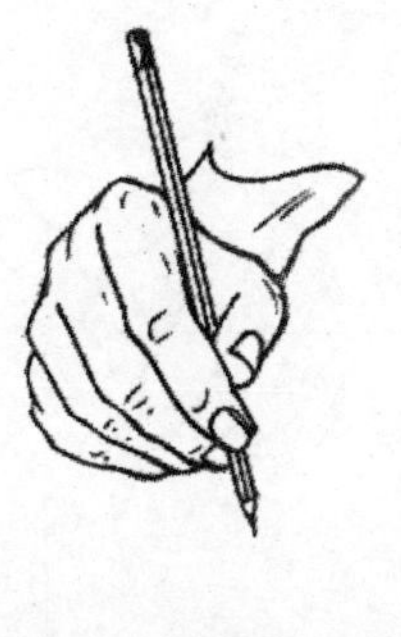

合同文书

我们在日常生活中，签合同时一定要谨慎从事，对于具体条款中的一些细节，甚至一些文字的运用，都要仔细地加以推敲，尽可能不要在合同中留下什么漏洞之处。

条款：

第一，标的。标的是合同当事人双方权利义务共同指向的对象。

第二，数量。数量是指标的在量的方面的限度，是标的的计量，是以数字和计量单位来衡量标的的尺度。

第三，质量。质量是指合同标的的内在素质和外观形态优劣程度的标志，是标的适应一定用途、满足人们一定需要的特征。这是合同中一项重要的条款。

标的质量的衡量标准，应根据合同标的的不同而区别对待。产品和工程质量可以根据其自身的物理、化学、机械和工艺性能等特性，以及形状、外观、色彩、气味等方面特征来判断。对产品、包装和工程质量，一般均制定技师技术标准。有国家标准的按国家标准执行；没有国家标准的按专业标准执行；国家标准、专业标准都没有的，可按批准的企业标准执行。劳务质量可根据劳务成果的优劣、服务态度的好坏等来判定。有的可以按照行业性的规定执行，有的可由当事人双方商定。

实行抽样检验质量的产品，合同中应写明抽样标准或抽样方法及抽样比例。有些产品在商定技术条件后需要封存样品的，应由当事人双方共同封存，分别保管，以作为检验依据。为确保产品质量，还应根据需要，规定产品的检验、检疫方法。

第四，价款或酬金。合同中的价款或酬金，是取得合同标的的一方当事人向对方支付的用货币数量来表示的代价。

价款，一般是指对提供财产的当事人支付的与所提供的财产相当的货币。

酬金，是对提供劳务或完成一定工作的当事人所给付的报酬金额。

第五，履行期限、地点和方式。履行期限，是指一方当事人履行合同义务，另一方当事人接受履行，合同双方当事人实现权利，履行义务的时间界限。它是确定合同当事人是否按时履行的客观标准。当事人只有按时履行合同，才能及时满足对方的需要，达到订立合同的预期目的，保证社会经济生活的正常进行。

合同的履行期限应根据各类合同的不同特征而确定。如购销合同供方的履行期限是指交货日期，建筑安装工程承包合同承包方的履行期限是指工程开工到工程竣工交付使用的起止日期等等。在订立合同履行期限条款时，必须明确具体，要写明月份，有条件的和有季节性的，要规定得更具体，如月、日等。文字表述要准确，不应使用容易引起歧义的字句。

履行地点，是指当事人一方按照合同约定履行义务，另一方接受履行的地方。

第六，违约责任。违约责任是指当事人一方或双方，由于自己的过错造成合同不能履行或者是不能完全履行，应按照合同约定而承担经济制裁。在合同中规定违约责任，目的是为了维护合同的严肃性，督促当事人严格履行合同，加强当事人履行合同的责任心。

第七，根据法律规定或按合同性质必须具备的条款，以及当事人一方要求必须规定的条款。

凡法律明确规定合同必须具备的条款，在签订合同时，必须明确订立。如借款合同，有关法规要求在合同中必须明确规定贷款用途，目的是为了按计划使用贷款，把有限的资金用到急需的地方去，防止把银行贷款用于弥补企业亏损或者垫交被挪用的税款和利润，以及用于职工福利和其他财政开支及基本建设支出等。

第四部分，尾部。合同的尾部一般包括：双方当事人签章；签订合同的日期；如果需要双方主管部门证明或需要公证、鉴证的，要由有关单位写明意见，并加盖公章；合同的正、副本份数及合同的有效期限。

我们在日常生活中，签合同时一定要谨慎从事，对于具体条款中的一些细节，甚至一些文字的运用，都要仔细地加以推敲，尽可能不要在合同中留下什么漏洞之处。

2. 常用买卖合同

(1)什么是常用买卖合同

买卖合同是指出卖人将标的物的所有权转移给买受人，买受人支付价款的合同。其依据购销标的物的产业归属和交易内容，常用买卖合同主要指工矿产品买卖合同和农副产品买卖合同。常用买卖合同是经济生活中最普通、最常见的合同。

合同文书

买卖合同是指出卖人将标的物的所有权转移给买受人，买受人支付价款的合同。其依据购销标的物的产业归属和交易内容，常用买卖合同主要指工矿产品买卖合同和农副产品买卖合同。常用买卖合同是经济生活中最普通、最常见的合同。

合同文书

对于产品的质量，合同中要明确规定卖方对产品质量负责的条件和期限。对成套产品，在合同中应明确规定附件的质量要求。

(2)如何写作常用买卖合同

常用买卖合同的基本内容主要包括以下八大部分：

第一部分：产品名称、品种及规格型号。

产品名称，要按产品目录规定正确填写，不能用习惯名称或自己命名。凡使用品牌、商标的产品，应注意品牌或商标及生产厂家，同时要把品种、型号、规格、等级、花色等写清楚。产品的名称不要用方言、俗语、习惯名称，以免造成双方在履行过程中的纠纷。

在实际操作中，会遇到如何区别通用产品和专用产品的问题，解决的方法是按照国家已有的规定和买卖合同当事人双方约定来划分，必要时可由各有关生产主管部门认定。

第二部分：产品的技术标准及质量要求。

产品的技术标准是合同中对产品质量的要求。根据技术标准，卖方安排产品的生产，买方在接受产品时对产品进行验收，在发生纠纷时判写产品质量的责任归属。因此，必须在合同中把产品的技术标准明确下来，有国家标准的按国家标准执行；无国家标准而有部颁标准的，按部颁标准执行；无国家和部颁标准的，按企业标准执行。在合同中，必须写明执行的标准代号、编号和标准名称。没有上述标准或虽有上述标准，但需方有特殊要求的，按买卖双方在合同中商定的技术条件、样品或补充的技术要求执行。

对于产品的质量，合同中要明确规定卖方对产品质量负责的条件和期限。对成套产品，在合同中应明确规定附件的质量要求。对某些必须安装运转后才能发现内在质量缺陷的产品，除主管部门另有规定者外，合同中应具体规定提出质量异议的条件和时间。

第三部分：产品的数量和计量方法。

产品的数量是卖方应当转让给买方产品的总量，也包括在连续供货合同中每一批的数量。产品的数量是买卖合同中最核心、最基本的条款，没有产品的数量就无法进行交易。数量条款还应包括计量方法，计量单位，正负允差，自然增减量等。

第四部分：产品的包装标准和包装物的供应与回收。

产品的包装标准是由有关部门对产品包装的类型、规格、容量、印刷标志以及产品的盛放、衬垫、封袋方法等统一规定的技术标准。

产品的包装物，除国家规定由需方供应的以外，应由供方供应。可多次使用的包装物，应按有关主管部门制定的包装物回收办法执行；有关主管部门无规定的，由双方商定包装物的回收办法并在合同中写明。

第五部分：产品的运输与交接及交（提）货期限。

产品的运输方式一般由需方提出，供方代为办理发运，运费由需方承担。供需双方通过协商合理选用运输方式，运输路线和运输工具。总的要求是总运费低，运速快，货物安全到达。如果由于供方的原因，选择了不合理的运输路线和运输工具，那么由此给需方造成的损失，应由供方负责赔偿。送货、代运确有困难或者需方要求自提的产品，经供需双方商定，可以由需方自提。

送货或代运的产品规定的交货日期，以甲方发运产品时承运部门签发的戳记日期为准，当事人有约定的，从其约定；合同规定甲方自提产品的交货日期，以乙方按合同规定通知的提货日期为准。

第六部分：产品的价格与货款的结算。

产品价格，属于国家定价的，按国家定价执行；不属于国家定价的，或因对产品有特殊技术要求需要提高或降低价格的，按甲乙双方的商定价格执行。

产品在交（提）货时，价格变化处理的方法如下：执行国家定价的，在合同规定的交（提）货期内，遇国家调整价格时，按交货时的价格执行。逾期交货的，遇价格上涨时，按原价执行；遇价格下降时，按新价执行。逾期提货或逾期付款的，遇价格上涨时，按新价格执行；遇价格下降时，按原价执行。由于逾期付款而发生调整价格的差价，由甲乙双方另行结算，不在原托收结算金额中冲抵。执行协商定价的，按合同规定的价格执行。

合同中要明确规定结算的方式和结算期限。产品的货款，实际支付的运杂费和其他费用的结算方式，应当在合同中确定或按照中国人民银行结算办法的规定办理。产品货款的结算期限在合同中也要明确规定。产品货款的早晚，不仅涉及到利息问题，而且对卖方尽快实现自己的经济利益有重要影响。

第七部分：产品的验收与对产品提出异议的时间和办法。

为了保证合同标的物的质量达到规定标准，必须进行产品的验收。

合同文书

合同中要明确规定结算的方式和结算期限。产品的货款，实际支付的运杂费和其他费用的结算方式，应当在合同中确定或按照中国人民银行结算办法的规定办理。

验收方法有三种:凭封印验收、凭现状验收和凭样品验收。验收的时间和地点一般应在合同中约定,如无约定,也有三种情况:在装运的时间、地点验收;在目的地时间、地点验收;在装运地和目的地双重验收。

验收费用的负担即由谁来支付验收费用。关于验收的费用负担,惯例是:如产品合格,验收费用由买方负担;如产品不合格,造成拒收或退货,则验收费用由卖方支付。无论是验收的方法,验收的时间、地点还是验收费用的负担,都要在合同中明确约定。

第八部分:违约责任、解决合同纠纷的方式及其他条款。

买卖双方在订立买卖合同时,应明确规定违约责任,有利于督促双方认真地履行合同。一旦发生纠纷,也便于分清责任,尽快解决纠纷。但具体问题如违约金的比例要在订立合同时商定。

对于解决合同纠纷的方式,双方在订立合同时应当写明,一旦出现了合同纠纷,将采用哪种方式加以解决。合同纠纷处理方法大致有四种:双方友好协商解决;请双方共同信任的第三方调解解决;申请仲裁机关仲裁;向法院起诉,请求判决。

合同文书

对于解决合同纠纷的方式,双方在订立合同时应当写明,一旦出现了合同纠纷,将采用哪种方式加以解决。合同纠纷处理方法大致有四种:双方友好协商解决;请双方共同信任的第三方调解解决;申请仲裁机关仲裁;向法院起诉,请求判决。

(3)例文:

工矿产品买卖合同

(参考文本)

订立合同双方:

买受人(全称):________________

出卖人(全称):________________

为了增强买卖双方的责任感,确保双方实现各自的经济目的,经双方充分协商,特订立本合同,以便共同遵守。

第一条 产品的名称、品种、规格和质量

1.产品的名称、品种、规格(应注明产品的牌号或商标):________

2.产品的技术标准(包括质量要求),按下列第( )项执行:

(1)按国家标准执行;(2)无国家标准而有行业标准的,按行业标准执行;(3)无国家和行业标准的,按企业标准执行;(4)没有上述标准的,或虽有上述标准,但买受人有特殊要求的,按买卖双方在合同中商定的技术条件、样品或补充的技术要求执行。

（在合同中必须写明执行的标准代号、编号和标准名称。对成套产品，合同中要明确规定附件的质量要求；对某些必须安装运转后才能发现内在质量缺陷的产品，除主管部门另有规定外，合同中应具体规定提出质量异议的条件和时间；实行抽样检验质量的产品，合同中应注明采用的抽样标准或抽验方法和比例；在商定技术条件后需要封存样品的，应当由当事人双方共同封存，分别保管，作为检验的依据。）

第二条 产品的数量和计量单位、计量方法

1.产品的数量：____________

2.计量单位、计量方法：____________

（国家或主管部门有计量方法规定的，按国家或主管部门的规定执行；国家或主管部门无规定的，由买卖双方商定。对机电设备，必要时应当在合同中明确规定随主机的辅机、附件、配套的产品、易损耗备品、配件和安装修理工具等。对成套供应的产品，应当明确成套供应的范围，并提出成套供应清单。）

3.产品交货数量的正负尾差、合理磅差和在途自然减（增）量规定及计算方法：____________

第三条 产品的包装标准和包装物的供应与回收

（产品的包装，国家或业务主管部门有技术规定的，按技术规定执行；国家与业务主管部门无技术规定的，由买卖双方商定。产品的包装物，除国家规定由买受人供应的以外，应由出卖人负责供应。可以多次使用的包装物，应按有关主管部门制订的包装物回收办法执行；有关主管部门无规定的，由买卖双方商定包装物回收办法，作为合同附件。产品的包装费用，除国家另有规定者外，不得向买受人另外收取。如果买受人有特殊要求的，双方应当在合同中商定，其包装费超过原定标准的，超过部分由买受人负担；其包装费低于原定标准的，相应降低产品价格。）

第四条 产品的交货单位、交货方法、运输方式、到货地点（包括专用线、码头）

1.产品的交货单位：____________

2.交货方法，按下列第（ ）项执行：

（1）出卖人送货（国家主管部门规定有送货办法的，按规定的办法执行；没有规定送货办法的，按双方协议执行）；

合同文书

对成套产品，合同中要明确规定附件的质量要求；对某些必须安装运转后才能发现内在质量缺陷的产品，除主管部门另有规定外，合同中应具体规定提出质量异议的条件和时间。

（2）出卖人代运（出卖人代办运输，应充分考虑买受人的要求，商定合理的运输路线和运输工具）；

（3）买受人自提自运。

3.运输方式：________________。

4.到货地点和接货单位（或接货人）：________________

（买受人如要求变更到货地点或接货人，应在合同规定的交货期限（月份或季度）前四十天通知出卖人，以便出卖人编月度要车（船）计划；必须由买受人派人押送的，应在合同中明确规定；买卖双方对产品的运输和装卸，应按有关规定与运输部门办理交换手续，作出记录，双方签字，明确双方当事人和运输部门的责任。）

第五条　产品的交（提）货期限

（规定送货或代运的产品的交货日期，以买受人发运产品时承运部门签发的戳记日期为准，当事人另有约定者，从约定；合同规定买受人自提产品的交货日期，以出卖人按合同规定通知的提供日期为准。出卖人的提货通知中，应给予买受人必要的途中时间，实际交货或提货日期早于或迟于合同规定的日期，应视为提前或逾期交货或提货。）

第六条　产品的价格和货款的结算

1.产品的价格，按下列第（　）项执行：

（1）按政府定价执行；

（2）按政府指导价执行；

（3）不属于政府定价或政府指导价的产品，或因对产品有特殊技术要求需要提高或降低价格的，按买卖双方的商定价执行。

（执行政府定价或政府指导价的，在合同规定的交货或提货期内，遇政府调整价格时，按交货时的价格执行。逾期交货的，遇价格上涨时，按原价执行；遇价格下降时，按新价执行。逾期提货或逾期付款的，遇价格上涨时，按新价格执行；遇价格下降时，按原价执行。由于逾期付款而发生调整价格的差价，由买卖双方另行结算，不在原托收结算金额中冲抵。执行协商定价的，按合同规定的价格执行。）

2.产品货款的结算：产品的货款、实际支付的运杂费和其他费用的结算，按照中国人民银行结算办法的规定办理。

（用托收承付方式结算的，合同中应注明验单付款或验货付款。验货付款的承付期限一般为十天，从运输部门向收货单位发出提供通知

合同文书

执行政府定价或政府指导价的，在合同规定的交货或提货期内，遇政府调整价格时，按交货时的价格执行。逾期交货的，遇价格上涨时，按原价执行；遇价格下降时，按新价执行。

的次日起算。凡当事人在合同中约定缩短或延长验货期限的，应当在托收凭证上写明，银行从其规定。）

第七条 验收方法

（合同应明确规定：(1)验收时间；(2)验收手段；(3)验收标准；(4)由谁负责验收和试验；(5)在验收中发生纠纷后，由哪一级产品质量监督机关执行仲裁等。）

第八条 对产品提出异议的时间和办法

1.买受人在验收中，如发现产品的品种、型号、规格、花色和质量不合规定；应一面妥为保管，一面在________天内向出卖人提出书面异议；在托收承付期内，买受人有权拒付不符合合同规定部分的货款。

2.买受人未按规定期限提出书面异议的，视为所交产品符合合同规定。

3.买受人因使用、保管、保养不善等造成产品质量下降的，不得提出异议。

4. 出卖人在接到买受人书面异议后，应在________天内负责处理，否则，即视为默认买受人提出的异议和处理意见。

（买受人提出的书面异议中，应说明合同号、运单号、车或船只、发货和到货日期；说明不符合规定的产品名称、型号、规格、花色、标志、牌号、批号、合格证或质量保证书号、数量、包装、检验方法、检验情况和检验证明；提出不符合规定的产品的处理意见，以及当事人双方商定的必须说明的事项。）

第九条 出卖人的违约责任

1.出卖人不能交货的，应向买受人偿付不能交货部分货款的________%的违约金。

2.出卖人所交产品品种、型号、规格、花色、质量不符合合同规定的，如果买受人同意利用，应当按质论价；如果买受人不能利用的，应根据产品的具体情况，由出卖人负责包换或包修，并承担修理、调换或退货而支付的实际费用。出卖人不能修理或者不能调换的，按不能交货处理。

3.出卖人因产品包装不符合合同规定，必须返修或重新包装的，出卖人应负责返修或重新包装，并承担支付的费用。买受人不要求返修或重新包装而要求赔偿损失的，出卖人应当偿付买受人该不合格包装物

合同文书

出卖人因产品包装不符合合同规定，必须返修或重新包装的，出卖人应负责返修或重新包装，并承担支付的费用。

低于合格包装物的价值部分。因包装不符合规定造成货物损坏或灭失的，出卖人应当负责赔偿。

买受人自提产品未按供方通知的日期或合同规定的日期提货的，应比照中国人民银行有关延期付款的规定，按逾期提货部分货款总值计算，向出卖人偿付逾期提货的违约金，并承担出卖人实际支付的代为保管、保养的费用。

4.出卖人逾期交货的，应比照中国人民银行有关延期付款的规定，按逾期交货部分货款计算，向买受人偿付逾期交货的违约金，并承担买受人因此所受的损失费用。

5.出卖人提前交货的产品、多交的产品和品种、型号、规格、花色、质量不符合合同规定的产品，买受人在代保管期内实际支付的保管、保养等费用以及非因买受人保管不善而发生的损失，应当由出卖人承担。

6.产品错发到货地点或接货人的，出卖人除应负责运交合同规定的到货地点或接货人外，还应承担买受人因此多支付的一切实际费用和逾期交货的违约金。出卖人未经买受人同意，单方面改变运输路线和运输工具的，应当承担由此增加的费用。

7.出卖人提前交货的，买受人接货后，仍可按合同规定的交货时间付款；合同规定自提的，买受人可拒绝提货。出卖人逾期交货的，出卖人应在发货前与买受人协商，买受人仍需要的，出卖人应照数补交，并负逾期交货责任；买受人不再需要的，应当在接到出卖人通知后十五天内通知出卖人，办理解除合同手续，逾期不答复的，视为同意发货。

第十条　买受人的违约责任

1.买受人中途退货，应向出卖人偿付退货部分货款 ______%的违约金。(通用产品的幅度为 1%~5%，专用产品的幅度为 10%~30%)

2.买受人未按合同规定的时间和要求提供应交的技术资料或包装物的，除交货日期得以顺延外，应比照中国人民银行有关延期付款的规定，按顺延交货部分货款计算，向出卖人偿付顺延交货的违约金；如果不能提供的，按中途退货处理。

3. 买受人自提产品未按供方通知的日期或合同规定的日期提货的，应比照中国人民银行有关延期付款的规定，按逾期提货部分货款总值计算，向出卖人偿付逾期提货的违约金，并承担出卖人实际支付的代为保管、保养的费用。

4.买受人逾期付款的，应按照中国人民银行有关延期付款的规定向出卖人偿付逾期付款的违约金。

5.买受人违反合同规定拒绝接货的，应当承担由此造成的损失和运输部门的罚款。

6.买受人如错填到货地点或接货人，或对出卖人提出错误异议，应承担出卖人因此所受的损失。

第十一条 不可抗力

当事人双方的任何一方由于不可抗力的原因不能履行合同时，应及时向对方通报不能履行或不能完全履行的理由，并应在________天内提供证明，允许延期履行、部分履行或者不履行合同，并根据情况可部分或全部免予承担违约责任。

第十二条 合同争议的解决方式

本合同在履行过程中发生的争议，由双方当事人协商解决；也可由当地工商行政管理部门调解；协商或调解不成的，按下列第________种方式解决：

(1)提交________仲裁委员会仲裁；

(2)依法向人民法院起诉。

第十三条 其他

按本合同规定应该偿付的违约金、赔偿金、保管保养费和各种经济损失，应当在明确责任后十天内，按银行规定的结算办法付清，否则按逾期付款处理。

本合同自______年______月______日起生效，合同履行期内，当事人双方均不得随意变更或解除合同。合同如有未尽事宜，须经双方共同协商，作出补充规定，补充规定与本合同具有同等效力。本合同正本一式二份，双方各执一份；合同副本一式______份，分送银行(如经公证或鉴证，应送公证或鉴证机关)等单位各留存一份。

买受人：________________(章) 出卖人：______________(章)

法定代表人：____________ 法定代表人：____________

委托代理人：____________ 委托代理人：____________

地址：______________ 地址：______________

开户银行：____________ 开户银行：____________

账号：______________ 账号：______________

电话：______________ 电话：______________

邮编：______________ 邮编：______________

______年______月______日订

合同文书

在对于产品质量的检验中，合同中可注明采用的抽样标准或抽检方法和比例。有些产品在商定技术条件后，需要封存样品的，应由当事人双方分别封存，分别保管，作为检验依据。

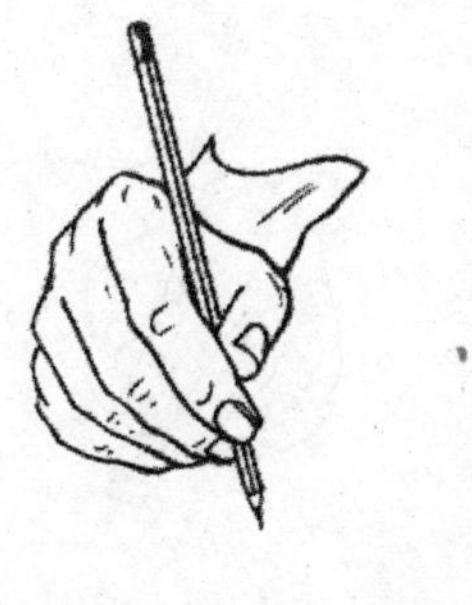

在对于产品质量的检验中，合同中可注明采用的抽样标准或抽检方法和比例。有些产品在商定技术条件后，需要封存样品的，应由当事人双方分别封存，分别保管，作为检验依据。

合同文书

劳动合同是一种常见的，与大多数人的切身利益相关的合同，即由用人单位和受雇人合意达成的由用人单位为受雇人支付报酬，受雇人提供劳务的合同。对于广大用人单位和劳动者来说，签订合理、合法的劳动合同尤其重要，不仅能保护劳动者的合法权益，还能给自己带来合理的报酬。

3. 劳动合同

(1)什么是劳动合同

劳动合同是一种常见的，与大多数人的切身利益相关的合同，即由用人单位和受雇人合意达成的由用人单位为受雇人支付报酬，受雇人提供劳务的合同。对于广大用人单位和劳动者来说，签订合理、合法的劳动合同尤其重要，不仅能保护劳动者的合法权益，还能给自己带来合理的报酬。

(2)如何写作劳动合同

劳动合同的基本内容主要包括以下六大部分：

第一部分：合同双方当事人的基本情况。

合同双方对于自己的姓名、性质(国有、集体、私营、个体等)，法人代表人的姓名、住址、电话、邮编、雇方单位地址、受雇人的年龄、籍贯及身份证号码应记载于合同之上。

第二部分：合同期限及试用期。

合同期限是指受雇人与雇用人的雇佣关系存续期间，即双方享受权利、履行义务的法定或约定期限。合同的期限由合同当事人之间加以约定，根据实际需要决定雇用期限的长短。雇用期限可以分为长期与短期，定期与不定期等种类。我国《劳动法》第 20 条规定：“劳动合同的期限为固定期限、无固定期限和以完成一年工作为期限。”这种分类方法虽然标准不一，但是概括性较强，比较适用。当事人双方可以在合同中以“本合同有效期限自某年某月某日至某年某月某日”的形式来加以限定，也可以用完成一定工作的时间为雇用合同的期限。

而试用期同样也是合同双方应关注的问题。在试用期内，如果劳动合同一方发现另一方有不符合雇用的约定行为，可以依法解除劳动合同。

另外，我国《劳动法》还明确规定，试用期不得超过 6 个月。任何单位、个人都不得违反《劳动法》第 21 条关于最长 6 个月的试用期规定，不得非法延长试用期，损害受雇人的利益。

第三部分：工作性质和劳动安全卫生保障。

工作性质是用以确定受雇人究竟提供何种性质的劳务。雇用合同订立的目的就在于劳务之提供。雇用人让受雇人提供劳务，一般都以从事某种工作的方式来实现，如公司雇用员工进行通讯、公关、保卫、销售等，所有这些工作都是提供劳务的方式。

劳动安全、卫生是指保护劳动者在劳动场所的安全和健康的规章制度和合同条款。订立劳动安全、卫生条款的目的在于避免劳动者在劳动中受不安全、不卫生因素的损害。

为了保护受雇人的权利和利益，防止受雇人在为雇用人提供劳务时受到雇用条件、场所的危险的伤害，如矿山井下、高温、高压、剧毒、放射性的工作等具有高度危险的工作，一旦发生事故，将会对受雇人的人身权利及财产权益造成损害的问题，应采取一些必要的卫生措施。

第四部分：工作薪酬和其他福利制度。

工作薪酬即工资，是雇用人对受雇人提供的劳务所给付的报酬，是按劳动分配的体现，是受雇人订约的主要目的、生活的主要来源及补充、恢复劳动力的一种必要措施。工资的给付应根据工作时间、劳动强度、危险程度特别是价值高低来衡量和确定。双方可以协商约定工资计算的方法、给付的时间、工资水平等，但不得违反国家有关工资给付的法律法规的规定。

其他福利制度，如住房制度、医疗制度，以及各种补贴、津贴等，双方在合同中应明确规定，以防止在执行合同过程中出现纠纷，影响对方的积极性与主动性。

第五部分：违约法律责任、纠纷解决办法。

法律责任可以由合同当事人之间加以约定，如违约金、定金等。某些法律责任可由双方约定加以免除，除非在这种情况下，否则即

合同文书

其他福利制度，如住房制度、医疗制度，以及各种补贴、津贴等，双方在合同中应明确规定，以防止在执行合同过程中出现纠纷，影响对方的积极性与主动性。

使双方没有约定责任形式，另一方也可以根据法律对违约方在法律上予以追究。

雇用合同当事人之间的纠纷，应尽量协商解决。协商解决之外，双方可以约定在纠纷无法协商解决时的解决办法。双方可以约定调解、仲裁或提起诉讼。

一旦发生了劳动合同纠纷，双方应首先诉诸劳动行政部门内部的劳动争议仲裁机构。我国《劳动法》规定，劳动纠纷必须经过劳动仲裁这一程序。这与一般仲裁的自愿原则是不同的；其次，在劳动仲裁裁决作出之日起的 15 日之内，不服仲裁裁决的一方，可以向人民法院起诉。这与一般仲裁程序排斥法院管辖不同。对于仲裁裁决，在作出之日起 15 日内不向法院起诉，即开始生效，一方拒不履行生效裁决的，另一方可申请法院强制执行。

第六部分：其他未尽事宜。

现实中的劳动合同纷繁复杂，许多在抽象的理论中所意想不到的事情，法律、法规可能没有规定，这时由双方加以约定，以便于事后有备，避免纠纷。

合同文书

现实中的劳动合同纷繁复杂，许多在抽象的理论中所意想不到的事情，法律、法规可能没有规定，这时由双方加以约定，以便于事后有备，避免纠纷。

(3)例文：

私营企业职工劳动合同

（参考文本）

甲方（用人单位）名称：______　　乙方（劳动者）姓名：_______

地址：______________　　性别：___________

法定代表人（主要负责人）：_______　　年龄：______________

身份证号码：______________

现在住址：________________

根据《中华人民共和国劳动法》和《中华人民共和国私营企业暂行条例》及有关劳动法规，甲乙双方在平等自愿、协商一致的基础上，签订本合同。

第一条　合同期限

本合同期从 _______ 年 ______ 月 _______ 日起至 ________ 年

______月______日止，共______年。其中试用期从______年______月______日起至______年______月______日止，共______个月。

第二条 生产(工作)任务

甲方安排乙方从事__________工作。

乙方同意按甲方生产(工作)需要，在__________承担任务，担任__________工种。

乙方应达到的数量、质量指标：__________________

第三条 劳动(工作)条件

为保证乙方完成合同要求的生产(工作)任务，保障乙方的安全和健康，甲方应根据国家有关生产安全、劳动保护、卫生健康等规定，为乙方提供必要的生产(工作)条件。具体内容如下：__________________

第四条 劳动纪律

1. 甲方应根据国家有关规定制定各项规章制度。具体内容如下：

____

2.乙方应严格遵守劳动纪律的规章制度，服从甲方管理，积极完成所从事的工作。

第五条 工作时间和劳动报酬

1.甲方应实行每日不超过8小时、每周工作时间不超过40小时的工作制，因生产需要确需延长工作时间时，须经乙方本人同意，并发给乙方加班工资。日加班不得超过3小时，每月加班不得超过36小时。乙方如是孕期、哺乳期女工，甲方不得安排其加班加点。

2.甲方依照国家法律和有关政策规定，同乙方协商确定的具体工资标准和工资方式以及奖金、津贴、补贴如下：__________________

3.甲方应当每月按期给乙方发放工资。超过当月规定发薪日期的，从第六日起每天按拖欠乙方本人工资额的______%，赔偿乙方损失。

4.甲方应当根据企业的生产发展，逐步提高乙方的工资水平。

第六条 保险和福利待遇

1. 甲方按乙方工资总额的______%，乙方按不超过本人工资的______%，按月向当地劳动行政部门所属的社会保险事业管理机构缴纳退休养老金。

2.因第七条第二款(2)和第三款规定而解除劳动合同的，甲方应按

合同文书

雇用合同当事人之间的纠纷，应尽量协商解决。协商解决之外，双方可以约定在纠纷无法协商解决时的解决办法。双方可以约定调解、仲裁或提起诉讼。

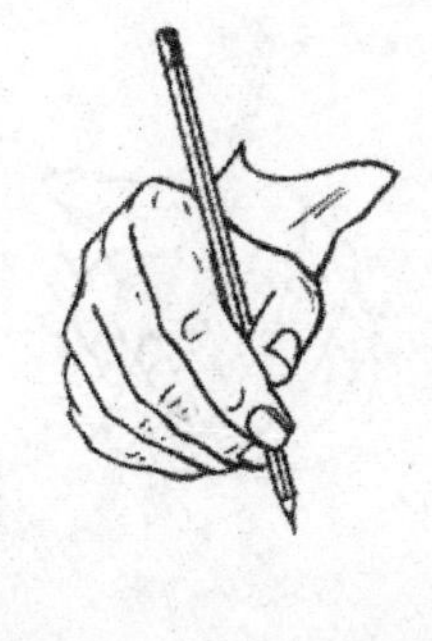

合同文书

甲方参照（国营企业职工待业保险暂行规定）向待业保险机构缴纳待业保险基金，乙方待业期间可享受待业保险待遇。

乙方工作每满1年(满半年不满1年的按1年计算)发给乙方1个月标准工资的生活补助费。

3.甲方参照(国营企业职工待业保险暂行规定)向待业保险机构缴纳待业保险基金,乙方待业期间可享受待业保险待遇。

4.乙方因工负伤或患职业病,治疗期间工资照发,所需医疗费用由甲方支付。医疗终结,经市(县)劳动鉴定委员会鉴定,确认为残废的,由甲方发给残废金。乙方因工残废或患职业病死亡,由甲方发给丧葬费和供养直系亲属抚恤费。残废金、丧葬费和供养直系亲属抚恤费的标准,按照有关规定执行。

5.乙方患病或非因工负伤,甲方应按其工作时间长短,给予3至6个月的医疗期。在医疗期间发给不低于本人原工资60%的病假工资。

6.乙方为女职工,其孕期、产假和哺乳期的待遇按《女职工劳动保护规定》及有关规定执行。

7.按照国家法律、法规规定,甲乙双方协商确定的假日、公休假、婚丧假、探亲假是:________________________________

第七条　合同的变更、解除和终止

1.甲方因停产、调整生产任务,或者由于情况变化,经甲乙双方协商同意,可以变更合同的相关内容。

2.在下列情况下,甲方可以解除合同:

(1)乙方在试用期内,经发现不符合用工条件的;

(2)乙方患病或非因工负伤,医疗期满后不能从事原工作,也不能从事甲方另行安排的工作的;

(3)甲方歇业,宣告破产,或者濒临破产处于法定整顿期间的;

(4)双方约定的其他事项。

3.下列情况下,乙方可以解除合同:

(1)甲方违反国家规定,无安全防护设施,劳动安全、卫生条件恶劣,严重危害乙方身体健康的;

(2)甲方无力或不按照合同规定支付乙方劳动报酬的;

(3)甲方不履行本合同或者违反国家政策、法规,侵害乙方合法权益的;

(4)乙方本人有正当理由要求辞职的。

4.乙方被劳动教养,以及受刑事处分的,合同自行解除。

5.甲乙双方任何一方解除合同，应当提前30天通知对方，并办理解除合同的手续。试用期内应解除合同的，不需要提前通知对方。

6.在下列情况下，甲方不得解除乙方合同：

(1)合同期未满，又不符合本第2款规定的；

(2)乙方患有职业病或因工负伤并经劳动鉴定委员会确认的；

(3)乙方患病或非因工负伤，在规定的医疗期内的；

(4)乙方在孕期、产假和哺乳期间的。

7.合同期限届满，应即终止执行。由于生产、工作需要，经甲乙双方协商同意，可以续订合同。

第八条　双方认为需要约定的事项

1.甲方为乙方提供住房或住房补贴；

2.甲方为乙方解决伙食问题；

3.甲方按国家规定的补贴项目，每月应发给乙方共计 ______ 元；

4.除国家规定以外，在下列情况下，甲方可以解除合同；

5.除国家规定以外，在下列情况下，乙方可以解除合同；

6.甲方出资培训乙方后，乙方应为甲方服务 ______ 年。否则，乙方应向甲方支付培训费 ______ 元；

7.其他需要约定的事项。

第九条　违反劳动合同应承担的违约责任

1.由于甲乙双方任何一方的过错，造成合同不能履行或者不能完全履行，由有过错的一方承担法律责任；如属双方过错，由双方分别承担各自应负的法律责任；

2.因不可抗力造成不能履行合同或者一方受损害的，可不承担法律责任；

3.甲乙双方任何一方违反合同时，应向对方支付违约金，违约金标准是：__________

4.甲乙双方任何一方违反合同，给对方造成损害的，应根据后果和责任向对方支付赔偿金，赔偿标准是：______________

第十条　争议处理

劳动争议发生后，当事人可以向本企业调解委员会申请调解，调解不成，当事人一方要求仲裁的，可以向劳动争议仲裁委员会申请仲裁；对裁决不服的，可以向人民法院提起诉讼。

合同文书

劳动争议发生后，当事人可以向本企业调解委员会申请调解，调解不成，当事人一方要求仲裁的，可以向劳动争议仲裁委员会申请仲裁；对裁决不服的，可以向人民法院提起诉讼。

第十一条　本合同未尽事宜或条款与法律、法规、政策等有抵触的，按国家现行的法律、法规、政策执行。

第十二条　本合同自签订之日起生效，一式两份，甲乙双方各持一份。本合同涂改、未经合法授权代签无效。

甲方：__________（盖章）　　乙方：__________（签章）

法定代表人：__________　　（委托代理人）______（签章）

合同签订日期：__年__月__日

合同鉴证机关：__________（盖章）合同鉴证人：________（签章）

合同鉴证日期：______年_____月______日

劳动合同是在生活中用得最多的一种合同，为了保护每一位员工的合法权利，不但要及时与用人单位签订劳动合同，而且还应该将薪水标准、加班工资的计算方法详细地写进合同。

合同文书

劳动合同是在生活中用得最多的一种合同，为了保护每一位员工的合法权利，不但要及时与用人单位签订劳动合同，而且还应该将薪水标准、加班工资的计算方法详细地写进合同。

4. 房地产买卖契约

(1)什么是房地产买卖契约

房地产买卖契约是专用于房地产买卖的表格文书。

(2)如何写作房地产买卖契约

房地产买卖契约的内容一般由如下部分组成：

第一部分，标题。一般直接写为“房地产买卖契约”，标题下一行的左角有“契约”字号。

第二部分，正文。要按双方的要求，严格来写作。内容一般包括：

A.买卖房地产的订金和总价格及交付日期。

B.买卖房地产的位置、大小、质量标准及双方责任。

C.违约责任及如何承担。

D.生效条件和日期。

E.其他约定事项。

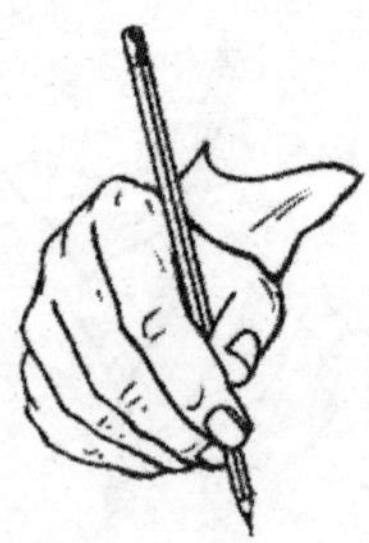

写作时应注意：

A.一律用钢笔或毛笔书写或打字机打印。

B.用复印件时应注明原件存在何处。

C.应使用胶水粘贴，以防霉变，粘贴处应加盖骑缝章。

第三部分，尾部，应写清：

A.甲方签章，乙方签章以及他们双方各自的法定代表人地址和联系电话。

B.写上双方的委托代理人。

C.在右下角写上日期。

(3)例文：

房地产买卖契约

(　　)房买卖契字　　号

甲方(卖方)：

乙方(买方)：

由于甲方收到乙方预付的购房定金人民币(大写)____________元。双方同意就以下房地产买卖事项，订立本契约，共同遵守。

一、甲方自愿将坐落在____________区____________路(街)____________的房地产(房屋建筑面积____________平方米)出售给乙方。该房地产的基本情况已载于本契约附件一。乙方已对甲方所要出售的房地产做了充分了解，愿意购买该房地产。

二、甲乙双方议定的上述房地产成交价格为人民币(大写)______________________元；乙方在__________年__________月________日前__________次付清给甲方，购房定金将在最后一次付款时冲抵。付款方式：__________________。

三、双方同意于____________年____________月____________日由甲方将上述房地产正式交付给乙方。房屋移交给乙方时，其该建筑物范围内的土地使用权一并转移给乙方。

四、甲方保证上述房地产权属清楚。若发生与甲方有关的产权纠纷或债权债务，概由甲方负责清理，并承担民事诉讼责任，因此给乙方造成的经济损失，甲方负责赔偿。

合同文书

房地产买卖契约是专用于房地产买卖的表格文书。

房地产对于每一个人来说，都是一笔巨大的投资。我们在签订房地产买卖契约时，一定要细心地读懂每一条条款，以免将来引起产权或其他方面的纠纷。

五、违约责任：乙方中途毁约，不得向甲方索还定金。甲方中途毁约，甲方应在毁约之日起 ________ 日内将定金退还给乙方，另给付乙方相当于定金数额的违约金。乙方不能按期向甲方付清购房款；或甲方不能按期向乙方交付房地产，每逾期一日，由违约一方向对方给付相当于上述房地产价款千分之 ________ 的滞纳金。

六、本契约在履行中若发生争议，甲乙双方应采取协商办法解决。协商不成时，任何一方均可向 ________ 房地产仲裁委员会申请调解或仲裁，也可向有管辖权的人民法院起诉。

七、上述房地产办理过户手续所需缴纳的税费，由甲乙双方按规定各自承担。

八、本契约未尽事项，甲乙双方可另行议定，其补充议定书经双方签章后与本契约具有同等效力。

九、本契约经双方签章并经房地产买卖主管机关审查批准后生效。

十、本契约一式 ________ 份，甲乙双方各执 ________ 份，契约副本 ________ 份，送房地产交易管理所(处)。

十一、双方约定的其他事项：

甲方(签章)：	乙方(签章)：
法定代表人：	法定代表人：
地　址：	地　址：
联系电话：	联系电话：
邮政编码：	邮政编码：
委托代理人：	委托代理人：
	××××年×月×日

房地产对于每一个人来说，都是一笔巨大的投资。我们在签订房地产买卖契约时，一定要细心地读懂每一条条款，以免将来引起产权或其他方面的纠纷。

5. 房地产租赁契约

(1)什么是房地产租赁契约

房地产租赁契约是专用于房地产租赁的表格文书。

(2)如何写作房地产租赁契约

房地产租赁的格式内容与房地产买卖契约相似。

(3)例文：

房地产租赁契约

(　　)房租赁契字　　　号

甲方(出租方)：

乙方(承租方)：

甲乙双方经充分协商，同意就下列房地产租赁事项，订立本契约，共同遵守。

一、甲方自愿将座落在__________区__________路(街)__________的房屋(房屋建筑面积__________平方米；土地使用面积__________平方米)出租给乙方使用。该房地产的基本情况已载于本契约附件一。乙方已对甲方所要出租的房地产做了充分了解，愿意承租该房地产。

二、甲乙双方议定的上述房地产月租金为人民币(大写)__________元。租赁期限自__________年__________月__________日至__________年__________月__________日止。租金按月(季)结算，由乙方在每月(季)的前__________日内交付给甲方。

三、上述房屋承租给乙方使用，其该建筑物范围内的土地使用权同时由乙方使用。

四、甲方保证上述房地产权属清楚。若发生与甲方有关的产权纠纷或债权债务，概由甲方负责清理，并承担民事诉讼责任，因此给乙方造成经济损失，甲方负责赔偿。乙方保证承租上述房屋仅作为__________用房使用。

五、房地产租赁期内，甲方保证并承担下列责任：

1.上述房地产符合出租房屋使用要求

合同文书

房地产租赁契约是专用于房地产租赁的表格文书。

2.负责对房屋及其附着物的定期检查并承担正常的房屋维修费用。因甲方延误房屋维修而使乙方或第三人遭受损失的，甲方负责赔偿。

3.如需出卖或抵押上述房地产，甲方将提前________个月通知乙方。

六、房地产租赁期内，乙方保证并承担下列责任：

1.如需对房屋进行改造装修或增扩设备时，应征得甲方书面同意。费用由乙方自理。

2.如需转租第三人使用或与第三人互换房屋使用时，必须取得甲方同意。

3.因使用不当或其他人为原因而使房屋或设备损坏的，乙方负责赔偿或给予修复。

4.乙方将对甲方正常的房屋检查和维修给予协助。

5.乙方将在租赁期届满时把房地产交还给甲方。如需继续承租上述房地产，应提前——个月与甲方协商，双方另签订契约。

七、违约责任：任何一方未能履行本契约规定的条款或违反国家和地方房地产租赁的有关规定，另一方有权提前解除本契约，所造成的损失由责任一方承担。乙方逾期交付房租，每逾期一日，由甲方按月租金额的千分之________向乙方加收违约金。

八、如因不可抗力的原因而使承租房屋及其设备损坏的，双方互不承担责任。

九、本契约在履行中若发生争议，甲乙双方应采取协商办法解决。协商不成时，任何一方均可向________房地产仲裁委员会申请调解或仲裁，也可向有管辖权的人民法院起诉。

十、上述房地产在租赁期内所需缴纳的税费，由甲乙双方按规定各自承担。

十一、本契约未尽事项，甲乙双方可另行议定，其补充议定书经双方签章后与本契约具有同等效力。

十二、本契约经双方签章并经房地产租赁管理机关审查批准后生效。

十三、本契约一式________份，甲乙双方各执________份。契约副本________份，送房地产交易管理所(处)。

合同文书

在签订房地产租赁契约时，租赁的期限要明确，对于一些不容忽略的细节，比如承租人不能将房产转租给第三方或作为抵押之类，在合同中一定要有明确的规定。

十四、双方约定的其他事项：

甲方(签章)：	乙方(签章)：
法定代表人：	法定代表人：
地 址：	地 址：
联系电话：	联系电话：
邮政编码：	邮政编码：
委托代理人：	委托代理人：
	××××年×月×日

在签订房地产租赁契约时，租赁的期限要明确，对于一些不容忽略的细节，比如承租人不能将房产转租给第三方或做为抵押之类，在合同中一定要有明确的规定。

6. 商品房买卖合同

(1)什么是商品房买卖合同

商品房买卖合同是反映房地产经营开发、管理过程中的单位与单位、单位与公民个人、公民个人与个人之间的经济关系和法律关系。

合同文书

商品房买卖合同是反映房地产经营开发、管理过程中的单位与单位、单位与公民个人、公民个人与个人之间的经济关系和法律关系。

(2)如何写作商品房买卖合同

商品房买卖合同的内容由以下几部分组成。

第一部分，标题。一般写为“商品房买卖合同”或“商品房买卖协议”，有的也仅写“合同”或“协议”。

第二部分，双方当事人的姓名、地址和联系电话要写清楚。

第三部分，正文。正文的内容有：

A.标的。商品房买卖合同的标的是房屋。

B.数量和质量。要明确具体数值和计量单位，在质量上要明确。

C.价款和酬金。价款和酬金是一方当事人以货币形式支付对方房

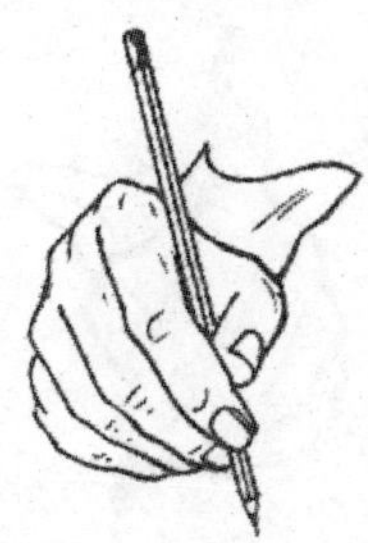

屋、土地或合作项目的代价，在合同中规定好货币名称、单价、总价和付款方式。

D.履行的期限、地点和方式。

E.违约责任。

F.合同的变更，转让和解除。

第四部分，尾部。它包括双方当事人的签章及签订合同日期等。

合同文书

乙方如未按本合同第四条付款，甲方有权追索违约利息，利息以应付款之日起至付款之日止，按××市银行当时贷款利率计算利息付给甲方，如逾期30天内，仍未付所欠款项和利息，甲方有权单方向乙方追索，如转售余款属甲方所有。

(3)例文：

商品房买卖协议

出售方(称甲方)：

地址：

电话：

购买方(称乙方)：

姓名 ______ 性别 _____ 出生日期 ________ 年 _____ 月 ____ 日

国籍 ______ 身份证号码 ________ 电话 ______________________

地址 ______________________________________

一、本合同依据中华人民共和国法律和《××市商品房产管理规定》制定。

二、甲方经××人民政府文件批准，取得位于××市地段占地面积 __________ 平方米的土地使用权，使用期限自 ________ 年 ________ 月 _________ 日到 _________ 年 _______ 月 ______ 日止共计 ____________ 年，土地所有权属中华人民共和国。

甲方在上述土地兴建楼宇，属 ___________ 结构，定名为 _____________，由甲方出售。

三、乙方自愿向甲方购买上述楼宇内的第 _______________ 座(楼)____________ 单元，建筑面积为 ____________ 平方米，占地(分摊面积 ______________ 平方米)，甲方于 __________ 年 _________ 月 __________ 日交付乙方使用，如遇特殊原因可延期交付使用，但延期不得超过360天，特殊原因是：

1.人力不可抗拒的自然灾害；

2.施工中遇到异常的困难及重大技术问题不能及时解决的；

3.其他非甲方所能控制的事件。

上述原因必须经××市有关主管部门的证明文件为依据，方能使商品房延期交付使用。

四、甲乙双方同意上述楼宇单元售价为人民币 ______ 元整。

付款方式由乙方按指定收款银行：__________ 账户名称：____________________ 账号：______________________ 付款办法：____________________。

五、乙方如未按本合同第四条付款，甲方有权追索违约利息，利息以应付款之日起至付款之日止，按××市银行当时贷款利率计算利息付给甲方，如逾期 30 天内，仍未付所欠款项和利息，甲方有权单方向乙方追索，如转售余款属甲方所有。

六、甲方如未按合同第三条的规定将楼宇单元交付乙方使用，应按合同规定交付日第二天起至交付日止，以当时××市银行贷款利率计算利息，以补偿乙方的损失。

七、在签订本合同时，甲方应将乙方原认购时所交付的定金 ______________ 元退回给乙方或抵作购楼价款。

八、甲方出售的楼宇须经××市建筑质量检验部门验审合格，如质量不合格时，乙方有权提出退房，退房后甲方应将已付款项在 30 天内退回乙方。

九、乙方在交清购楼款后，由××市房管部门发给房产权证书，业主即取得出租、抵押、转让等权利，并依照国家和××市的有关规定，享受优惠待遇。

乙方在使用期间，有权享用与该楼宇有关连的公共通道、设施、活动场所，同时必须遵守中华人民共和国法律、法规和社会道德，维护公共设施和公共利益。

乙方所购楼宇只作 ________________ 使用。在使用期间不得擅自改变该楼宇结构，如有损坏应自费修缮。

十、乙方所购楼宇，如发生出租、抵押、转让等法律行为，应经××市公证处办理公证后，由××市房产管理部门办理房产权转移、登记手续。

十一、本合同用钢笔填写的与打字油印的文字，均具有同等效力。

十二、本合同自签订并经××市公证处公证之日起生效。如发生纠纷双方应本着友好精神协商解决，不能解决时，应提请××市仲裁机构

合同文书

乙方在交清购楼款后，由××市房管部门发给房产权证书，业主即取得出租、抵押、转让等权利，并依照国家和××市的有关规定，享受优惠待遇。

仲裁或××市人民法院裁决。

十三、本合同共 ______ 页，为一式三份，甲乙双方各执一份，××市公证处一份，均具有同等效力。

甲方：　　　　　　　　　　乙方：

代表人：　　　　　　　　　代表人：

××××年×月×日

合同文书

由于商品房买卖协议签得不够明确，近些年来，在许多大城市里，由商品房买卖协议引起的纠纷屡见不鲜。所以在签订合同时，一定要细读条款，字斟句酌，提防房产开发商在合同中使用的一些欺诈行为。

由于商品房买卖协议签得不够明确，近些年来，在许多大城市里，由商品房买卖协议引起的纠纷屡见不鲜。所以在签订合同时，一定要细读条款，字斟句酌，提防房产开发商在合同中使用的一些欺诈行为。

7. 房屋买卖合同

(1)什么是房屋买卖合同

房屋买卖合同是房主或开发商将房屋卖给他人而订立的合同。这里的房屋买卖合同专指非商品房开发商房屋买卖的专用房屋买卖合同。

(2)如何写作房屋买卖合同

房屋买卖合同应具有一般买卖合同应具有的条款，由以下几部分组成：

第一部分，标题。一般为“房屋买卖合同”或“房屋买卖协议”，或干脆用“合同”或“协议”作为标题。

第二部分，双方当事人的名称，要按合同文本格式书写。

第三部分，正文包括如下：

A.房屋的状况：坐落位置、面积等。

B.款项及付款的期数。

C.交楼的产权证时间要求。

D.质量保证。

E.违约及违约金的规定。

F.办理的法律手续。

第四部分,尾部。双方当事人的签名及签章,最后写上合同签订的日期。

(3)例文:

房屋买卖合同

卖方:________________________________(以下简称甲方)

买方:________________________________(以下简称乙方)

甲乙双方就房屋买卖事项经过多次协商,一致同意订立合同条款如下,以资共同遵守。

一、甲方愿将自有坐落________市________路__________号房屋,建筑面积____________平方米售卖给乙方。

二、甲方出售给乙方的房屋东至________,南至______________,西至__________,北至__________(附四至平面图一张)。其房屋包括阳台、走道、楼梯、卫生间、灶间及其他设备。

三、上列房屋包括附属设备,双方议定房屋价款人民币________万元,由甲方售卖给乙方。

四、房屋价款乙方分三期付给甲方。第一期,在双方签订买卖合同之日,付人民币——万元;第二期在交付房屋之日,付人民币________________万元;第三期,在房屋产权批准过户登记之日付清。每期付款,甲方收到后出具收据。

五、甲方应自本合同签订日起____________天内将房屋腾空,连同原房屋所有权证等有关证件,点交乙方,由乙方出具收到凭证。

六、在办理房屋产权移转过户登记时,甲方应出具申请房屋产权移转给乙方的书面报告。如需要甲方出面处理的,不论何时,甲方应予协助。如因甲方的延误,影响产权过户登记,因而遭受的损失,由甲方负赔偿责任。

七、本合同签订前,该房屋如有缴纳的一切捐税、费用,概由甲方负责。本合同发生的过户登记费、契税、估价费、印花税由乙方负担。其他税费按有关法律规定,各自承担。

八、甲方如不按合同规定的日期交付房屋,每逾期1天按房价的

合同文书

房屋买卖合同是房主或开发商将房屋卖给他人而订立的合同。这里的房屋买卖合同专指非商品房开发商房屋买卖的专用房屋买卖合同。

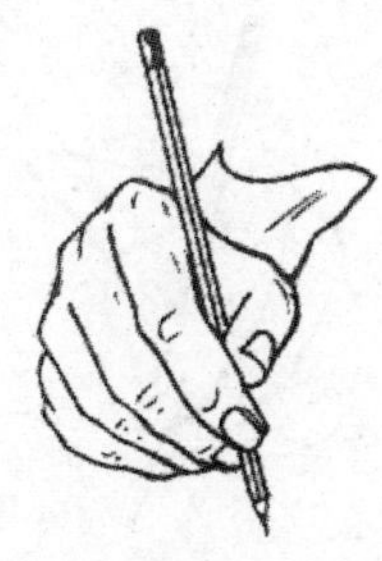

总额 3‰计算违约金给予乙方。逾期超过 3 个月时,乙方有权解除本合同。解约时,甲方除将已收的房价款全部退还乙方外,还应赔偿所付房价款同额的赔偿金给乙方。

合同文书

在房屋买卖合同中，一定要写明房屋交付的具体日期，如对方逾期交付房屋，违约金的计算方法。同时,如将来遇到房屋产权的纠纷，应由哪一方承担何种责任。

九、乙方全部或一部分不履行本合同第四条规定的日期给付房价款时,其逾期部分,乙方应加付按日 5‰计算的违约金给予甲方。逾期超过 3 个月时,甲方有权解除本合同。解约时,乙方已付的房价款赔偿金归甲方所有。

十、甲方保证其出卖给乙方的房屋,产权清楚,绝无他项权利设定或其他纠纷。乙方买受后,如该房屋产权有纠葛,影响乙方的权利的行使,概由甲方负责清除,并赔偿乙方损失。

十一、交房时,乙方发现房屋构造或设备与合同约定的不符,经鉴定属实,甲方应于 1 个月内予以修理,如逾期不修理,乙方有权自行修理,费用在房价款中扣除。如修理仍达不到合同的约定的要求,乙方有权解除合同,解约时,甲方除返还全部房价款外,并按本合同第八条规定承担违约责任。

十二、房屋所占用的土地(包括庭院、围墙等)所有权属于国家。乙方取得上述房屋占有相应比例的土地使用权，并依照国家法律的规定缴纳土地使用税及其他有关费用。

十三、本合同的附件与合同有同等效力。

十四、本合同一式四份,甲乙方各执一份,另两份分别送交房产和土地管理机关办理产权过户登记手续。

立约人:

甲方:__________(签章)乙方:__________(签章)__________ 年 ________ 月 ______ 日订于 ____________ 市(县)

在房屋买卖合同中，一定要写明房屋交付的具体日期，如对方逾期交付房屋，违约金的计算方法。同时，如将来遇到房屋产权的纠纷，应由哪一方承担何种责任。

8. 物业管理合同

(1)什么是物业管理合同

物业管理合同，也称物业管理协议书，是小区物业业主委托有资质条件的物业管理公司为其管理物业的协议。它由业主委员会与物业管理公司签订，也可由产权单位签订。

(2)如何写作物业管理合同

物业管理合同的内容由以下几部分组成：

第一部分，标题。一般写为“物业管理合同”或“物业管理服务合同”。

第二部分，合同签订的当事人概况。除了写双方当事人的姓名外，还要写上各自的地址及联系电话。

第三部分，正文。要写上：

A.前言；

B.管理服务事项；

C.双方的权利与义务；

D.服务质量；

E.管理与维修费用；

F.违约责任；

G.附则。

第四部分，尾部。尾部部分双方要签名盖章。

(3)例文：

(1)物业管理服务合同

(委托管理)

甲方(业主)：＿＿＿＿＿＿＿＿＿＿＿＿＿＿

地址：＿＿＿＿＿＿＿＿＿＿＿＿＿＿

邮政编码：＿＿＿＿＿＿＿＿　联系电话：＿＿＿＿＿＿＿＿＿＿＿＿

乙方(物业管理公司)：××物业有限公司

地址：＿＿＿＿＿＿＿＿＿＿＿＿＿＿＿＿＿＿

邮政编码：＿＿＿＿＿＿＿＿　联系电话：＿＿＿＿＿＿＿＿＿＿＿＿

合同文书

物业管理合同，也称物业管理协议书，是小区物业业主委托有资质条件的物业管理公司为其管理物业的协议。它由业主委员会与物业管理公司签订，也可由产权单位签订。

合同文书

配合、协助当地公安机关实施小区的治安防范工作，配备保安值勤、巡视、进行安全监控。

根据有关法律、法规，在自愿、平等、协商一致的基础上，甲方委托乙方对其提供物业管理服务，订立本合同。

第一章 管理服务事项

第一条 物业管理服务期限为三年，自本合同签字之日起生效。

第二条 房屋建筑共用部位的养护和管理，包括：楼盖、屋顶、外墙面、承重结构、楼梯间、走廊通道、门厅。物业地点：__________路__________号大楼。

第三条 共用设施、设备的养护、运行和管理，包括：共用的上下水管道、落水排污管、共用照明、水泵房、消防设施、低压配电设施、避雷设施。

第四条 市政共用设施和附属建筑物、构筑物的维修、养护和管理，包括道路、化粪池、沟渠、管道。

第五条 公共绿地、绿化、建筑小品等的养护与管理。

第六条 附属配套建筑、场地和设施的养护和管理。

第七条 公共环境卫生，包括公共场所、房屋共用部位的清洁卫生和垃圾的收集、清运。

第八条 维护物业区域内的公共秩序。

第九条 配合、协助当地公安机关实施小区的治安防范工作，配备保安值勤、巡视、进行安全监控。

第十条 管理与物业相关的工程图纸、竣工验收资料与住户档案。

第十一条 业主和物业使用人房屋自用部位、自用设施及设备的维修、养护，在当事人提出委托时，乙方应接受委托并合理收费。

第二章 双方权利义务

第十二条 甲方权利义务。

1.维护自身的合法权益，享受乙方提供的物业管理服务。

2.监督乙方管理服务工作及实施制度的执行情况。

3.有权向有关行政管理部门投诉乙方违反法规、规章的行为。

4.有权向乙方投诉其管理人员的服务态度和服务质量并知悉处理结果。

5.向乙方递交物业产权证复印件一份作为备案材料。

6.遵守业主公约和物业管理规章，协助乙方做好物业管理工作和宣传、文化活动。

7.协助处理房地产开发企业、其他部门或单位对物业管理遗留的问题。

8.如需进行室内装饰装修，必须遵守物业装饰装修管理规定，填写申请表，缴纳装饰装修保证金，经乙方审查核准后方可施工；完工时，通知乙方检查有无违章、损坏物业共用部位、共用设施设备和妨碍他人正常使用物业的现象(如渗、漏、堵、冒等)。

乙方检查未发现上述现象，应将保证金返还甲方；若有上述现象，应要求甲方限期改正或扣除保证金作维修费用。

9.在本物业范围内，不得有下列行为：

(1)损坏房屋承重结构、主体结构，破坏房屋外貌(含外墙、外门窗、阳台等的颜色、形状和规格)，擅自改变房屋设计用途、功能和布局；

(2)占用或损坏楼梯、通道、屋面、平台、道路、停车场、自行车房(棚)等共用场所(地)；

(3)占用、损坏或擅自移动供电、供水、供气、通讯、排水、排污、消防、监控、路灯等公用设施设备；

(4)违章搭建；

(5)践踏、占用绿地，毁坏绿化，损坏、涂画公共标识和建筑小品；

(6)随意倾倒、堆放、丢弃垃圾或杂物，高空抛物；

(7)擅自在物业共用部位或公共场所悬挂、张贴、涂写、刻画，设立广告牌；

(8)放置超过安全标准的易燃、易爆、剧毒、放射性物品，排放有毒、有害物质或者发出超过规定标准的噪音；

(9)未经有关部门批准设置摊点；

(10)利用物业从事危害公共利益和侵害他人合法权益的活动。

第十三条 乙方权利义务。

1.根据有关法律法规及本合同的约定，制定物业管理规章。

2.制止违反物业管理规章的行为，对业主和物业使用人违反法规、规章的行为，提请有关部门处理。

3.对物业使用人违反本合同的行为，根据情节轻重，采取规劝、警告、制止、与业主协商解决、索赔、起诉等措施。

4.可选聘专业公司承担本物业的专项管理业务，但不得将本物业的管理责任转让给第三方。

5.负责编制房屋、附属建筑物、构筑物、设施、设备、绿化等的年度

合同文书

对物业使用人违反本合同的行为，根据情节轻重，采取规劝、警告、制止、与业主协商解决、索赔、起诉等措施。

安全检查、小修养护计划和大、中修方案，并由甲方委托乙方落实实施。

6.负责向业主和物业使用人收取下列费用：

(1)物业管理服务费；

(2)代收代支费用；

(3)有偿服务费用。

7. 每6个月向甲方和物业使用人公布一次物业管理服务费收支账目。

8.协助处理房地产开发企业、其他部门或单位对物业管理遗留的问题。

9.对本物业的公用设施不得擅自占用和改变使用功能，如需改变或完善配套项目，经甲方同意后方可实施。

第三章　物业管理服务质量

第十四条　乙方须按下列约定，实现目标管理。

1.房屋外观整洁，无乱搭建，房屋完好率达到90%以上。

2.公共设施设备维护良好、正常运行，水电工每周巡查4次以上，每月定期保养，维护完好率达90%以上。

3.公共环境整体美观洁净。

(1)楼外公共场所每天清扫二次，实施8小时保洁；

(2)楼内公共通道、走廊、楼梯、休闲场所每天清扫一次，每月清洁4次(含楼梯扶手)，大堂实施8小时保洁；

(3)公用蓄水池每季清洗、消毒一次，每半年向甲方提供一次水质化验报告，水质化验符合国家颁布的卫生标准；

(4)化粪池每年清疏一次，雨水、污水井每半年清疏一次，如发生堵塞及时处理，确保化粪池不外溢，下水道畅通；

(5)每天定时上门收集生产垃圾，垃圾日产日清；

(6)每月灭蚊、苍蝇一次，每季度灭鼠、灭蟑一次。

4.公共绿化。

(1)日常淋水，定期修剪、除杂草、灭虫害；

(2)绿化地、园林小品每天清洁一次；

(3)植物成活率达到95%以上，出现枯死苗木及时补种。

5.保安服务。

(1)小区内实行24小时保安制度，日夜巡逻；

合同文书

对本物业的公用设施不得擅自占用和改变使用功能，如需改变或完善配套项目，经甲方同意后方可实施。

(2)保安人员有明显标志,工作规范,遇有险情,在接到报警后立即到达现场;

(3)对出入小区车辆敬礼(戴白手套敬标准礼),以标准手势指挥车辆的进出停放;

(4)区内治安达到安全文明小区的标准。

6.管理服务。

(1)接住户电话有记录、有跟踪、有处理结果反馈;

(2)管理员每日巡视2次以上,接电话半小时内到现场处理。

7.维修。

①开通24小时服务热线(电话:×××××),维修及时率100%;

②维修合格率100%。

第四章 物业管理服务和维修费用

第十五条 物业管理服务费,指为完成本合同第二章所规定的委托管理事项而发生的费用,由服务成本、法定税费、经理人酬金构成。本物业的管理服务费标准为:______元/月(管理费每半年结算一次,1月份缴上半年,7月份缴下半年)。

以上已包含乙方提取物业管理服务费总额的10%作为提供服务的经理人酬金和税金。

第十六条 甲方逾期交纳物业管理服务费(或专项设备运行费),从逾期之日起每日按应交费的万分之五交纳滞纳金。

第十七条 甲方同意乙方无偿使用本物业的配套管理用房,乙方不得将管理用房转作其他用途。

第十八条 乙方对物业使用人的房屋自用部位、自用设备、毗连部位的维修、养护及其他特约服务,应当事先公布收费标准,由当事人按实际发生的费用计付。

第十九条 物业的共用部位、共用设备设施、公共场地的维修、更新费用由乙方向甲方提交书面报告及预算,经确认后乙方组织实施。

第五章 违约责任

第二十条 甲方违反合同第十二条义务的约定,乙方有权要求甲方在限期内解决;导致乙方未能完成规定管理目标或造成乙方经济损失的,甲方应给予乙方经济赔偿。

第二十一条 乙方违反本合同第十三条义务和第三章的约定,甲

合同文书

物业的共用部位、共用设备设施、公共场地的维修、更新费用由乙方向甲方提交书面报告及预算,经确认后乙方组织实施。

由于许多物业管理单位并不是房屋的产权单位，由此引起的纠纷时有发生。因此，在签订物业管理合同时，对于双方的权利和义务，一定要写清楚，免得万一由房屋的产权而发生矛盾时，结果却影响自己的利益。

方有权要求乙方限期整改，逾期未整改的，甲方可报请物业管理行政主管部门作出处理，造成甲方经济损失的，乙方应给予甲方经济赔偿。

第二十二条　乙方违反本合同第四章的约定，擅自提高收费标准的，甲方有权要求乙方清退；造成甲方经济损失的，乙方应给予甲方经济赔偿。

第六章　附则

第二十三条　本合同一式二份，甲乙双方各执一份，具有同等法律效力。

第二十四条　双方可对本合同的条款进行补充，以书面形式签订补充协议，补充协议与本合同具有同等效力。

第二十五条　本合同执行期间，如遇不可抗力，致使合同无法履行时，双方应按有关法律规定及时协商处理。

第二十六条　本合同在履行中如发生争议，双方应协商解决或报请物业管理行政主管部门进行调解，协商或调解不成的，可以向人民法院起诉。

第二十七条　合同期满本合同自然终止，双方如续订合同，应在该合同期满三十日前向对方提出书面意见。

甲方(签章)：广州××大厦　　　　乙方(签章)：广州××物业有限公司

法定代表人：________　　　　法定代表人：______

_______年____月__日　　　　___年___月__日

(2)物业入住协议

甲方(业主)：

乙方：××物业管理有限公司

为了维护大厦各业主权益及促进大厦的管理，业主与物业公司签订以下协议：

一、确认已于____年_____月______日收到与______物业管理有限公司签发的《住户手册》。

二、同意将来若将该物业产权转移(包括但不限于出售、转让、遗赠或互易)时，需取得承让人在公证处签署此相同的承诺书，并在产权转移后一个月内将该份合约交管理公司，以确保承让人遵守该管理公约及业主守则的规定。此外，亦同意以书面形式通知发展商及管理者关于单元拥有人的变更及承让人的姓名、联络地址及其他有关资料。

三、本业主/公司完全同意和严格遵守本手册所载之各项内容并愿意与小区管理处通力合作，共同维护住宅小区的建设风貌及优美、整洁、宁静、安全的居住环境。如有违反愿按《住户手册》中的要求，承担有关责任。

四、本合同一式二份，业主和管理公司各执一份，自签字之日起具有法律效力。

业主房屋地址：　　　　　　　　管理单位盖章：

业主(委托人)签名：　　　　　　负责人签名：

联系电话：　　　　　　　　　　联系电话：

××××年×月×日

由于许多物业管理单位并不是房屋的产权单位，由此引起的纠纷时有发生。因此，在签订物业管理合同时，对于双方的权利和义务，一定要写清楚，免得万一由房屋的产权而发生矛盾时，结果却影响自己的利益。

合同文书

担保合同并不是独立有名合同，而是附属在其他合同上面用以防范合同风险的合同。它的适用范围非常广泛，在借贷、买卖、货物运输、加工承揽等经济合同中，都经常用到担保合同。担保合同对于降低债权风险，强化债权信用，确保债权的实现，具有重要作用。一般分为保证合同、抵押合同、质押合同和定金合同。

9. 担保合同

(1)什么是担保合同

担保合同并不是独立有名合同，而是附属在其他合同上面用以防范合同风险的合同。它的适用范围非常广泛，在借贷、买卖、货物运输、加工承揽等经济合同中，都经常用到担保合同。担保合同对于降低债权风险，强化债权信用，确保债权的实现，具有重要作用。一般分为保证合同、抵押合同、质押合同和定金合同。

(2)如何写作担保合同

担保合同的内容由以下四部分组成：

第一部分，保证合同的主要内容。

合同文书

这部分内容包括以下几个方面：1. 被担保的主债权种类、数额；2. 债务人履行债务的期限；3.质押物的名称、数量、质量、状况；4.质押担保的范围；5. 质押物移交的时间；6. 当事人认为需要约定的其他事项。

这部分内容包括以下几个方面：1.被保证的主债权种类、数额；2.债务人履行债务的期限；3.保证的方式，保证范围及期间；4.双方认为需要约定的其他事项。

第二部分，抵押合同的主要内容。

这部分内容包括以下几个方面：1.被担保的主债权种类、数额；2.债务人履行债务的期限；3.抵押物的名称、数量、质量、状况、所在地、所有权或使用权权属；4.抵押担保的范围；5.当事人认为需要约定的其他事项。

第三部分，质押合同的主要内容。

这部分内容包括以下几个方面：1.被担保的主债权种类、数额；2.债务人履行债务的期限；3.质押物的名称、数量、质量、状况；4.质押担保的范围；5.质押物移交的时间；6.当事人认为需要约定的其他事项。

第四部分，定金合同的主要内容，还应包括定金和数额等。

(3)例文：

保证合同

（参考文本）

合同编号 ______ 年 ______ 字第 ______ 号

保证人名称：____________________

住　　所：____________________

法定代表人：____________________

开户金融机构：__________________ 账号：__________________

电话：__________ 邮政编码：__________ 传真：______________

贷款人名称：____________________

住　　所：____________________

法定代表人：____________________

电话：______________ 邮政编码：________ 传真：______________

借款人名称：_________________________

住　　所：_________________________

法定代表人：_________________________

开户金融机构：________________ 账号：____________________

电话:____________ 邮政编码:____ 传真:____________

签订合同日期:________ 年 ______ 月 ______ 日

签订合同地点:________ 省(市)______ 市 ________ 县(区)

借款人(以下称甲方):________________________

贷款人(以下称乙方):________________________

保证人(以下称丙方):________________________

因甲方的请求,丙方愿意为甲、乙签订的 ________ 年 ______ 字第 ______ 号合同提供担保。乙方经审查,同意丙方作为甲方还款的保证人。甲、乙、丙三方经协商一致,按下列条款订立本合同。

第一条　丙方保证金额为甲方根据 ________ 年 ______ 字第 ______ 号合同(以下简主合同)向乙方借用的 ________(币种)资金本金(大写)____________ 整及相应的利息、费用。

第二条　丙方对上条所列款项承担连带清偿责任。如甲方不按主合同的约定偿付借款本息和相应费用,乙方有权直接向丙方追偿。丙方保证在接到乙方书面索款通知后 ________ 个营业日内清偿上述款项。

第三条　丙方的保证责任不因甲方上级单位的任何指令、甲方地位及财力状况的改变、甲方与任何单位签订任何协议或文件及本保证合同所担保的主合同的无效或解除而免除。

第四条　丙方机构若发生变更、撤销,丙方应提前 ______ 天书面通知乙方和甲方,本保证合同项下的全部义务由变更后的机构承担;或由甲方和丙方落实为乙方所接受的新的保证人承担。

第五条　本合同生效后,甲方和乙方如需要延长主合同项下借款期限或者变更主合同其他条款,应征得丙方同意,由甲、乙、丙三方达成书面协议。

第六条　本合同生效后,丙方有权对甲方的资金和财产情况进行监督,有权要求甲方提供其财务报表等材料,甲方应如实提供。

第七条　本合同的保证金额随甲方偿还或丙方代为清偿本合同第二条约定的本金、利息、费用的数额而相应扣减。

第八条　丙方代甲方清偿借款本息、费用后,有权向甲方追偿。

第九条　在本合同有效期内,甲、乙、丙任何一方不得擅自变更或解除本合同。需变更本合同条款时,应经三方协商同意,达成书面协议。

第十条　违约责任

合同文书

本合同生效后,甲方和乙方如需要延长主合同项下借款期限或者变更主合同其他条款,应征得丙方同意,由甲、乙、丙三方达成书面协议。

合同文书

签立担保合同，可以降低债权的风险，因为即使借款人一旦还不起贷款，债权还能通过担保人来实现。所以，担保人一定要明确自己应负的责任，谨慎从事。

1.丙方违反本合同第二条规定，未按期代为清偿到期债务的，乙方有权委托丙方开户金融机构从丙方存款账户中直接扣收，并可视情况按保证总额的 ______%向丙方收取违约金。

2.丙方违反本合同第四条约定的，应由变更后的机构按保证总额的 ______%向乙方支付违约金。给乙方造成经济损失，且违约金数额不足以弥补所受损失的，还应赔偿乙方直接经济损失。

3.甲方违反本合同第四条约定的，乙方有权停止发放新贷款，并提前收回已发放的贷款本息。

4.甲方和乙方违反本合同第五条的约定，未经丙方同意擅自延长主合同项下借款期限或者变更合同其他条款的，丙方可以自行解除担保义务。

5.本条所列违约金的支付方式，甲、乙双方商定如下：(根据具体情况填写)

第十一条　争议的解决方式：

甲、乙、丙三方在履行本合同中发生的争议，由三方协商或通过调解解决。协商或调解不成，可以向合同签订地的合同仲裁机构申请仲裁，或者向合同签订地的人民法院起诉。

第十二条　甲、乙、丙三方商定的其他事项：(根据具体情况填写。)

第十三条　本合同由甲、乙、丙三方法定代表人或法定代表人授权的代理人签字并加盖单位公章，并自主合同生效之日起生效。

第十四条　本合同正本一式三份，甲、乙、丙三方各执一份。

甲方：(公章)　　　　法定代表人(或其授权代理人)：(签字)

________年______月_______日

乙方：(公章)　　　　法定代表人(或其授权代理人)：(签字)

________年______月_______日

丙方：(公章)　　　　法定代表人(或其授权代理人)：(签字)

________年______月______日

签订合同地点：________省_______市______县(区)

注：如合同当事人为非法人单位，由其主要负责人或主要负责人授权的代理人签字。

签立担保合同，可以降低债权的风险，因为即使借款人一旦还不起

贷款，债权还能通过担保人来实现。所以，担保人一定要明确自己应负的责任，谨慎从事。

10. 行纪合同

(1)什么是行纪合同

行纪合同是行纪人以自己的名义为委托人从事贸易活动，委托人支付报酬的合同。接受委托以自己名义从事贸易活动的称为行纪人；委托他人为自己从事贸易活动并给付报酬的一方称为委托人。

(2)如何写作行纪合同

行纪合同的内容由以下九部分组成：

第一部分，合同当事人及合同签订的时间、地点。

签订行纪合同首先应明确合同主体。因此，在行纪合同中，应写明委托人与行纪人的名称(姓名)以及单位、地址、职务(职业)、联系电话等。在合同首部应写明合同签订的时间、地点。

行纪合同的主体范围：委托人可以是法人，也可以是公民，但行纪人只限于经批准经营行纪业务的法人。公民个人和未经法定手续批准的法人不得经营或兼营行纪业务。

第二部分，委托事务的各类(合同标的)。

行纪合同委托事务的种类是指委托人委托行纪人要办的事项。在合同中，必须将委托事项写清楚，如果是寄售或是代购、代销，此条款必须写得明确、具体，不能含糊或使人产生歧义。

第三部分，行纪事务的具体要求及价格。

行纪事务的具体要求，主要指委托方应在合同中明确提出对行纪货物或劳务的要求。如行纪内容为代购或寄售货物时，应对货物的名称、种类、型号、质量、规格、牌号或商标、包装、数量、交货方式等有关事项予以明确规定。行纪内容是劳务的，对劳务的具体要求也应详细明确。

合同文书

行纪合同是行纪人以自己的名义为委托人从事贸易活动，委托人支付报酬的合同。接受委托以自己名义从事贸易活动的称为行纪人；委托他人为自己从事贸易活动并给付报酬的一方称为委托人。

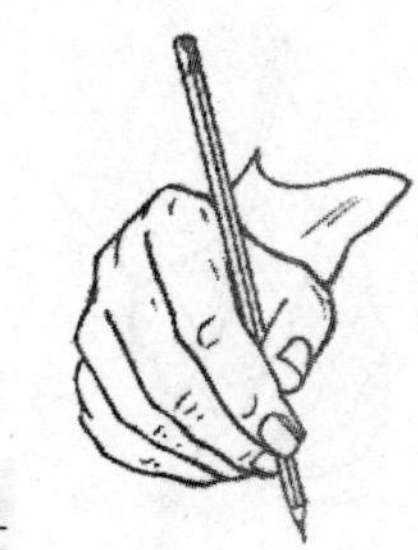

> 在该条款中当事人双方对违反合同义务各自应承担的责任和方式予以明确规定。可以约定什么性质的违约行为承担什么性质的违约责任，也可以概括约定各类违约，责任承担和条件，还可以约定赔偿金的数额及其计算方法。

行纪合同的价格，主要指合同中应明确规定所行纪的货物或劳务的价格。行纪事务是代购、代售的，价格上应规定一个幅度，以及最低销售价或最高购入价，以便于行纪方在从事交易时能掌握抓住最佳时机。

第四部分，酬金或手续费。

合同要对行纪方应得到的酬金加以明确规定。由于行纪事项难易程度不同，有些事项能否办成尚无把握，因此，实务中许多行纪合同将酬金分别计算：第一是手续费，即无论行纪事务是否办成，只要委托方提出要求，行纪方接受请求并负责办理就可收取费用，这笔费用一般不是很高。第二是酬金，这是行纪方完成委托方的委托事务后才能收取的报酬。

酬金的计算方法有两种：一种是固定酬金，即事先在合同中约定，完成委托后付给多少数额的报酬；另一种是浮动酬金，即在合同中约定，按照推销或采购商品总价值的一定比率付给酬金。

第五部分，结算方式的期限。

行纪合同需要结算的款项主要有两部分：一是酬金；二是代购、代销或寄售商品物质的价款。两笔款项应该分别计算和结算，以免发生差误。在合同中应对结算的方式、地点和期限做出明确规定。

第六部分，保管责任。

在合同中应载明委托人要求行纪人在购销货物时的保管责任，特别是在寄售货物时，须对所寄售物品情况详细地写明，除应明确名称、种类、质量、规格、型号、数量等外，还应对包装、瑕疵等情况予以明确规定。

第七部分，违约责任。

在该条款中当事人双方对违反合同义务各自应承担的责任和方式予以明确规定。可以约定什么性质的违约行为承担什么性质的违约责任，也可以概括约定各类违约，责任承担和条件，还可以约定赔偿金的数额及其计算方法。

第八部分，合同纠纷解决方式。

在合同中应约定，当发生合同纠纷，双方自行协商不成时，是选择到某仲裁机构仲裁，还是到法院起诉。

第九部分，其他约定事项。

当事人在不违反法律和社会公德的前提下，还可以根据需要约定其他经双方同意的条款。

(3)例文：

行纪合同

（参考文本）

合同编号：____________

委托人：________________ 签订地点：_________________ 行纪人：______________ 签订时间：_________ 年 ______ 月 ______ 日

根据《中华人民共和国合同法》和有关法规的规定，行纪人接受委托人的委托，就代办 ______________ 事项，双方协商一致，签订本合同。

第一条　代办事项：（具体约定是寄售、代购代销货物，还是其他法律事务）。____

第二条　代办事项的具体要求：（凡属寄售和代购代销货物，应明确具体货物品名、规格、型号、质量，以及最低销价或最高购价和时间要求）。_____________________________

第三条　货物保管责任及费用承担：________________________。

第四条　酬金的计算给付方式、给付时间：____________________。

第五条　违约责任：________________________________。

第六条　合同争议的解决方式：本合同在履行过程中发生的争议，由双方当事人协商解决；也可由当地工商行政管理部门调解；协商或调解不成的，按下列第 _________ 种方式解决：(1)提交 ______________ 仲裁委员会仲裁；(2)依法向人民法院起诉。

第七条　其他约定事项：___________________________。

第八条　本合同未作规定的，按《中华人民共和国合同法》的规定执行。

委托人：

单位（人）名称（章）：

地址：

行纪人：

单位（人）名称（章）：

地址：

合同文书

当事人在不违反法律和社会公德的前提下，还可以根据需要约定其他经双方同意的条款。

法定代表人：
委托代理人：
电话：
传真：
邮政编码：
开户银行：
账号：

法定代表人：
委托代理人：
电话：
传真：
邮政编码：
开户银行：
账号：

本合同有效期：自________年______月______日至________年________月_______日

合同文书

在行纪合同中，对于货物的商标或品牌、规格、型号等，一定要详细地写清楚，同时，对于委托行纪人处理委托事务的期限，也应有明确的规定。

在行纪合同中，对于货物的商标或品牌、规格、型号等，一定要详细地写清楚，同时，对于委托行纪人处理委托事务的期限，也应有明确的规定。

11. 出版合同

(1)什么是出版合同

出版合同是指著作权人就出版事宜与出版人所达成的协议。出版合同的标的是作品，包括：著作、译作、剧本、乐谱、绘画、书法、地图等等。我们在生活中常见的合同是图书出版合同，但事实上出版合同的适用范围极广。

(2)如何写作出版合同

出版合同的内容主要由以下二十一部分组成：

第一部分，双方当事人的名称和地址。

这是合同的前置部分，要写明双方当事人的名称或姓名，还包括双方的合法继承人的姓名及双方的永久住址或地址；注明签约日期、作品的名称和类型、估计字数或页码以及开本。

第二部分，明确规定作者转让图书出版权的文种、期限、出版和发

行地区。

第三部分，作者的保证与赔偿以及作品的要求。

在合同中，要注明作者保证其作品不侵犯别人的版权，没有诽谤、淫秽的内容等，如果发现上述问题而给出版者造成损失，作者负责赔偿。还应注明对作品的内容、篇幅、体例等的具体要求。

第四部分，要明确约定作者交稿的日期、稿件的形式(注明是手稿还是打印稿)，同时约定出版者出书的日期。

第五部分，版权不属于作者的资料的使用办法。

写明作品需引用第三者的插图或照片时，作者应取得第三者许可并为此支付报酬。

第六部分，提供索引和其他补充资料的办法。

如由作者亲自提供，或作者同意由第三者提供，其报酬从出版方付给作者的版税中扣除。

第七部分，作者审读校样。

如果规定由作者审读校样，作者应按时审读和退回校样。如果校样不能按时退还或因修改过多而增加排版费用，著译者应承担部分费用(不超过稿酬总额的30%)。

第八部分，出版者自行决定印刷和发行作品的方式与办法。

如果出版者自冒风险、自筹资金出版图书，由出版者决定用什么纸张、几号字型、图书的印数和定价、如何装订等。

第九部分，应写明出版者支付作者稿酬的数量(或计算方法)、期限和方式。

书籍稿酬分为基本稿酬和印数稿酬两种，初版的书籍按字数付给作者基本稿酬，同时按印数多少付给印数稿酬。再版时只付印数稿酬。还应写明自合同签字后，预付给作者一部分基本稿酬，其余稿酬在书籍出版后(见到样书后30天内)结清。

第十部分，图书出版权再转让的收入分配。

如经作者同意将精装书的重印出版权和缩写本的出版权或将平装书的出版权转让给第三者，应约定出版者至少应将所得收入的______%支付给作者。在合同有效期间，经著者(或译者)同意，出版者有权允许第三者以摘编、选编形式转载本著作(或译作)，须将与第三者签订的合同及其他有关文件的抄件寄给著者(或译者)，并将从第三者所

合同文书

出版合同是指著作权人就出版事宜与出版人所达成的协议。出版合同的标的是作品，包括：著作、译作、剧本、乐谱、绘画、书法、地图等等。我们在生活中常见的合同是图书出版合同，但事实上出版合同的适用范围极广。

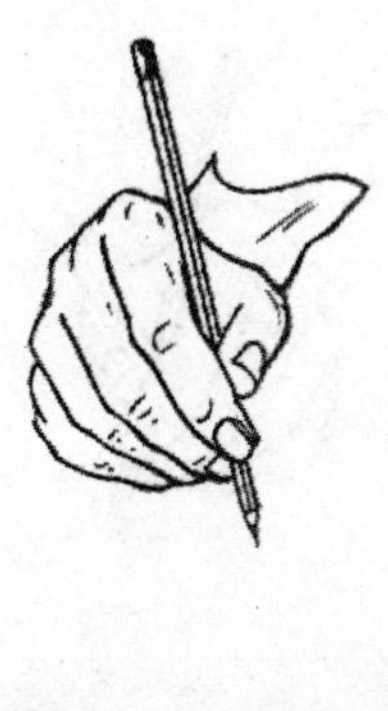

得报酬的三分之二付给著者(或译者)。

第十一部分,翻译权及其他从属权的转让。

如果著译者委托出版者在合同有效期间授权第三者使用下列权利，出版者应将与第三者签订的合同及其他有关文件的抄件寄给著译者,并应按下列比例向著译者支付从第三者所得报酬:改编—75%;翻译—75%;表演—75%;播放—80%;录音录像—80%;摄制影片—80%。

第十二部分,送给著译者样书和著译者购书办法。

著译作出版后,出版者应免费送给著译者样书15至20本。著译者可以批发价格或低于批发价的价格向出版者购书以供自用。

第十三部分,滞销图书的处理办法。

如未经作者同意,图书首次出版未满两年,出版者不得降价出售;两年之后,图书滞销,出版者事先通知作者后可以降价出售,作者有权优先购买。

第十四部分,对竞争性作品的限制。

在出版合同有效期间，作者不得将有竞争能力的作品交第三者出版,影响出版合同中规定的作品的发行,使出版者遭受损失。

第十五部分,合同的转让。

如果未经作者同意，出版者不得将作者在合同中给予出版者的权利和利益转让给第三者。

第十六部分,修订再版。

图书在发行一定时间之后,如出版者要求作者修订再版,以适应新的情况,作者应当修订,出版者应为此付酬;如本人不愿修订或作者死亡,应该允许出版者请人修订,其费用从应付给作者的稿酬中扣除。

第十七部分,脱销和绝版。

在合同有效期间,如图书脱销或绝版,出版者应在接到作者通知若干月之内重印发行;如过若干时期后,市场上仍然见不到图书,作者给予出版者的所有权利全部自动回归作者,合同失效。

第十八部分,优先选择权。

合同中的作品出版后,出版者对作者的第二、第三部作品有优先选择出版的权利,但作者交稿六个星期内,出版者应明确答复是否愿意出版。如果超过六个星期不答复,则认为已被接受;如果不出版,作者有权要求赔偿。

合同文书

在合同有效期间，如图书脱销或绝版，出版者应在接到作者通知若干月之内重印发行；如过若干时期后，市场上仍然见不到图书，作者给予出版者的所有权利全部自动回归作者，合同失效。

第十九部分，废约及违约责任。

如作者不按时交稿、审阅和退还校样，拒绝修订作品，也不同意他人修订，或有其他违约行为，出版者有权废约和要求赔偿损失；如出版者不按规定的时间出版作品，拒绝重印，不按时支付稿酬；或者有其他违约行为，作者有权废约和要求赔偿损失。合同签订后，由于客观形势的变化图书不能出版，出版者应支付著译得50%~70%的基本稿酬。遇有这两种情况都应将稿件退还著译者。

第二十部分，发生侵权事件的处理办法。

如果发现第三者侵犯作品的版权，出版者可以作者的名义提出诉讼，从侵权方获得的经济赔偿，扣除诉讼费用外，与作者双方平分。

第二十一部分，争议的解决办法。

(3)例文：

图书出版合同

（参考文本）

甲方（著作权人）：____________________ 地址：__________________

乙方（出版者）：____________________ 地址：___________________

作品名称：________________________

作者名称：________________________

甲乙双方就上述作品的出版达成如下协议：

第一条　甲方授予乙方在合同有效期内，在 _______ 以图书形式出版发行上述作品 ______ 文本的专有使用权。

第二条　根据本合同出版发行的作品不得含有下列内容：

（一）反对宪法确定的基本原则；

（二）危害国家统一、主权和领土完整；

（三）危害国家安全、荣誉和利益；

（四）煽动民族分裂，侵害少数民族风俗习惯，破坏民族团结；

（五）泄露国家机密；

（六）宣扬淫秽、迷信或者渲染暴力，危害社会公德和民族优秀文化传统；

（七）侮辱或者诽谤他人；

合同文书

如果发现第三者侵犯作品的版权，出版者可以作者的名义提出诉讼，从侵权方获得的经济赔偿，扣除诉讼费用外，与作者双方平分。

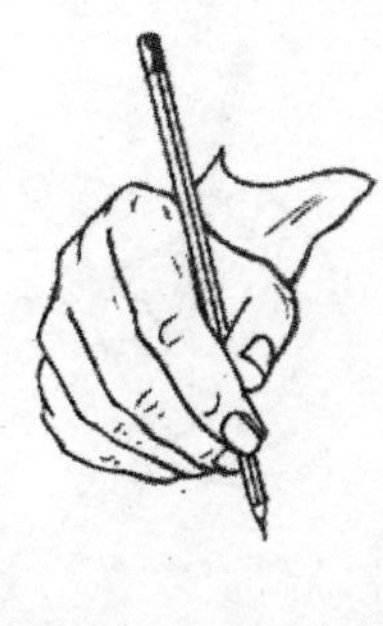

合同文书

在合同有效期内，未经双方同意，任何一方不得将第一条约定的权利许可第三方使用。如有违反，另一方有权要求经济赔偿并终止合同。

(八)法律、法规禁止的其他内容。

第三条　甲方保证拥有第一条授予乙方的权利。因上述权利的行使侵犯他人著作权的，甲方承担全部责任并赔偿因此给乙方造成的损失，乙方可以终止合同。

第四条　甲方的上述作品含有侵犯他人名誉权、肖像权、姓名权等人身权内容的，甲方承担全部责任并赔偿因此给乙方造成的损失，乙方可以终止合同。

第五条　上述作品的内容、篇幅、体例、图表、附录等应符合下列要求：__________

第六条　甲方应于________年________月________日前将上述作品的誊清稿交付乙方。甲方不能按时交稿的，应在交稿期限届满前________日通知乙方，双方另行约定交稿日期。甲方到期仍不能交稿的，应按本合同第十一条约定报酬的________%向乙方支付违约金，乙方可以终止合同。

甲方交付的稿件应有作者的签章。

第七条　乙方应于________年________月________日前出版上述作品，最低印数为________册。乙方不能按时出版的，应在出版期限届满前________日通知甲方，并按本合同第十一条约定报酬的________%向甲方支付违约金，双方另行约定出版日期。乙方在另行约定期限内仍不出版的，除非因不可抗力所致，乙方应按本合同第十一条约定向甲方支付报酬和归还作品原件，并按该报酬的________%向甲方支付赔偿金，甲方可以终止合同。

第八条　在合同有效期内，未经双方同意，任何一方不得将第一条约定的权利许可第三方使用。如有违反，另一方有权要求经济赔偿并终止合同。一方经对方同意许可第三方使用上述权利，应将所得报酬的________%交付对方。

第九条　乙方尊重甲方确定的署名方式。乙方如需更动上述作品的名称，对作品进行修改、删节、增加图表及前言、后记，应征得甲方同意，并经甲方书面认可。

第十条　上述作品的校样由乙方审校。

*上述作品的校样由甲方审校。甲方应在________日内签字后退还乙方。甲方未按期审校，乙方可自行审校，并按计划付印。因甲方修改

造成版面改动超过 ______%或未能按期出版，甲方承担改版费用或推迟出版的责任。

第十一条　乙方采用下列方式及标准之一向甲方支付报酬：

（一）基本稿酬加印数稿酬：______ 元/每千字×______ 千字+印数（以千字为单位）×基本稿酬 ______%。

（二）一次性付酬：______ 元。

（三）版税：______ 元（图书定价）×______%（版税率）×印数。

第十二条　以基本稿酬加印数稿酬方式付酬的，乙方应在上述作品出版后 ______ 日内向甲方支付报酬，但最长不得超过半年。

以一次性支付方式付酬的，乙方在甲方交稿后 ______ 日内向甲方付清。

以版税方式的付酬的，乙方在出版后 ______ 日内向甲方付清。

乙方在合同签字后 ______ 日内，向甲方预付上述报酬的 ______%（元）。

乙方未在约定期限内支付报酬的，甲方可以终止合同并要求乙方继续履行付酬的义务。

第十三条　甲方交付的稿件未达到合同第五条约定的要求，乙方有权要求甲方进行修改，如甲方拒绝按照合同的约定修改，乙方有权终止合同并要甲方返还本合同第十二条约定的预付报酬。如甲方同意修改，且反复修改仍未达到合同第五条的要求，预付报酬不返还乙方；如未支付预付报酬，乙方按合同第十一条约定报酬的 ______%向甲方支付酬金，并有权终止合同。

第十四条　上述作品首次出版 ______ 年内，乙方可以自行决定重印。首次出版 ______ 年后，乙方重印应事先通知甲方。如果甲方需要对作品进行修改，应于收到通知后 ______ 日内答复乙方，否则乙方可按原版重印。

第十五条　乙方重印、再版，应将印数通知甲方，并在重印、再版 ______ 日内按第十一条的约定向甲方支付报酬。

第十六条　甲方有权核查乙方应向甲方支付报酬的账目。甲方指定第三方进行核查，需提供书面授权书。如乙方故意少付甲方应得的报酬，除向甲方补齐应付报酬外，还应支付全部报酬 ______%的赔偿金并承担核查费用。如核查结果与乙方提供的应付报酬相符，核查费用由甲

合同文书

甲方交付的稿件未达到合同第五条约定的要求，乙方有权要求甲方进行修改，如甲方拒绝按照合同的约定修改，乙方有权终止合同并要甲方返还本合同第十二条约定的预付报酬。

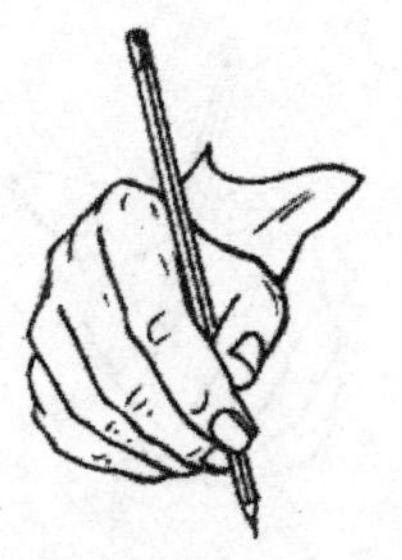

方承担。

第十七条 在合同有效期内,如图书脱销,甲方有权要求乙方重印、再版。如甲方收到乙方拒绝重印、再版的书面答复,或乙方收到甲方重印、再版的书面要求后 ______ 月内未重印、再版,甲方可以终止合同。

第十八条 上述作品出版后 ______ 日内乙方应将作品原稿退还甲方。如有损坏,应赔偿甲方 ______ 元;如有遗失,赔偿 ______ 元。

第十九条 上述作品首次出版后 ______ 日内,乙方向甲方赠样书 20 册,并以 ______ 折价售予甲方图书 ______ 册。再次再版后 ______ 日内,乙方向甲方赠样书 ______ 册。

第二十条 在合同有效期内乙方按本合同第十一条(一)基本稿酬加印数稿酬方式,或者按本合同第十一条(二)一次性付酬方式向甲方支付报酬的,出版上述作品的修订本、缩编本的付酬的方式和标准应由双方另行约定。

第二十一条 在合同有效期内,甲方许可第三方出版包含上述作品的选集、文集、全集的,须取得乙方许可。

在合同有效期内,乙方出版包含上述作品的选集、文集、全集或者许可第三方出版包含上述作品的选集、文集、全集的,须另行取得甲方书面授权。乙方取得甲方授权的,应及时将出版包含上述作品选集、文集、全集的情况通知甲方,并将所得报酬的 ______%交付甲方。

第二十二条 在合同有效期内,甲方许可第三方出版上述作品的电子版的,须取得乙方的许可。

在合同有效期内,乙方出版上述作品电子版或者许可第三方出版上述作品电子版的,须另行取得甲方书面授权。乙方取得甲方授权的,应及时将出版上述作品电子版的情况通知甲方,并将所得报酬的 ______%交付甲方。

第二十三条 未经甲方书面许可,乙方不得行使本合同第一条授权范围以外的权利。

*甲方授权乙方代理行使 ______ 上述作品的权利,其使用所得报酬甲乙双方按 ______ 比例分成。

第二十四条 双方因合同的解释或履行发生争议,由双方协商解决。协商不成将争议提交仲裁机构仲裁,或向人民法院提起诉讼。

合同文书

出版合同中,著作人最常见的是使用版税和稿费两种方式。这两种不同的方式,著作人得到的报酬是不太一样的,版税根据书的发行量,书发行得好,版税自然高,而稿费大多属于一次性交易。所以,著作人在签出版合同时,事先应对这些有所了解。

第二十五条　合同的变更、续签及其他未尽事宜，由双方另行商定。

第十二六条　本合同自签字之日起生效，有效期为________年。

第二十七条　本合同一式两份，双方各执一份为凭。

甲方：(签章)　　　　　　　　　　乙方：(签章)

_____年____月____日　　　　　　　_____年____月____日

注：注＊的为选择性内容。

出版合同中，著作人最常见的是使用版税和稿费两种方式。这两种不同的方式，著作人得到的报酬是不太一样的，版税根据书的发行量，书发行得好，版税自然高，而稿费大多属于一次性交易。所以，著作人在签出版合同时，事先应对这些有所了解。

12. 财产租赁合同

(1)什么是财产租赁合同

财产租赁合同是指合同当事人约定，一方将其财产在一定期限内交给另一方使用，另一方付出一定的租金，并在租赁关系终止时将财产返还而达成的权利和义务的协议。

合同文书

财产租赁合同是指合同当事人约定，一方将其财产在一定期限内交给另一方使用，另一方付出一定的租金，并在租赁关系终止时将财产返还而达成的权利和义务的协议。

(2)如何写作财产租赁合同

财产租赁合同的内容由标题、签订地点及承租方的签订日期、正文、尾部组成。

第一部分，标题。一般写“合同”、“协议”或“××(物件)”租赁合同。

第二部分，出租方和承租方名称以及签约地点和日期。

第三部分，正文。它包括以下几个部分：

A.租赁财产的名称、数量、质量和用途；

B.租金和租金的缴纳期限；

C.租赁期限；

D.租赁期间租赁财产的维修、保养责任;

E租方与承租方的变更;

F.违约责任;

G.争议解决的方式;

H.当事人约定的其他事项。

第四部分,尾部。写上经办人的名字,并注明双方当事人盖章是公章还是私章。

合同文书

财产租赁合同中,应明确所租赁财产的名称和数量,对于其用途和质量,也应写清楚。值得注意的是,财产的名称应该写全称,而不能图一时的方便,以简称的形式出现。

(3)例文:

财产租赁合同

合同编号:

出租方:______________________

承租方:______________________

签订地点:______________________ 签订时间:________年________月________日

根据《中华人民共和国合同法》及有关规定,为明确出租方与承租方的权利义务关系,经双方协商一致,签订本合同。

一、租赁财产及附件的名称、数量、质量与用途。

二、租赁期限。

租赁期共________年零________个月,出租方从________年________月________日起将交付承租方使用,至________年________月________日收回。

三、租金和租金的交纳期限。

四、租赁期间租赁财产的维修保养。

五、出租方与承租方的变更。

1.在租赁期间,出租方如将出租财产所有权转移给第三者,不必征求承租方同意,但应告知承租方所有权转移的情况。所有权转移后,出租财产所有权取得方即成为本合同的当然出租方,享有原出租方享有的权利,承担原出租方承担的义务。

2.承租方如因工作需要,将租用财产转让给第三方承租使用,必须事先征得出租方的同意。

六、违约责任。

七、争议的解决方式。

八、其他约定事项。

九、本合同在规定的租赁期届满前一日内，双方如愿意延长租赁期，应重新签订合同。

本合同未尽事宜，一律按《中华人民共和国合同法》的有关规定，经合同双方共同协商，作出补充规定，补充规定与本合同具有同等效力。

本合同一式一份，合同双方各执一份，合同副本一份。

出租方(章)：	承租方(章)：
单位地址：	单位地址：
法定代表人：	法定代表人：
委托代理人：	委托代理人：
电　话：	电　话：
开户银行：	开户银行：
账　号：	账　号：
邮政编码：	邮政编码：

鉴(公)证意见：

鉴(公)证机关(章)：

经办人：

××××年×月×日

注：除国家另外有规定外，鉴(公)证实行自愿原则。

财产租赁合同中，应明确所租赁财产的名称和数量，对于其用途和质量，也应写清楚。值得注意的是，财产的名称应该写全称，而不能图一时的方便，以简称的形式出现。

合同文书

房屋租赁合同是房屋的所有人或代理人将房屋租给他人而签订的合同。房屋租赁合同是属于财产租赁合同的范围。房屋租赁期限最长不得超过20年，超过20年，超过部分无效。

13. 房屋租赁合同

(1)什么是房屋租赁合同

房屋租赁合同是房屋的所有人或代理人将房屋租给他人而签订的

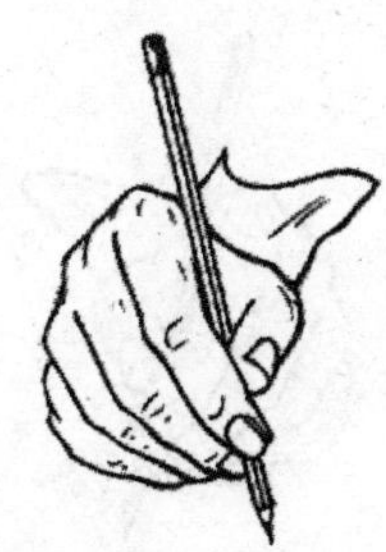

合同。房屋租赁合同是属于财产租赁合同的范围。房屋租赁期限最长不得超过 20 年,超过 20 年,超过部分无效。

合同文书

租用期内,房屋由乙方使用管理,房屋的房产税、土地使用税和其他合理税费由乙方承担。

(2)如何写作房屋租赁合同

房屋租赁合同与一般的租赁合同一样,由以下部分组成:

第一部分,标题。一般为“租赁合同”、“合同”、“协议”或“房屋租赁合同”、“楼房租赁合同”、“商品房租赁合同”等。

第二部分,正文。它包括:

A.屋的位置(坐落地点)等。

B.面积。

C.用途。

D.租期。

E.租金及其支付期限和方式。

F.管理费用和其他费用(如装修集资费、押金等)。

G.转租的规定。

H.维修。

I.合同解除、违约处理等。

第三部分,尾部。双方当事人的签章及签订合同的日期。

(3)例文:

商品房租赁合同

甲方(出租方):____________________

乙方(承租方):____________________

一、乙方租用甲方坐落在 __________ 市 _________ 区内 __________ 楼 _________ 栋 _________ 号的楼房,建筑面积为 ____________ 平方米。租用期 ________ 年,自本合同生效之日开始计算。

二、租用期限内房屋租金为 __________ 元人民币(含建筑税)。乙方分两次支付。本合同生效后的 10 天内,乙方支付房屋租金的剩余款额。

三、租用期内，房屋由乙方使用管理，房屋的房产税、土地使用税和其他合理税费由乙方承担。

四、租用期内，乙方的所用的水、暖、电、热水、通信、室外环卫、房屋修缮、绿化维护等由甲方统一管理，发生的费用由乙方承担。

五、以上第三、第四条所发生的费用，甲方凭收据、发票和有关规定文件，按规定的期限向乙方结算。

六、乙方所租用房屋，在乙方验收合格并付清房屋租金后，归乙方使用。

七、在房屋保修期内(水电设施半年、土建一年，采暖设施为一个采暖期，自乙方使用之日算起)甲方对房屋质量问题保修。

八、乙方服务人员的临时户口等生活上所需办理的手续，由甲方帮助与当地有关单位联系解决。

九、违约责任。

1.本合同生效后，如乙方违约，乙方已缴房屋租金不退，并一次性支付违约罚金＿＿＿＿＿(万)元人民币(自违约之日起 30 天内付清)。

2.本合同生效后，如果甲方违约，甲方向乙方退还剩余租金(即本合同房屋租金的 1/30 乘以剩余租期年数)，并一次性支付违约罚金＿＿＿＿＿(万)元人民币(自违约之日起 30 天内付清)。

3.不满半年的租期按半年计算，超过半年不满一年的租期按一年计算。

十、在租用期内，甲方不得将乙方租用的房屋转租(卖)给任何第三者，如果甲方出售乙方租用的房屋，乙方应享受优先购置权，同时甲方应协助乙方办理正式过户手续，由此发生的有关费用由乙方承担。

十一、乙方需要安装电话，由甲方解决，费用由乙方承担。

十二、在租用期内，如遇不可抗拒的灾害，房屋遭到毁坏，按照房屋建筑程序，甲方重新建造房屋。

十三、甲方已声明本合同所指的楼房是符合国家有关政策和法律而建造经营的，甲乙双方在符合国家现行的有关政策和法令的基础上签订本合同的。如在租赁期限内与国家新的政策、法令、规定相悖，使本合同不得不解除时，甲方每年按房租总金额的 10%乘以乙方实际租用年数计扣房租。

十四、本合同在履行过程中发生的争议，由双方当事人协商解决；

合同文书

租用期内，乙方的所用的水、暖、电、热水、通信、室外环卫、房屋修缮、绿化维护等由甲方统一管理，发生的费用由乙方承担。

协商不成的，按下列第 ________ 种方式解决：

1.提交 __________ 仲裁委员会仲裁；

2.依法向人民法院起诉。

十五、本合同一式六份。正本两份，双方各执一份；副本四份，双方各执两份。正副本具有同等法律效力。

十六、本合同双方签字盖章经公证后生效。本合同未尽事宜双方另行商定。

甲方：　　　　　　　　乙方：

代表：　　　　　　　　代表：

电话：　　　　　　　　电话：

地址：　　　　　　　　地址：

××××年×月×日

在房屋租赁合同中，对于水、电、暖、物业等费用，一定要写清楚，由哪一方来承担。并写明租赁的期限，如果期限未满，应按何种方式计算。

合同文书

在房屋租赁合同中，对于水、电、暖、物业等费用，一定要写清楚，由哪一方来承担。并写明租赁的期限，如果期限未满，应按何种方式计算。

14. 公寓租赁合同

(1)什么是公寓租赁合同

公寓租赁合同，是公寓所有者作为出租人将公寓内的房间租赁给他人居住使用而双方签订的协议。

(2)如何写作公寓租赁合同

公寓的租赁合同与房屋租赁合同的内容和写法相似，不过，在正文上有些区别。公寓租赁合同的正文应特别注意以下事项，并且要在合同中写得明确、清楚、无误。

A.房屋的地点、面积；

B.租期；

C.租金的计算、缴纳、押金(预交)、物业管理费等；

D.装修的规定；

E.转租的规定；

F.延迟交租的违约责任；

G.水、气、电话等费用的缴纳。

(3)例文：

××公寓租赁合同

出租方：________________(以下简称甲方)

承租方：________________(以下简称乙方)

根据《中华人民共和国经济合同法》《××省房屋租赁条例》及实施细则等有关规定，就乙方租住甲方的××酒店式公寓的事宜，为明确甲乙双方的权利和义务关系，经双方协商签订此合同。

第一章 总 则

第一条 甲方将其所有的坐落在________街________路________号________酒店式公寓________楼________房(建筑面积、使用面积、装修完整程度、家具设备及家居用品附后)，出租给乙方作居住使用。

第二条 租赁期限共________天。甲方从________年________月________日起将上述房租给乙方使用，至________年________月________日收回。

第三条 乙方在租住期间，根据所租住时间享受本合同规定的优惠。甲方为乙方提供酒店式家居服务；甲方保证乙方在公寓里的人身和财物的安全，为乙方提供贵重财物的保管服务；甲方对乙方实行住客管理，乙方向甲方提供个人相关资料，甲方承担保密责任。

第四条 甲方保证出租公寓具有居住功能，符合国家消防安全规定及其他有关法律、法规和规章的规定。乙方保证在租住期间不改变公寓用途，不破坏房子结构，保证自己的行为符合法律、法规、规章和有关政策的规定，且遵守本合同各项约定。

第五条 本合同于乙方向甲方缴纳________元押金后生效。

第二章 租金和其他费用的缴纳与结算

合同文书

公寓租赁合同，是公寓所有者作为出租人将公寓内的房间租赁给他人居住使用而双方签订的协议。

合同文书

乙方在公寓使用过程中，发现公寓本身或内部设施出现或发生妨碍安全、正常使用的自然损坏或人为故障时，应及时告知甲方并采取有效措施防止损失的扩大，甲方应于接到乙方通知的____小时内进行维修。

第六条 乙方在入住公寓期间向甲方缴纳租金和有关服务费及其他消费费用。

租金=标准租金×优惠折扣率×租用的公寓面积

有关服务费及其他消费费用包括：水费、电费、燃气费、电话和网络使用费及送餐、托婴、文印等特殊费用(费用标准另定)。

甲方负责承担房产税、出租公寓所用土地的使用费、租赁管理等政府税费。

第七条 乙方租住同一房________天，付________%房租；住________天及以上享受________%的优惠价。

乙方在入住期间，每月________日向甲方交纳下月租金，先付后用，否则甲方可要求其立即退房。甲方收取租金后必须出具税务机关监制的收租凭证。

第八条 乙方要求提前退房时，甲方根据不同情况计算其他应付费用。

第三章 公寓的使用、维修和转租

第九条 甲方在出租公寓内配备的所有设施均属甲方所有，甲方保证出租公寓及其配套设施的安全符合有关法律、法规和规章的规定。乙方应正常使用并妥善保护公寓及配套设施，防止非正常损坏。

第十条 乙方事先未经甲方的书面同意：

1.不得在公寓内放置货物；

2.不得更动公寓内的电线、管道位置；

3.不得随意更动配套设施的摆放位置或搬离出租公寓；

4.不得在公寓内安装隔墙、隔板和改变公寓的内部结构。

第十一条 乙方在公寓使用过程中，发现公寓本身或内部设施出现或发生妨碍安全、正常使用的自然损坏或人为故障时，应及时告知甲方并采取有效措施防止损失的扩大，甲方应于接到乙方通知的________小时内进行维修。本条维修的费用由甲方承担。甲方维修期间，乙方应积极配合，不得阻挠施工。

第十二条 因乙方使用不当或不合理使用，导致公寓内的设施损坏、丢失或发生故障，乙方应及时告知甲方，由甲方采取措施进行必要的维修和安装或重新添置。乙方承担维修、安装或重新添置的费用，并赔偿相应损失。

第十三条 乙方确需对公寓进行改建、扩建或装修的，经甲方同意，并报请政府有关部门批准方可进行，甲乙双方应就此另行签订书面协议。

第十四条 未经甲方书面同意，乙方不得将出租公寓全部或部分转租给他人。经甲方同意按法定程序转租的，转租期限不得超过本租赁合同的有效期限。乙方保证其受转租人不将转租公寓再行转租。本条发生的费用由乙方自行承担。

第十五条 甲方出售房屋，须在二个月前书面通知乙方，在同等条件下，乙方有优先购买权。

第四章 合同的转让、终止、解除和续签

第十六条 未经甲方书面同意，乙方不得将本合同转让给第三人。乙方要将房屋转让给第三人或与他人交换房间，须经甲方同意，但所居住天数不能连续计算。

第十七条 合同自动终止的免责条件：

1.发生不可抵抗力或意外事件的影响，使合同无法履行；

2.因市政建设需要，政府决定征用出租公寓所在土地而需拆除出租公寓，或者需要改造房屋；

3.甲方的有关公寓租赁有效证件失效。

发生上述情形之一，合同终止，所造成双方的损失，互不承担责任，租金按实际使用时间计算。

第十八条 有下列情形之一，甲方有权终止合同，通知乙方交回公寓，由此给甲方造成的损失，应由乙方赔偿：

1.乙方损坏公寓设施而不主动赔偿，甲方从乙方租赁押金扣除有关费用后，乙方不及时补足押金的；

2.乙方逾期不交房租的；

3.未经甲方同意，乙方擅自改变出租公寓用途的，擅自将公寓转租、转借、转让他人或与他人交换的；

4.乙方违反本合同约定，擅自改变公寓内部设施和内部结构的；

5.乙方在公寓内从事违法违规行为。

第十九条 有下列情形之一的，乙方有权要求解除合同，在迁离公寓时，乙方有权要求甲方退还预付消费金的余额以及租赁押金：

1.在公寓内固定设施发生自然损坏或乙方愿意承担人为损坏的费

合同文书

在公寓内固定设施发生自然损坏或乙方愿意承担人为损坏的费用时，由于甲方不能及时维修，致使乙方无法继续租用该公寓，且未能及时为乙方安排其他适当公寓；

用时，由于甲方不能及时维修，致使乙方无法继续租用该公寓，且未能及时为乙方安排其他适当公寓；

2.乙方在公寓里得不到安全保障；

3.乙方得不到相应的服务。

第二十条 本合同到期或出现本合同自动终止的情况，甲方对公寓进行核收，结算乙方所有应付账款后，应返还乙方的预付金余额和押金。乙方应按期迁离公寓。

乙方提前办理退房应提前________通知甲方。

第二十一条 乙方在本合同到期后，如需继续租用甲方公寓，乙方应于合同有效期满前三日向甲方提出续租要求，经与甲方协商一致后，重新订立新合同，原合同押金将自动转入新合同。合同期满后，如甲方继续出租公寓，在甲方还没有与其他人签订合同前，乙方享有对同一房间的优先承租权。

第五章 违约责任

第二十二条 甲方违反本合同的规定，若给乙方造成损失，甲方应向乙方赔偿。本条赔款仅限于乙方的直接损失。

第二十三条 乙方拖欠租金及各项费用，甲方有权要求乙方补足所欠费用，同时还有权收取滞纳金。每日滞纳金金额以拖欠费用总额的__________计算。

第二十四条 乙方擅自将出租公寓全部或部分转租他人，或将本合同转让给他人的，该转租(让)无效，且乙方应向甲方交付违约金。违约金金额为乙方在违约期间应付租金的________倍。

第二十五条 甲、乙双方就履行本合同发生争议，应协商解决，协商不成的，可提请本合同登记机关调解或向签约地仲裁机构申请仲裁。

第六章 附则

第二十六条 甲、乙双方就本合同未尽事宜，可另行协商作出补充协议，但补充协议不得违反中华人民共和国法律、法规及规章之规定，并不得与本合同内容相悖离。补充协议与本合同具有同等效力。

第二十七条 本合同一式二份，甲、乙双方各执一份。本合同自双方签字，乙方向甲方交纳押金后生效。

出租方(甲方)：(盖章)

法定代表人：(签名)

合同文书

公寓租赁合同中，对公寓内一些比较重要的配套设施的保管和维护，应有明确的规定，以免由于一些设施的非正常损坏，最后引起不必要的纠纷。

联系电话：
银行账号：
委托代理人：(盖章)

××××年×月×日

承租方(乙方)：(签名)
地址或单位：
联系方式：
身份证号码：(附乙方签名的身份证复印件)
合同登记机关(签章)

××××年×月×日

合同有效期限：至××××年×月×日

公寓租赁合同中，对公寓内一些比较重要的配套设施的保管和维护，应有明确的规定，以免由于一些设施的非正常损坏，最后引起不必要的纠纷。

15. 柜台租赁合同

(1)什么是柜台租赁合同

柜台租赁是商场或其他商业中心等将场地划分成若干个柜台，然后将柜台单个租给他人经营的行为。柜台租赁合同就是柜台承租人与商场或其他商业中心为柜台租赁的权利和义务及其他事项而签订的合同。

合同文书

柜台租赁是商场或其他商业中心等将场地划分成若干个柜台，然后将柜台单个租给他人经营的行为。柜台租赁合同就是柜台承租人与商场或其他商业中心为柜台租赁的权利和义务及其他事项而签订的合同。

(2)如何写作柜台租赁合同

柜台租赁合同与其他租赁合同的格式差不多，但是，在正文内应着重注意以下内容：

A.柜台的地址、面积、位置；
B.租期、租金的规定；

合同文书

有权监督检查乙方遵纪守法、文明经营情况，对乙方违反有关规定及出售假冒伪劣商品和雇“托”经营欺骗消费者等行为进行教育和管理，并报告有关执法部门；

C.营业规定(合法营业的要求及非法营业的后果)；

D.转租规定；

E.合同终止的条件；

F.不可抗力的条款；

G.双方的其他权利与义务；

H.违约处理。

(3)例文：

柜台租赁合同

出租人(以下称甲方)：________________

承租人(以下称乙方)：________________

根据《中华人民共和国合同法》及有关规定，为明确甲乙双方的权利、义务，经双方协商一致，签订本合同。

第一条 甲方将 ______ 节柜台总面积 ______ 平方米出租给乙方，柜台坐落于 ________。

第二条 租赁期共 ______ 年零 ______ 个月，甲方从 ____ 年 ____ 月 ____ 日起将出租柜台交付乙方使用，至 ______ 年 ____ 月 ____ 日收回。

第三条 租金每月为 ____ 元(国家有规定的按规定执行，国家没规定的则由双方协商确定)，租金交纳期限为 ________。

第四条 乙方有下列情形之一的，甲方有权随时终止合同收回柜台：

1.擅自将承租柜台转租、转让或转借他人的；

2.利用所租柜台进行非法活动，损害公共利益的；

3.严重违反有关部门的规定或甲方单位的管理制度；

4.给甲方造成严重不良影响的；

5.拖欠租金累计达 ________ 个月的。

第五条 甲方权利和义务

1.甲方权利：

A.组织乙方来店人员学习有关法律政策，制订依法经营的具体规章，建立健全各项有关管理制度，并有权要求乙方遵守；

B.有权监督检查乙方遵纪守法、文明经营情况，对乙方违反有关规定及出售假冒伪劣商品和雇“托”经营欺骗消费者等行为进行教育和管理，并报告有关执法部门；

C.有权要求乙方更换违纪人员。

2.甲方义务：

A.严格执行《××市商业服务企业出租柜台管理暂行规定》；

B.不得擅自提前终止合同，将柜台转租他人；

C.对乙方损害消费者利益行为的后果承担连带赔偿损失责任；

D.对乙方人员经营提供必要方便，支持乙方的工作。

第六条　乙方的权利和义务。

1.乙方的权利：

A.在工商行政管理部门核准的经营范围内享有自主经营权；

B.甲方违反合同规定给乙方造成损失的，乙方有权要求甲方赔偿；

C.有权抵制甲方的各种不合理要求，并可向有关部门反映。

2.乙方义务：

A.严格执行《××市商业服务企业出租柜台管理暂行规定》，承租柜台明显处悬挂承租柜台标志，服从有关部门的管理，自觉遵守甲方企业的各项规章制度，维护甲方利益及声誉；

B.严格依法经营，明码标价，现货交易不得超范围经营，不搞批发业务，不得出售假冒伪劣商品，不得雇“托”经营；

C.遵守国家物价及有关政策，照章纳税，文明经商，做到售出商品包退、包换、包修，保证商品质量，讲求信誉；

D.爱护柜台及其他设施，不得损失，如有损坏应负担全部修理费用或照价赔偿，租赁期满乙方应完好归还承租的柜台。

第七条 合同的变更或解除 ______________________________

第八条 双方违约责任 ______________________________

第九条 争议的解决方式

双方因履行本合同发生争议时，应协商解决；也可由当地工商行政管理部门调解；协商或调解不成的，按下列第 __________ 种方式解决：

1.提交 __________ 仲裁委员会仲裁；

2.依法向人民法院起诉。

第十条　其他约定事项 ______________________________

第十一条　本合同未尽事宜，一律按《中华人民共和国合同法》

合同文书

遵守国家物价及有关政策，照章纳税，文明经商，做到售出商品包退、包换、包修，保证商品质量，讲求信誉；

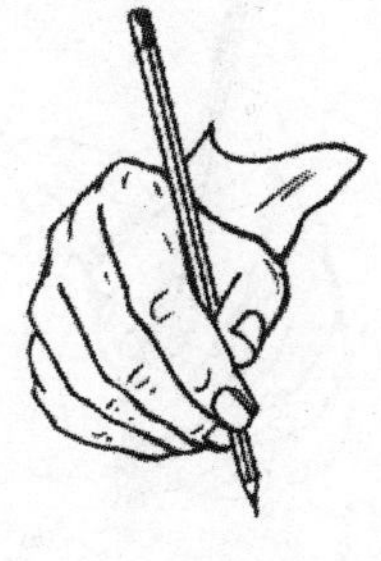

的有关规定，经合同双方共同协商，做出补充规定，与本合同具有同等效力。

合同文书

房屋装修合同是为了避免和减少纠纷和损失，房屋业主与装修单位就某一房屋装修事项而签订的合同。

第十二条 本合同期满前 ________ 日双方如愿延长租赁期，应重新签订合同。

本合同自双方签字、盖章之日起生效。此合同正本一式两份，甲乙方各执一份；合同副本 ________ 份，送 ________ 单位备案。

出租人(章)：　　　　承租人(章)：
单位地址：　　　　单位地址：
法定代表人：　　　　法定代表人：
电　话：　　　　电　话：

××××年×月×日

柜台租赁大多适用于一些商场或商业中心，有些承租人在租赁了单个的小柜台以后，会发现生意并不如原来想象中的那么好做，于是便产生了转租的想法。所以，在签订柜台租赁合同时，特别要写清关于转租的有关条款。

16. 房屋装修合同

(1)什么是房屋装修合同

房屋装修合同是为了避免和减少纠纷和损失，房屋业主与装修单位就某一房屋装修事项而签订的合同。

(2)如何写作房屋装修合同

房屋装修合同的内容由标题、双方当事人的地址及电话、正文、尾部部分组成。其格式与前面所讲的合同相似。正文部分稍有差别，它包括：

A.工程内容应表述清楚、齐备；
B.工程期限应明确；
C.工程质量应表述清楚；
D.违约责任不可少；

E.如是包工包料，则材料的品牌、质量、规格、型号应规定清楚。

(3)例文：

家庭居室装饰装修工程施工合同

发包人：	承包人：
住 所：	住 所：
电 话：	电 话：
委托代理人：	营业执照号：
	法定代表人：
	本工程设计人：
	施工队负责人：

依照《中华人民共和国合同法》及有关法律、法规的规定，结合家庭居室装饰装修工程施工的特点，双方在平等、自愿、协商一致的基础上，就发包人的家庭居室装饰装修工程(以下简称工程)的有关事宜，达成如下协议：

第一条 工程概况

A.工程地点：____________________

B.工程内容及做法(详见附表1：家庭居室装饰装修工程施工项目确认表。附表2：家庭居室装饰装修工程内容和做法一览表)。

C.工程承包方式：双方商定采取下列第 ________ 种承包方式。

第一，承包工包工、包料(详见附表5：承包人提供装饰装修材料细表)；

第二，承包工包工、部分包料，发包人提供部分材料(详见附表4：发包人提供装饰装修材料明细表，附表5：承包人提供装饰装修材料明细表)；

第三，承包人包工、发包人包料(详见附表4：发包人提供装饰装修材料明细表)。

D.工程期限 ______ 天，开工日期 ________ 年 ______ 月 ______ 日，竣工日期 ______ 年 ______ 月 ______ 日。

E.合同价款：本合同工程造价为(大写)：__________ 元(详见附表3：家庭居室装饰装修工程报价单)。

合同文书

照《中华人民共和国合同法》及有关法律、法规的规定，结合家庭居室装饰装修工程施工的特点，双方在平等、自愿、协商一致的基础上，就发包人的家庭居室装饰装修工程(以下简称工程)的有关事宜，

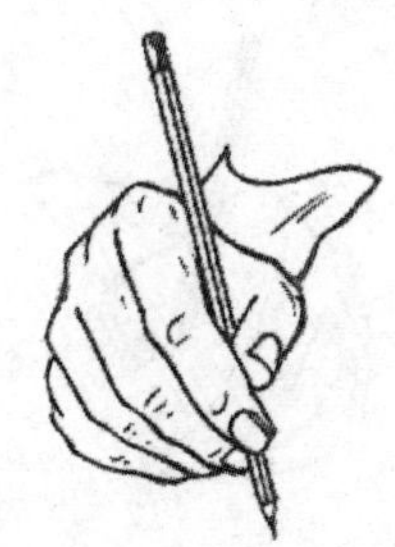

合同文书

若本工程实行工程监理，发包人与监理公司另行签订《工程监理合同》，并将监理工程师的姓名、单位、联系方式及监理工程师的职责等通知承包人。

第二条 工程监理

若本工程实行工程监理，发包人与监理公司另行签订《工程监理合同》，并将监理工程师的姓名、单位、联系方式及监理工程师的职责等通知承包人。

第三条 施工图纸

双方商定施工图纸采取下列第 ________ 种方式提供：

A.发包人自行设计并提供施工图纸，图纸一式两份，发包人、承包人各一份(详见附表6：家庭居室装饰装修工程设计图纸)；

B.发包人委托承包设计工程图纸，图纸一式两份，发包人、承包人各一份（详见附表6：家庭居室装饰装修工程设计图纸），设计费 ________ 元，由发包人支付(此费用不在工程价款内)。

第四条 发包人义务

A.开工前 ________ 天，为承包人入场施工创造条件。包括：搬清室内家具、陈设或将室内不易搬动的家具、陈设归堆、遮盖，以不影响施工为原则；

B.提供施工期间的水源、电源；

C.负责协调施工队与邻里之间的关系；

D.不拆动室内承重结构，如需拆改原建筑的非承重结构或设备管线，负责到有关部门办理相应的审批手续；

E.施工期间发包人仍需部分使用该居的，负责做好施工现场的保卫及消防等工作；

F.参与工程质量和施工进度的监督，负责材料进场、竣工验收。

第五条 承包人义务

A.施工中严格执行安全施工操作规范、防火规定、施工规范及质量标准，按期保质完成工程；

B.严格执行有关施工现场管理的规定，不得扰民及污染环境；

C.保护好原居室内的家具和陈设，保证居室内上、下水管道的畅通；

D.保证施工现场的整洁，工程完工后负责清扫施工现场。

第六条 工程变更

工程项目及施工方式如需变更，双方应协商一致，签订书面变更协议，同时调整相关工程费用及工期(见附表7：家庭居室装饰装修工程变更单)。

第七条 材料的提供

A.由发包人提供的材料、设备(详见附表4:发包人提供装饰装修材料明细表),发包人应在材料运到施工现场前通知承包人,双方共同验收并办理交接手续;

B.由承包人提供材料、设备(详见附表5:承包人提供装饰装修材料明细表),承包人应在材料运到施工现场前通知发包人,并接受发包人的检验。

第八条 工期延误

A.对以下原因造成竣工日期延误,经发包人确认,工期相应顺延:

第一,工程质量变化和设计变更;

第二,不可抗力;

第三,发包人同意工期顺延的其他情况。

B.因发包人未按约定完成其应负责的工作而影响工期的,工期顺延;因发包人提供的材料、设备质量不合格而影响工程质量的,返工费用由发包人承担,工期顺延。

C.发包人未按期支付工程款,合同工期相应顺延。

D.因承包人责任不能按期开工或无故中途停工而影响工期的,工期不顺延;因承包人原因造成工程质量存在问题的,返工费用由承包人承担,工期不顺延。

第九条 质量标准

双方约定本工程施工质量标准:________________________

施工过程中双方对工程质量发生争议,由__________部门对工程质量予以认证,经认证工程质量不符合合同约定的标准,认证过程支出的相关费用由承包人承担;经认证工程质量符合合同约定的标准,认证过程支出的相关费用由发包人承担。

第十条 工程验收和保修

A.双方约定在施工过程中分下列几个阶段对工程质量进行验收:

第一,________________________;

第二,________________________;

第三,________________________。

B.工程竣工后,承包人应通知发包人验收,发包人应自接到验收通知后两天内组织验收,填写工程验收单(见附表8:家庭居室装饰装修

合同文书

因承包人责任不能按期开工或无故中途停工而影响工期的,工期不顺延;因承包人原因造成工程质量存在问题的,返工费用由承包人承担,工期不顺延。

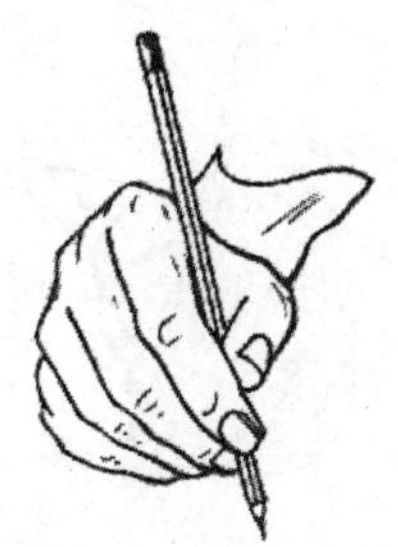

合同文书

合同双方当事人中的任何一方因未履行合同约定或违反国家法律、法规及有关政策规定，受到罚款给对方造成损失的均由责任方承担责任，并赔偿给对方造成的经济损失。

工程验收单)。在工程款结清后,办理移交手续(详见附表9:家庭居室装饰装修工程结算单)。

C.本工程自验收合格双方签订之日起保修期为 ______ 月。验收合格签字后,填写工程保修单(见附表10:家庭居室装饰装修工程保修单)。

第十一条　工程款支付方式

A.双方约定按以下第 ______ 种方式支付工程款:

第一次,开工前3天,支付 ______ 元;

第二次,工程进度过半,支付 ______ 元;

第三次,双方验收合格,支付 ______ 元。

合同生效后,发包人按下表中的约定直接向承包人支付工程款:

工程进度过半指:______。

其他支付方式:______。

B.工程验收合格后,承包人应向发包人提出工程结算,并将有关资料送交发包人。发包人接到资料后 ______ 天内如未有异议,即视为同意,双方应填写工程结算单(见附表9:家庭居室装饰装修工程结算单)并签字,发包人应在签字时向承包人结清工程尾款。

C.工程款全部结清后,承包人应向发包人开具正式统一发票。

第十二条　违约责任

A.合同双方当事人中的任何一方因未履行合同约定或违反国家法律、法规及有关政策规定,受到罚款给对方造成损失的均由责任方承担责任,并赔偿给对方造成的经济损失。

B.未办理验收手续,发包人提前使用或擅自动用工程成品而造成损失的由发包人负责。

C.因一方原因,造成合同无法继续履行时,该方应及时通知另一方,办理合同终止手续,并由责任方赔偿对方相应的经济损失。

D.发包人未按期支付第二次或第三次工程款的,每延误一天向对方支付违约金 ______ 元。

E.由于承包人原因,工程质量达不到双方约定的质量标准,承包人负责修理,工期不予顺延。

F.由于承包人原因致使工期延误,每延误一天向对方支付违约金 ______ 元。

第十三条 合同争议的解决方式

本合同在履行过程中发生的争议，由当事人双方协商解决，也可由有关部门调解；协商或调解不成的，按下列第 ＿＿＿＿＿＿ 种方式解决：

A.因工程施工而产生的垃圾，由承包人负责运出施工现场，并负责将垃圾运到指定的地点，发包人负责支付垃圾清运费用（大写）＿＿＿＿＿ 元(此费用不在工程价款内)。

B.施工期间，发包人将外屋钥匙 ＿＿＿＿ 把，交给承包人保管。工程竣工验收后，发包人负责提供新锁 ＿＿＿＿ 把，由承包人当场负责安装交付使用。

C.施工期间，承包人每天的工作时间为：上午：＿＿＿＿ 点 ＿＿＿ 分至 ＿＿ 点 ＿＿ 分；下午：＿＿＿＿ 点 ＿＿＿ 分至 ＿＿＿ 点 ＿＿＿ 分。

第十五条 其他约定事项：＿＿＿＿＿＿＿＿＿＿＿＿＿＿＿＿＿＿

第十六条 附则

A.本合同经双方签字(盖章)后生效，合同履行完毕后终止。

B.本合同签订后工程不得转包。

C.合同一式 ＿＿＿ 份，双方各执 ＿＿＿ 份，＿＿＿ 部门 ＿＿＿＿ 份。

D.合同附件为本合同的组成部分，与本合同具有同等法律效力。

合同附件：

附表 1：家庭居室装饰装修工程施工项目确认表

附表 2：家庭居室装饰装修工程内容和做法一览表

附表 3：家庭居室装饰装修工程报价单

附表 4：发包人提供装饰装修材料明细表

附表 5：承包人提供装饰装修材料明细表

附表 6：家庭居室装饰装修工程设计图纸

附表 7：家庭居室装饰装修工程变更单

附表 8：家庭居室装饰装修工程验收单

附表 9：家庭居室装饰装修工程结算单

附表 10：家庭居室装饰装修工程保修单

发包人(签字)： 承包人(盖章)：

法定代表人：

委托代理人：

××××年×月×日

合同文书

本合同在履行过程中发生的争议，由当事人双方协商解决，也可由有关部门调解；协商或调解不成的，按下列第 ＿＿ 种方式解决。

合同文书

房屋装修合同中，对于装修的质量，一定要有详细的约定，比如，地板用何种品牌、型号以及规格等，因为任何产品都有质量好坏之分，价钱区别也非常大，所以在合同中要明确地写清楚，以免上当受骗。

房屋装修合同中，对于装修的质量，一定要有详细的约定，比如：地板用何种品牌、型号以及规格等，因为任何产品都有质量好坏之分，价钱区别也非常大，所以在合同中要明确地写清楚，以免上当受骗。

17. 委托合同

(1)什么是委托合同

委托合同是委托人和受托人约定，由受托人处理委托人事物的合同。委托他人处理事务的一方称为委托人，接受委托并处理事务的一方称受托人。

(2)如何写作委托合同

委托合同的内容由以下九部分组成：

第一部分：合同当事人基本情况及合同订立的时间、地点。

委托合同的前置部分，应写明委托人和受托人的姓名(或名称)、国籍、住址或营业所在地。如果是多个委托人或受托人的，应该分别写明，并由各个当事人分别签名或盖章。如果有关当事人是法人，应由其法定代表人或其授权的代理人签字，并加盖公章；未经授权的代理人不得代为签字。同时，也应写明合同签订的时间、地点。此条款有助于解决合同生效日期，终止日期，争议时法院的管辖权等问题。

第二部分：委托事务。

委托事务即受托人办理委托事务的行为，是委托合同的标的。我国《合同法》对委托合同的标的无限定。但就一般来说，委托合同的标的，通常是委托人为其本人或者第三人的目的而委托受托人办理的具有法律性质的行为，所谓具有法律性质的行为是指能够引起法律后果的行为。

但是，有两类行为是不能作为委托合同的标的：一类是违反法律规定的行为,如委托他人代为购买、销售、制造、运输武器弹药、毒品、淫秽物品等;另一类是某些具有特定的人身属性的事务,如登记结婚、收养子女、订立遗嘱等,当事人必须亲自办理,不能委托他人代办。

委托事务是委托合同的标的条款,应当尽可能地详细和准确,以免发生误解。在此条款当中,应当明确写出委托人委托办理事务的具体内容和受托人的权限范围。除了尽可能详细描述委托事务的性质、特点和要求等外,还应注明是概述委托还是特别委托。

第三部分:当事人权利义务。

签订委托合同时,应当详细明确地规定双方当事人的权利义务,以利于合同签订后的履行有据可依。

第四部分:委托报酬及委托费用支付。

有偿委托合同中,支付报酬是委托人的主要义务,获得报酬是受托人享有的主要利益。双方当事人应当根据委托事务办理的难易程度,所涉及专业知识、技术的复杂性以及有关法律规定或惯例等,协商约定报酬条款。

双方当事人不但应约定报酬的数额,还应约定报酬支付的时间、地点、方式以及以何种货币支付等。如果是分批支付的,还要写明每次支付的时间、地点和方式。委托合同无论是否有偿,委托人都有义务向受托人提供为办理委托事务而支付的费用。因此,双方当事人应当就委托费用的多少、费用使用的合理范围、项目以及预付的时间、地点、方式等作出明确规定。

第五部分:合同履行的期限、地点和方式。

在合同中,应当写明委托事务的履行期限、地点和方式,使当事人明确如何适时、适当地履行义务,同时也是日后发生纠纷时确定当事人是否有违约行为的依据。

第六部分:违约责任。

在违约责任条款中,双方当事人可以约定违约金,也可以约定赔偿金的数额及其计算方法,可以约定什么性质的违约行为承担什么性质的违约责任,也可以概括约定各类违约责任承担的条件。另外,当事人还可根据委托事务的性质和要求,就不可抗力和免责事由等事项作出约定。

1.委托人的主要损害赔偿责任

合同文书

委托合同是委托人和受托人约定,由受托人处理委托人事务的合同。委托他人处理事务的一方称为委托人,接受委托并处理事务的一方称受托人。

合同文书

当事人双方应在合同中约定发生争议时的解决方式。可选择的解决方式有双方协商，第三者调解，仲裁机关仲裁和法院审理。仲裁和诉讼只能选择其一。

A.因委托人指示不当致使受托人损失，委托人在受托人之外，另行委托第三人处理委托事务，并由此给受托人造成损失的，委托人应承担损害赔偿责任。

B.委托事务未完成或合同未到期委托人单方面要求提前解除合同关系并给受托人造成损失，委托人负损害赔偿责任。

C.委托人自身如果没有过错，受托人所受损害是由第三人的加害行为造成的，若加害的第三人不明，或无资力、或无过失而不能或不应负赔偿责任时，受托人只能请求委托人予以赔偿。

D.在委托合同中的委托人为二人以上时，如合同中无特别约定，各个委托人应对受托人承担连带责任。

2.受托人的主要损害赔偿责任

A.有偿的委托合同，因受托人的过错给委托人造成损失的，委托人可以请求受托人赔偿损失。

B.无偿的委托合同，因受托人故意或者重大过失给委托人造成损失的，委托人可以请求受托人赔偿损失。

C.受托人超越受托权限而给委托人造成损害的，受托人应承担赔偿责任。但受托人若能举证证明自己无过错时，则可免除责任。

D.在委托事务未完成或合同未到期的情况下，受托人单方面要求提前解除合同关系并由此给委托人造成损失的，除不可归责于受托人的事由外，受托人应负损害赔偿责任。

E.因委托人死亡或者丧失行为能力而其继承人或法定代理人尚未承受委托事务时，受托人不应结束受托事务的处理，否则因此造成的损失应由受托人承担赔偿责任。

F.委托合同的受托人为二人以上时，如合同中无特别约定，各受托人应对委托人承担连带责任。

第七部分，争议的解决方式。

当事人双方应在合同中约定发生争议时的解决方式。可选择的解决方式有双方协商，第三者调解，仲裁机关仲裁和法院审理。仲裁和诉讼只能选择其一。如果选择仲裁，应写明仲裁委员会的具体名称。如果选择诉讼也应写明具体的管辖法院。

第八部分，合同终止。

我国的《合同法》中明确规定，委托人或者受托人死亡，丧失民事行为能力或者破产，委托合同终止，但当事人另有约定或者根据委托事务的性质不宜终止的除外。因此，委托合同当事人双方应就合同终止的情形加以约定。

第九部分：合同使用的文字效力及当事人协商约定的其他条款。

当委托合同具有涉外的因素时，委托人和受托人应在合同中写明合同使用的文字以及在两种文字兼用的情况下，每种文字的合同文本的法律效力问题。当事人在不违反法律或社会公德的前提下，还可根据需要约定其他经双方同意的条款。

(3)例文：

委托合同

（参考格式）

委托方：________________ 合同编号：____________ 号

受托方：________________ 合同签订地：________ 省 ________ 市 ________（区）县

合同订立时间：________ 年 ________ 月 ________ 日

双方经过认真协商，达成一致，就委托事宜达成如下协议：

第一条：委托事宜（包括委托的具体事项，如委托为一定的民事法律行为、订立合同等；委托为一定的民事事实行为；移交所有物之所有权、接受履约标的物、无因管理等；委托到登记机关登记；等等）。

第二条：委托事宜的具体要求（包括委托权限、委托范围、处理委托事宜的方式、时间要求、注意事项等……）。

第三条：报酬问题（包括报酬的给付标准、给付时间方式、给付内容、币种、是否给付报酬、报酬变动等）。

第四条：处理委托事务所需费用条款（包括费用支付时间、支付方式、预支、代支、补充支付、受托人代支的返还及利息率、费用支付范围等）。

第五条：委托人、受托人的权利与义务条款（包括主权利、从权利、主义务、附随义务等）。

第六条；双方的违约责任条款（包括定金、违约金的确定、计算方式、违约方的责任、受害方的权利如解约权、违约损害赔偿等）。

合同文书

当委托合同具有涉外的因素时，委托人和受托人应在合同中写明合同使用的文字以及在两种文字兼用的情况下，每种文字的合同文本的法律效力问题。

第七条：争议解决条款（包括解决纠纷的过程、方式、仲裁条款、管辖权的选择、一方的合同解除权等）。

第八条：其他未尽事宜条款。

委托方（签名、盖章）　　　　　　　受托方（签名、盖章）

地址：　　　　　　　　　　　　　　地址：

法定代表人或委托代理人（委托方）

法定代表人或委托代理人（受托方）

电话：　　　　　　　　　　　　　　电话：

邮编：　　　　　　　　　　　　　　邮编：

开户银行：　　　　　　　　　　　　开户银行：

账号：　　　　　　　　　　　　　　账号：

本合同有效期限自 ______ 年 ______ 月 _____ 日至 ________ 年 ______ 月 _____ 日。

在写委托合同中，对于委托事宜的具体内容，比如权限、范围、时间等，一定要详细地写清楚，以免受托方模糊其中的某些概念，将自己的权力扩大。

18. 保管合同

(1)什么是保管合同

保管合同是指双方约定一方代他方保管寄存的物品，并按照约定返还该物的合同，又称寄托合同。提供保管服务的一方为保管人，接受保管服务的一方为寄存人。

(2)如何写作保管合同

保管合同的内容由以下七部分组成：

第一部分，合同当事人及合同订立的时间和地点条款。

保管合同中，应写明保管人和寄存人的姓名（或名称）、地址或营业

合同文书

在写委托合同中，对于委托事宜的具体内容，比如权限、范围、时间等，一定要详细地写清楚，以免受托方模糊其中的某些概念，将自己的权力扩大。

所在地。并由各个当事人分别签名或盖章。如果当事人是法人,应由其法定代表人或其受权的代理人签字,并加盖公章,未经授权的代理人,不得代为签字。同时要写明合同签订的时间、地点。

第二部分,标的物条款。

保管合同是以保管物品为目的的,合同履行后保管人应将原物交还寄存人,因此,对保管物品应尽可能详细描写,一般来说,要写明标的物的名称、数量、种类、质量等。保管合同的标的物必须是合法的,如果为保管走私物品、毒品或赃物而订立保管合同,合同不但无效,还会引起其他法律后果。

第三部分,当事人权利义务条款。

签订保管合同时,应详细明确地规定双方当事人的权利与义务,这是双方当事人履行合同的主要依据。权利义务的内容可由当事人自行约定,也可依据合同法的有关规定确定。依据合同法,保管合同当事人双方有以下权利义务。

1.保管人的权利和义务

保管人的主要权利,包括以下几个方面:

A.根据合同的约定收取保管费用或报酬。保管合同约定为有偿合同的,保管人有权要求寄存人支付费用和报酬;保管合同为无偿合同的,不得收取报酬,同时也相应减轻了保管人的责任,即保管人不承担标的物灭失的风险。

B. 可以要求寄存人对保管物进行包装并提供有关该物品的相关资料;有权验收保管物,发现不符合保管规定或合同约定的,有权拒绝接受。

C.有权要求寄存人按合同约定及时提货。

D.对保管物品有留置权。留置权是一种担保物权,是指在合同法律关系中,一方当事人不履行合同,对方当事人有权扣留因合同关系占有的对方当事人的物品。在保管合同中,寄存人到期未支付保管费用和报酬的,保管人有权扣留保管物,并限定寄存人在一定时间内支付费用和报酬。

保管人的主要义务,包括以下几个方面:

A.按约定给付保管凭证。保管凭证既是合同成立的一种证据,又是保管物验收凭证。在口头合同中,保管凭证相当于保管合同。如果当事人有特别约定,则以交易习惯为准。

合同文书

保管合同是指双方约定一方代他方保管寄存的物品,并按照约定返还该物的合同,又称寄托合同。提供保管服务的一方为保管人,接受保管服务的一方为寄存人。

合同文书

返还保管物的义务。保管合同期限届满或终止时，保管人应及时返还保管物。保管人返还的应为原物，原物有孳息的，应当将原物及其孳息一并归还寄存人。

B.妥善保管物品。这是保管人最主要的义务,保管人应履行好自己的义务：一是保管人对保管物的保管应当以与处理自己的事务同样的注意程度保管保管物。二是除另有约定外,保管人不得使用或让第三人使用保管物。三是保管人应亲自进行保管，除双方另有约定或另有习惯,或者保管人因特殊事由(如患病)不能亲自履行保管行为外,不能将保管物转托给第三人保管。四是保管人应当按照约定的场所和方法保管保管物,除紧急情况或者为了维护寄存人利益的以外,不得擅自改变保管场所或者方法。

C.危险通知义务。危险通知是指在寄存的保管物因第三人或自然原因可能有失去的危险时,保管人应通知寄存人。在第三人对保管人提起诉讼或者对保管物申请抵押的,保管人应当及时通知寄存人。

D.返还保管物的义务。保管合同期限届满或终止时,保管人应及时返还保管物。保管人返还的应为原物,原物有孳息的,应当将原物及其孳息一并归还寄存人。保管货币或其他可替代物的,可以按约定返还相同种类、数量或质量的货币或物品。

2.寄存人的权利和义务

寄存人的主要权利,包括以下几个方面：

A.有权要求保管人亲自保管物品。

B.有权要求保管人妥善保管物品。

C.保管期限届满,有权按照约定要求保管人返还保管物。

D.有权提出定期检查保管物的要求。

E.有权向保险公司投保或要求保管人对保管物进行投保。

F.有收取孳息的权利。

寄存人的主要义务,包括以下几个方面：

A.支付保管费。保管合同为有偿合同的,寄存人负有支付报酬的义务。在无偿保管中,寄存人没有给付报酬的义务。

B.负担必要费用。所谓必要费用是以能维护保管物原状为准,包括重新包装、防腐、防火等费用。寄存人应当偿付保管人为保管保管物所支出的必要费用。

C.告知义务。寄存人交付的保管物有瑕疵或者按保管物的性质需要采取特殊保管措施的，寄存人应当将有关情况告知保管人；寄存货币、有价证券或者其他贵重物品的,应当向保管人声明,由保管人验收或者封存。未声明发生了保管物品的损失、灭失，保管人可以仅按一般物品予以赔偿。

第四部分，保管报酬和费用支付条款。

保管合同若为有偿合同，获取报酬是保管人享有的主要合同利益，该利益的实现取决于寄存人对支付义务的履行。因此，双方当事人应当根据所保管物品价值、期限等具体情况协商约定或者依有关法律或惯例确定保管报酬条款。此条款除应注明报酬数额外，还应写明报酬支付的时间、地点、方式等内容。

另外，双方当事人还应就保管费用的支付作出约定，对费用的多少，费用的项目以及支付的时间、地点、方式，是预付还是事后补偿都应明确约定。保管合同无论采用何种形式，无论是否有偿，支付费用是寄存人的一项法定义务。

第五部分，合同双方当事人的违约责任条款。

该条款中，双方可以约定违约金，也可以约定赔偿金的数额和计算方法；可以约定什么性质的违约行为承担什么性质的违约责任，也可以约定各类违约责任承担的条件。同时，当事人还可以就不可抗力和免责等事项作出约定。

保管合同保管人和寄存人主要有以下违约责任：

1.保管方的主要违约责任

A.保管物在保管期间因保管人保管不善而毁损、灭失的，保管人应当承担损害赔偿责任。但保管是无偿的，保管人证明自己没有重大过失的，不承担损害赔偿责任。

B.不是因为紧急情况所迫或者为了维护寄存人的利益，保管人未按合同约定的保管场所或者方法保管保管物而发生保管物毁损、灭失的，保管人应承担损害赔偿责任。

C.保管人违反约定擅自将保管物转交第三人保管而发生保管物毁损、灭失的，保管人应承担损害责任。

D.保管人未经寄存人同意，自己使用或者让第三人使用保管物的，无论其主观是否有过错，均应承担违约责任，向寄存人支付违约金或者报酬。保管物为金钱的，保管人应自使用之日起支付利息。

E.约定保管期限的，无特别事由而要求寄存人提前领取保管物的，应承担违约责任。

2.寄存人的主要违约责任

合同文书

另外，双方当事人还应就保管费用的支付作出约定，对费用的多少，费用的项目以及支付的时间、地点、方式，是预付还是事后补偿都应明确约定。

A. 寄存人未按合同约定的期限向保管人支付保管费以及其他费用,应当向保管人支付逾期给付的违约金。

B.寄存人交付的保管物有瑕疵或者按照保管物的性质需要采取保管措施的,寄存人未将有关情况告知保管人,致使保管物受损失的,由寄存人自己承担责任,因此给保管人或者第三人的财产或人身造成损害的,寄存人应承担损害赔偿责任。

合同文书

寄存人交付的保管物有瑕疵或者按照保管物的性质需要采取保管措施的,寄存人未将有关情况告知保管人,致使保管物受损失的,由寄存人自己承担责任,因此给保管人或者第三人的财产或人身造成损害的,寄存人应承担损害赔偿责任。

第六部分,解决合同争议条款。

当事人双方应当约定合同争议的解决方法,当事人可以选择双方协商,第三者调解,仲裁机关仲裁和法院审理等几种方法。

第七部分,当事人协调约定的其他条款。

在不违反法律和社会公德的前提下,当事人还可根据需要约定其他经双方同意的条款。

(3)例文:

保管合同

(参考文本)

合同编号:______________

保管人:______________

寄存人:______________

根据《中华人民共和国合同法》的规定,双方本着平等互利的原则,经过协商,签订本合同,共同信守。

一、保管物的名称:____________________________。

二、保管物的数量:____________________________。

三、保管期限:自_______年_____月____日至____年___月_____日止。

四、保管物交付的方法:保管物在交付保管时,保管人应当验收,确认有无损坏,并当面记录。寄存人在提取保管物品时,应该当面检查,是否符合原样。

五、保管责任:

1.保管物在保管期间发生的损坏,由保管人负赔偿责任;

2.寄存人隐瞒保管物自身的缺陷,导致保管期间发生损坏,由寄存人承担责任;

六、保管费用及付款办法:

1.在保管物交付保管时,寄存人应先行交付保管费用的 ______%;

2.在保管期满,寄存人提取保管物时,应交付其余保管费用;

3.保管费总额为 ____________;

4.保管费用一律以现金交付。

七、争议的解决方式

本合同在履行过程中发生的争议,由双方当事人协商解决,也可由当地工商行政管理部门调解;协商或调解不成的,按下列第 ___________ 种方式解决:

1.提交 ______________ 仲裁委员会仲裁;

2.依法向人民法院起诉。

八、其他约定事项:__________________________________

保管人名称:　　　　　　　　　　寄存人名称(姓名):

联系人:　　　　　　　　　　　　联系电话或联系方式:

联系电话:

合同签订时间:_________ 年 ________ 月 _______ 日

签订地点:__________________________

如果保管的物品很贵重,一定要在合同中注明是否采取特殊的保管措施,这些特殊的保管措施包括哪些方面,否则,由于对方的不知情,使物品受损,双方都会蒙受不必要的损失。

合同文书

如果保管的物品很贵重,一定要在合同中注明是否采取特殊的保管措施,这些特殊的保管措施包括哪些方面,否则,由于对方的不知情,使物品受损,双方都会蒙受不必要的损失。

19. 专利权转让合同书

合同文书

专利权转让合同书，是指专利权人将其所拥有或者所持有的发明创造专利权转让给受让方所拥有或者所持有，受让方支付约定价款所订立的合同。

(1)什么是专利权转让合同书

专利权转让合同书,是指专利权人将其所拥有或者所持有的发明创造专利权转让给受让方所拥有或者所持有,受让方支付约定价款所订立的合同。

(2)如何写作专利权转让合同书

专利权转让合同书包括如下内容:

第一部分,标题。即合同名称,可以直接写上“专利权转让合同”或“合同”。

第二部分,正文。正文包括:

A.要转让的项目名称;

B.双方当事人的名称及签字、合同签订日期、期限、专利申请时间及专利批准号;

C.当事人双方的义务及付款时间、方式;

D.违约责任;

E.名词解释;

F.其他事项。

第三部分,尾部。尾部部分包括技术受让方和转让方及双方法定代表的签字。

(3)例文:

专利权转让合同

项目名称:____

技术转让方(甲方):__________________________________

技术受让方(乙方):__________________________________

合同签订日期:____________________

合同有效期限：______________
专利申请号：______________
专利申请时间：______________
专利批准号：______________
专利批准时间：______________
专利权的有效期限：______________
一、发明创造名称和内容：______________
二、专利实施许可的情况：______________
三、专利权转让方、受让方的义务：______________
四、技术情报和资料的清单：______________
五、履行合同的计划、进度、期限、地点和方式：______________
六、验收的标准和方法：______________
七、成交金额与付款时间、付款方式：______________
一次性付：______________
按利润或销售额提成______%，时间：______________
其他方式：______________
八、违约责任：______________
九、争议的解决方法：______________
十、名词和术语的解释：______________
十一、其他有关事项：______________

技术受让方：______________　　技术转让方：______________
法定代表：______________　　法定代表：______________

在专利权转让合同书中，对于专利申请的时间以及国家专利批准号等内容，一定要详细、准确地写清楚，以备将来有据可查。

合同文书

在专利权转让合同书中，对于专利申请的时间以及国家专利批准号等内容，一定要详细、准确地写清楚，以备将来有据可查。

20. 非专利技术转让合同

(1)什么是非专利技术转让合同

非专利技术是指技术秘密。非专利技术的范围应该包括:未申请专利的技术、未授予专利的技术和《中华人民共和国专利法》中规定的不授予专利权的技术。

非专利技术转让合同就是拥有非专利技术所有权或转让权的转让方与受让方为非专利技术转让而双方签订的合同。

合同文书

对于非专利技术转让,尤其应谨慎小心,因为这种技术缺少国家的公开认可,而是某些单位或企业的内部技术秘密,一些资料的适用范围具有许多不明确的地方。

(2)如何写作非专利技术转让合同

非专利转让合同的写法及格式与专利权转让合同一样,也是由标题、正文、尾部三部分组成的。

(3)例文:

非专利技术转让合同

技术转让方(甲方):________________________________

技术受让方(乙方):________________________________

合同签订日期:______________________________

合同有效期限:______________________________

研制单位:______________________________

主要研制人员:______________________________

研制完成时间:______________________________

组织鉴定单位:______________________________

成果鉴定时间:______________________________

发奖单位:______________________________

获奖日期和等级:______________________________

已应用单位:______________________________

技术商品转让方法:____________________________

一、所转让的非专利技术的内容,要求和工业化开发程度:

____

二、使用专利技术的范围:______________________________

三、技术秘密的范围和保密期限:______________________________

四、技术指导的内容:______________________________

五、技术情报和资料及其提交期限、地点和方式：______________

六、验收的标准和方法：______________________________

七、使用费及支付方法：

一次总付：________________________

按利润或销售额提成______%，时间：__________

其他方式：______________________

八、违约责任：_________________________

九、争议的解决方法：____________________________

十、名词和术语的解释：__________________________

十一、其他有关事项：____________________________

十二、后续改进的提供与分享：___________________

技术转让方：___________　　　负责人：（签章）

技术受让方：___________　　　负责人：（签章）

××××年×月×日

对于非专利技术转让，尤其应谨慎小心，因为这种技术缺少国家的公开认可，而是某些单位或企业的内部技术秘密，一些资料的适用范围具有许多不明确的地方。

21. 商标使用许可合同

(1)什么是商标使用许可合同

商标使用许可合同是商标所有人将其商标许可他人使用而签订的协议。

合同文书

商标使用许可合同是商标所有人将其商标许可他人使用而签订的协议。

(2)如何写作商标使用许可合同

商标使用许可证合同的内容包括以下几个部分。

第一部分，标题。在文中写上“注册商标使用许可合同”。

第二部分，双方当事人的名称。双方当事人应按合同上的核准名称写。

第三部分，正文。正文的内容包括：

A.双方签订合同的商标名称；

B.双方协商的内容，即酬金和支付方法；

C.商标使用期限。

第四部分，尾部。合同的尾部一般包括：双方当事人的签章及双方法定代表的签字；签订合同的日期及签订地点，都一一写清。

合同文书

商标使用许可合同中，要写清注册商标的号码，并对使用的期限作出明确的规定。

(3)例文：

注册商标使用许可合同

许可人(下称甲方)：______________

被许可人(下称乙方)：______________

经甲方、乙方协商，达成协议如下：

①甲方许可乙方自______年______月______日至______年______月______日在商品上使用甲方注册的第______号商标；

②乙方应付给甲方许可使用报酬______元，支付办法为______；

③乙方可以于______年______月______日至______年______月______日内在地区使用或许可第三者使用上述注册商标；

④甲方保证______________；

⑤乙方保证______________。

本合同一式______份，副本送______县(市、区)工商行政管理局存档。

甲方(盖章)：______________　乙方(盖章)：______________

法定代表(签字)：______________　法定代表(签字)：______________

签订时间：______________

签订地点：______________

商标使用许可合同中，要写清注册商标的号码，并对使用的期限作出明确的规定。

22. 软件开发、销售与服务合同书

(1)什么是软件开发、销售与服务合同书

软件开发、销售与服务合同在我国使用非常广，但国家有关管理部门尚未将此类合同列入《合同法》或其他法规中规范，故此有必要对此类合同的范本的条款予以探讨。

转件开发、销售与服务合同书，就是软件开发商、销售服务商或个人为软件开发、销售和服务与另一方相互协定权利、义务及其他事项签订的合同。

(2)如何写作软件开发、销售与服务合同书

软件开发、销售与服务合同书由以下部分组成。

第一部分，标题。多由事由加“合同”构成，如《X–228 教育软件开发合同书》，也可以只用“合同”二字作为标题。

第二部分，双方当事人的公司及其公司地址、法定代表人的名称。

第三部分，正文。正文内容包括：

A.双方责任的约定；

B.进度与双方责任的约定；

C.验收标准的约定；

D.付款方式的约定；

E.售后服务的约定；

F.双方约定的其他事项。

第四部分，尾部。合同的尾部包括：双方当事人的签章及签订日期。

(3)例文：

××公司××系统销售、服务合作合同书

合同文书

软件开发、销售与服务合同在我国使用非常广，但国家有关管理部门尚未将此类合同列入《合同法》或其他法规中规范，故此有必要对此类合同的范本的条款予以探讨。

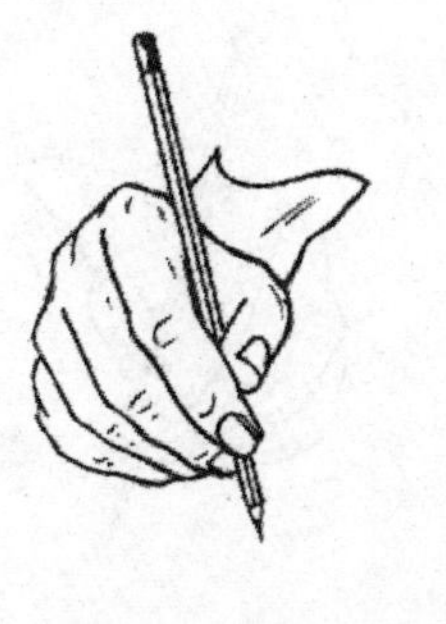

合同文书

甲方负责提供系统安装调试所需的有关资料和指定配合乙方工作的人员，配合乙方在规定的期限内，完成上述软件系统所需的生产工艺信息数据库的建立和参与××系统的连接工作。

甲方:顺德××电器公司(软件使用企业)

住所:广东省顺德市××镇×路×号

法定代表人:×××

乙方:广州市×××科技有限公司(软件公司)

住所:广州市××路××号B座×××室

法定代表人:×××

甲乙双方遵照国家有关法律、法规的规定,本着友好、协作的精神,经共同协商,就甲乙双方共同在甲方生产现场实施“××监控系统”事宜达成如下条款。

第一条 双方责任的约定

为改善甲方生产管理手段，甲乙双方合作实施××监控系统——×××,并分别承担下列相应条款规定的责任:

甲方责任:

1.甲方负责提供系统安装调试所需的有关资料和指定配合乙方工作的人员,配合乙方在规定的期限内,完成上述软件系统所需的生产工艺信息数据库的建立和参与××系统的连接工作。

2.甲方须提供项目实施所需的尽量详尽的××格式文件,以便于进行×××系统与××的数据交换工作。

3.未经乙方事先同意,甲方不得将软件或其中任何一部分提供给第三方使用。

4.甲方负责上述软件系统在本单位使用过程中的版权保密工作。

乙方责任:

1.乙方向甲方提供“××监控系统××”软件一套,其中包括服务器版调度排产子系统×个;工艺准备子系统×个;远程控制数据采集端×个。远程数据采集器在本系统定为计算机，并负责在甲方指定工作现场的安装与实施。

2.乙方按甲方提出的“××”完成系统的安装与实施。

3.以乙方为主,与甲方共同完成指定信息与××之间的传输。

(1)实现从甲方提供的××数据文件中提取材料清单、产品名称明细、零件明细表、定单位号(合同号)等对××系统的输入信息。

(2)实现由××系统输出给甲方成本核算系统的零件制造成本信息的表格文件或数据库(包括物料、成本)数据信息。

4.乙方负责对甲方2至3名使用人员的培训。

5.乙方有责任对甲方的生产工艺等信息及资料保密，不得转给任何第三方。

第二条 进度与工作程序的约定

整个项目分为两大部分进行。

1.基本系统的安装及调试(费用分配为人民币×万元)。

(1)甲方在双方商定的期限内，向乙方提供附表所列出的有关资料。

(2)乙方与甲方指定人员共同完成软件基本使用系统的建立(各种工艺数据的建立)。时间为2003年8月1日至2003年11月1日。

(3) 基本系统运行测试。时间为2003年11月1日至2004年1月1日。

2.××系统与上层模块的数据连接(费用分配为人民币×万元)。

(1)甲方负责提供详细的车间上层管理系统向××系统传输的文件数据格式(BOM、物料描述)。

(2)乙方负责完成××系统向××有关模块传输零件制造成本(包括物料、成本)数据信息的程序模块。时间为2003年12月2日至2004年1月31日。

(3)集成系统测试。时间为2003年2月1日至2004年2月27日。

第三条 验收标准的约定

(1)基本系统的验收，按指定的产品(×至×个)可通过系统正常运作为测试验收标准，其中包括工艺路线生成、作业计划生成及产生相应的工作文件。

(2)远程控制端的验收，按系统能够正常发送与接受信号为测试验收标准。

(3)与××的相应数据文件的信息传输，按信息传输正常、数据准确无误的验收标准。

第四条 付款方式的约定

甲方应向乙方支付软件系统服务费共××万元人民币，付款分为四期：

(1)双方合同签订之日付×万元；

合同文书

基本系统的验收，按指定的产品(×至×个)可通过系统正常运作为测试验收标准，其中包括工艺路线生成、作业计划生成及产生相应的工作文件。

(2)基本系统调试正常，可投入生产使用，验收后于3个工作日内支付×万元；

(3)远程控制数据采集端与主系统的配置与调试，经验收后3个工作日内支付×万元；

(4)按本协议规定的条款××系统与×××系统实现数据传输，系统调试验收后，于5个工作日内支付×万元。

第五条 售后服务的约定

乙方在系统实施后的一年内，向甲方提供系统维护服务，并提供两次免费版本升级服务。一年以后对上述系统的技术服务均按人民币×元/工作日收取费用。(如属于本系统自身问题，乙方将免费提供技术维护；同时本条款的生效不包括双方继续的项目开发合作行为。)

第六条 其他约定

(1)在系统取得本企业第一个车间实施成功后，乙方将本着宣布推广与友好合作的精神，赠送甲方一个基本系统(一个作业计划模块和一个工艺模块)，由甲方自行实施于企业的另一个模具车间。

(2)甲乙双方将本着友好协作的精神，在可能的情况下继续进行在前段工作基础上的项目开发合作。

第七条 违约责任和纠纷的解决方式的约定(略)

第八条 附则

(1)本合同正本一式四份，甲乙双方各执两份，具有同等法律效力。

(2)本合同自双方签字之日起生效。

甲方：顺德××电器公司(章)　　乙方：广州市××科技公司(章)

代表签字：×××　　代表签字：×××

时间：××××年×月×日　　时间：××××年×月×日

附件：(1)所需调试资料表；　(2)管理系统基本功能表(略)。

在签订软件开发、销售与服务合同书时，由于软件开发等项目在目的属于较前沿的事物，法律、法规并不是特别完善，所以，对一些软件的销售与服务应根据当事人双方的具体约定而定。

合同文书

在签订软件开发、销售与服务合同书时，由于软件开发等项目在目的属于较前沿的事物，法律、法规并不是特别完善，所以，对一些软件的销售与服务应根据当事人双方的具体约定而定。

23. 合伙、联营合同

(1)什么是合伙、联营合同

合伙,是指由各合伙人订立合伙协议共同出资、合伙经营、共担风险,并对合伙债务承担无限连带责任的营利性组织,这份合伙协议,就是合伙合同。联营合同是指两个或两个以上的法人之间为了实现共同生产、经营的经济目的,为明确相互权利、义务而签订的协议。二者的区别是:合伙合同是个人之间产生的协议,而联营合同是法人之间产生的协议。

(2)如何写作合伙、联营合同

合伙、联营合同的内容由以下七部分组成:

第一部分,订立合同双方当事人姓名(法人代表)、地址等条款;

第二部分,合伙、联营性质、项目、范围及合伙期限;

第三部分,出资额、方式及出资期限;

第四部分,盈余分配与债务承担;

第五部分,合同双方当事人的权利,义务条款;

第六部分,违约责任;

第七部分,争议的解决办法及双方约定的其他事项等。

(3)例文:

合伙合同

(参考文本)

订立合同各合伙人:

姓名 ________,性别 ________,年龄 ________,住址 ________________(其他合伙人按上列项目顺序填写)。

第一条　合伙宗旨 ________________

第二条　合伙经营项目和范围 ________________

合同文书

合伙,是指由各合伙人订立合伙协议共同出资、合伙经营、共担风险,并对合伙债务承担无限连带责任的营利性组织,这份合伙协议,就是合伙合同。联营合同是指两个或两个以上的法人之间为了实现共同生产、经营的经济目的,为明确相互权利、义务而签订的协议。

合同文书

出资的转让：允许合伙人转让自己的出资。转让时合伙人有首先受让权；如转让合伙人以外的第三人，第三人应按入伙对待，否则以退伙对待转让人。

第三条 合伙期限

合伙期限为________年，自________年________月________日起，至________年________月________日止。

第四条　出资额、方式和期限

1.合伙人____________(姓名)以__________方式出资，计人民币__________元。(其他合伙人同上顺序列出)

2.各合伙人的出资，于________年________月________日以前交齐。逾期不交或未交齐的，应对应交未交金额数计付银行利息并赔偿由此造成的损失。

3.本合伙出资共计人民币__________元。合伙期间各合伙人的出资为共有财产，不得随意请求分割。合伙终止后，各合伙人的出资仍为个人所有，届时予以返还。

第五条　盈余分配与债务承担

1.盈余分配，以__________为依据，按比例分配。

2.债务承担：合伙债务先以合伙财产偿还；合伙财产不足清偿时，以各合伙人的________为依据，按比例承担。

第六条　入伙、退伙，出资的转让

1.入伙：(1)需承认本合同；(2)需经全体合伙人同意；(3)执行合同规定的权利义务。

2.退伙：(1)需有正当理由；(2)不得在合伙不利时退伙；(3)退伙需提前________月告知其他合伙人并经全体合伙人同意；(4)退伙后以退伙时期的财产状况进行结算，不论何种方式出资，均以金钱结算；(5)未经合伙人同意而自行退伙给合伙造成损失的，应进行赔偿。

3.出资的转让：允许合伙人转让自己的出资。转让时合伙人有首先受让权；如转让合伙人以外的第三人，第三人应按入伙对待，否则以退伙对待转让人。

第七条　权限和权利

1.合伙负责人，其权限是：(1)对外开展业务，订立合同；(2)对合伙事业进行日常管理；(3)出售合伙的产品(货物)、购进常用货物；(4)支付合伙债务。

2.其他合伙人的权利：(1)参与合伙事业的管理；(2)听取合伙负责人开展业务情况的报告；(3)检查合伙账册及经营情况；(4)共同决定

合伙重大事项。

第八条　禁止行为

1.未经全体合伙人同意,禁止任何合伙人私自以合伙名义进行业务活动;如其业务获得利益归合伙,造成损失按实际损失赔偿。

2.禁止合伙人经营与合伙竞争的业务。

3.禁止合伙人再加入其他合伙。

4.禁止合伙人与本合伙签订合同。

5.如合伙人违反上述规定,应按合伙实际损失赔偿。劝阻不听者可由全体合伙人决定除名。

第九条　合伙的终止及终止后的事项

1.合伙因以下事由之一得终止:(1)合伙期届满;(2)全体合伙人同意终止合伙关系;(3)合伙事业完成或不能完成;(4)合伙事业违反法律而被撤销;⑤法院根据有关当事人请求,判决解散。

2.合伙终止后的事项:(1)即行推举清算人,并邀请 ________ 中间人(或公证员)参与清算;(2)清算后如有盈余,则按收取债权、清偿债务、返还出资、按比例分配剩余财产的顺序进行。固定资产和不可分物,可作价卖给合伙人或第三人,其价款参与分配;(3)清算后如有亏损,不论合伙人出资多少,先以合伙共同财产偿还,合伙财产不足清偿的部分,由合伙人按出资比例承担。

第十条　纠纷的解决

合伙人之间如发生纠纷,应共同协商,本着有利于合伙事业发展的原则予以解决。如协商不成,可以诉诸法院。

第十一条　本合同自订立并报经工商行政管理机关批准之日起生效并开始营业。

第十二条　本合同如有未尽事宜,应由合伙人集体讨论补充或修改。补充和修改的内容与本合同具有同等效力。

第十三条　其他 ________________________________

第十四条　本合同正本一式 ________ 份,合伙人各执一份,送 ________ 各存一份。

合伙人:__________(盖章)

____ 年 ____ 月 ____ 日

合同文书

合伙、联营合同中,对于双方的权利和责任,要详细地写清楚。因为双方是合伙关系,互相信任是彼此走到一起的基础,但对于一些重大的原则性问题,一定要在合同中有明确的规定,以免将来由于双方理解的不同,发生意见分歧。

借款合同是当事人双方为借贷一定数额的货币而明确相互权利义务关系的协议。

合伙、联营合同中，对于双方的权利和责任，要详细地写清楚。因为双方是合伙关系，互相信任是彼此走到一起的基础，但对于一些重大的原则性问题，一定要在合同中有明确的规定，以免将来由于双方理解的不同，发生意见分歧。

24. 借款合同

(1)什么是借款合同

借款合同是当事人双方为借贷一定数额的货币而明确相互权利义务关系的协议。

(2)如何写作借款合同

借款合同的内容由以下几部分组成：

第一部分，标题。如“×借款(贷款)合同”。

第二部分，双方借、贷单位的名称。

第三部分，正文。正文部分包括：

A.借款标的，借款合同的标的必须是货币；

B 款种类；

C.借款用途、金额、利率以及借款期限；

D.还款的资金来源及还款方式；

E.保证条件，以物资保证为主；

F.违约责任；

G.合同的变更和解除；

H.解决纠纷的方式；

I.双方约定的其他事项；

第四部分，尾部。双方签名及日期。

(3)例文：

技术改革贷款合同

申请贷款单位：____________________（以下简称甲方），由________________单位担保，并经主管局(总公司)批准，向中国工商银行××分行__________支行(以下简称乙方)，申请技术改造贷款，按照《中国工商银行技术改造贷款暂行办法》的有关规定，双方议定以下条款，共同遵守。

一、甲方申请贷款总额人民币(大写)__________万元。贷款用于__________，保证专款专用。

二、乙方根据甲方报送的工程用款计划和用款借据，及时审查发放贷款，以保证工程需要，甲方如擅自改变计划，挪用贷款或物资，乙方有权停止发放贷款，被挪用的贷款要加50%的利息扣回。

三、贷款期限为________年________月(指从第一笔贷款发放之日起到最后还清全部本息之日止)。利息月息________%，按季度收利息。贷款逾期按规定加收利息20%。

四、甲方保证按期归还贷款。归还贷款资金来源用贷款项目新增加的利税、固定资产折旧及其他资金。甲方如不能按期还清贷款，担保单位必须承担还债责任。必要时，乙方从甲方或担保单位存款户头中扣收。

五、甲方同意按时向乙方报送有关工程进度、贷款使用情况的统计表和资料，为乙方工作提供方便。

六、本合同一式5份，其中正本2份，由甲乙双方各执1份；副本3份，由担保方和甲乙双方上级各执1份。

甲 方(盖章)：　　乙 方(盖章)：　　担保单位(盖章)：

负责人(盖章)：　　负责人(盖章)：　　负责人(盖章)：

××××年×月×日

借款合同中，除了要写明借款的还期以外，还应写明如果不能及时还款，将采取何种措施进行处理。既使双方当事人是好朋友或关系不错，在签订借款时，也不能大意马虎。

合同文书

借款合同中，除了要写明借款的还期以外，还应写明如果不能及时还款，将采取何种措施进行处理。既使双方当事人是好朋友或关系不错，在签订借款时，也不能大意马虎。

25. 买卖合同

合同文书

买卖合同是出卖人转移标的物的持有权于买受人，买受人支付价款的合同。买卖合同有多种表现形式，有工业产品、农业产品等买卖合同。

(1)什么是买卖合同

买卖合同是出卖人转移标的物的持有权于买受人，买受人支付价款的合同。买卖合同有多种表现形式，有工业产品、农业产品等买卖合同。

(2)如何写作买卖合同

买卖合同由以下内容组成。

第一部分，标题。

第二部分，当事人的名称，或姓名和住址。

第三部分，正文。它包括：

A.标的、数量；

B.质量、规格、包装、检验方式方法；

C.付款或报酬、结算方式；

D.行期限、地点方式；

E.违约责任。

第四部分，尾部。双方当事人的签章及日期。

(3)例文：

工矿产品购销合同

甲方(供方)：____________　　　　乙方(需方)：____________

签订日期：________年________月________日

签订地点：____________________________

甲乙双方经充分协商，签订本合同，共同信守。

一、产品名称、数量、价格：

产品名称及牌号或商标：________________________

产地或国别：______________________

型号、规格或花色、品种：____________

等级：____________

计量单位：____________

数量：____________

单价：____________

折扣：____________

金额：____________

二、质量、技术标准和检验方法、时间及负责期限：____________

三、交(提)货日期：____________

四、交(提)货及验收方法、地点、期限：____________

五、包装标准、要求及供应、回收、作价办法：____________

六、运输方式、到达港(站)及运杂费负担：____________

七、配件、备品、工具等供应办法：____________

八、超欠幅度：交货数量超欠在______%范围内，不作违约论处。

九、合理磅差、自然减(增)量的计算：____________

十、给付定金数额、时间、方法：____________

十一、结算方式及期限：____________

十二、保险费：以______方名义，由______方按本合同总值______%投保，保险费由______方负担。

十三、违约责任：供方不能交货，需中途退货的，向对方偿付不能交货或中途退货部门货款总值______%的违约金。

十四、其他：____________

未尽事宜，均按《中华人民共和国经济合同法》和《工矿产品购销合同条例》规定执行。

甲方：　　　　　　　　乙方：

代表：　　　　　　　　代表：

××××年×月×日

买卖合同中，对于产品的牌号、型号、规格、花色或品种等，一定要写得一清二楚，免得将来由于合同的不明确，引起不必要的纠纷。

合同文书

买卖合同中，对于产品的牌号、型号、规格、花色或品种等，一定要写得一清二楚，免得将来由于合同的不明确，引起不必要的纠纷。

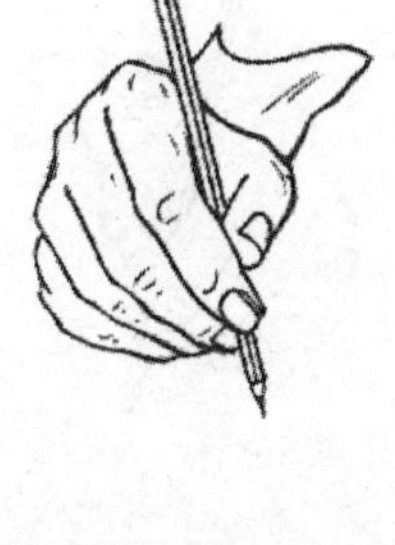

26. 建筑承包合同

合同文书

买卖合同中，对于产品的牌号、型号、规格、花色或品种等，一定要写得一清二楚，免得将来由于合同的不明确，引起不必要的纠纷。

(1)什么是建筑承包合同

建筑承包合同是指发包方与承包方之间为完成商定的工程建设项目而确定相互权利义务关系和其他事项的协议。

(2)如何写作建筑承包合同

建筑承包合同由以下部分组成。

第一部分，标题。多为“合同”或“建筑承包合同”，也有在前面加上具体工程名称的。

第二部分，双方单位代表的名称。

第三部分，正文。正文包括：

A.工程名称和地点；

B.工程范围的内容；

C.开、竣工日期及中间交工工程开、竣工日期；

D.工程质量、保修期及保修条件；

E.工程造价；

F.工程价款的支付、结算及竣工验收办法；

G.设计文件及概算、预算和技术资料提供日期；

H.材料和设备的供应和进场期限；

I.双方相互商定的事项；

J.违约责任。

第四部分，署名日期。在双方公司单位盖章后再盖上双方法人代表的私章，最后写上签订日期。

(3)例文：

建筑承包合同

立合同人：××化肥厂(甲方)

××市第×建筑公司(乙方)

为建筑××化肥厂办公楼，经双方协商，特订立本合同。内容如下：

一、甲方委托乙方修建办公楼一栋，由乙方按照甲方提出的图样(附件一)建造。

二、全部修建费(包括材料、人工)共人民币×万元。

三、甲方在订立合同后三周内，先付给乙方全部修建费的70%，其余30%待办公楼建成验收合格后10天内全部付清。

四、建筑材料由乙方按照双方协议筹备(附件二)。

五、如质量不符合国家规定标准，由乙方返修。原材料低于协议标准，乙方应按材料差价两倍赔偿损失。如不能按期完工，延期一个月，甲方扣除付给乙方的建筑费1%，延期三个月扣除4%，延期半年扣除10%，延期一年扣除30%。

六、本合同一式两份，双方各执一份。

××市化肥厂(公章)	××市第×建筑公司(公章)
法人代表：×××(私章)	法人代表：×××(私章)
××××年×月×日	××××年×月×日

附：1.办公楼图纸一张；2.建筑材料单一份。

建筑承包合同中，比较常见的现象便是不能顺利完工，或者即使完工，质量上却出现了问题。对于以上现象，一定要在合同中写明由此引起的责任由谁承担，以及赔偿方式。

合同文书

建筑承包合同中，比较常见的现象便是不能顺利完工，或者即使完工，质量上却出现了问题。对于以上现象，一定要在合同中写明由此引起的责任由谁承担，以及赔偿方式。

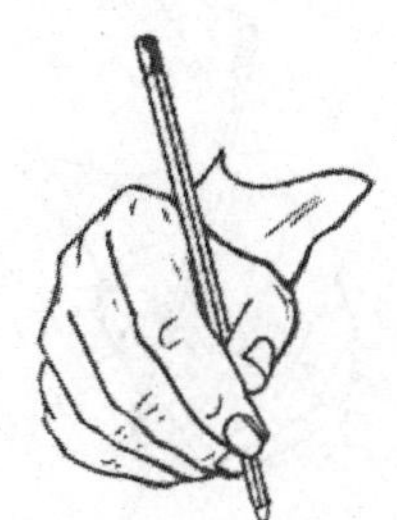

27. 保险合同

(1)什么是保险合同

保险合同是一种与人们生命、财产息息相关的合同，是投保人与保险人约定保险权利义务关系的协议。一般包括保险条款及各种投保单、保险单。

(2)如何写作保险合同

合同文书

保险合同是一种与人们生命、财产息息相关的合同，是投保人与保险人约定保险权利义务关系的协议。一般包括保险条款及各种投保单、保险单。

保险合同的内容由以下八部分组成：

第一部分，保险人名称和住所。

写作保险合同时，保险人的名称、住所一栏十分重要，应明确地予以写清楚。

第二部分，投保人、被保险人名称和住所，以及人身保险的受益人的名称和住所。

投保人、被保险人以及人身保险的受益人与保险人相对应的另一方当事人，是确定权利和义务归属的前提条件，故应当明确地予以填写。而且，由于投保人、被保险人及受益人是三种彼此独立的主体身份，享有的权利和承担的义务并不相同，所以，在填写时应当注意以下几个问题：

第一，在投保人、被保险人以及人身保险的受益人的名称和住所中，应当分别准确的填写，而且必须如实填写法定的登记注册的名称和住所，以便保险人能够在保险合同订立之后，按保险合同中注明的住所发送有关的通知和对被保险人行使有关权利。

第二，人身保险合同中的受益人一栏，应当填写具体的受益人。无论是团体人身保险，还是个人人身保险，都不要含混。虽然我国《保险法》规定，在被保险人死亡后，没有指定受益人的，由被保险人的继承人接受人身保险金，但是为了减少或避免争议，还是具体指定受益人为宜。

3.在投保人、被保险人的住所变更时，应当及时通知保险人。而人身保险的受益人变更时，也需告知保险人，以便保险人予以批注。

第三部分，保险标的。

保险标的是指保险合同所指向的保险对象。从投保人角度讲，保险标的是其提供给保险人，寻求保险保障的对象，而对于保险人而言，保险标的则表现其提供保险保障的对象，具体包括作为保险对象的财产及其有关利益或者人的寿命和身体。

但是，如果没有保险标的，保险合同也就失去存在的意义。因此，保险标的条款是保险合同不可缺少的组成部分。那么，在制订该条款时，你应当注意在具体的保险合同中所填具的保险标的的内容和范围要具体准确。同时，由于保险标的是保险人决定是否承保和确定保险费率的重要根据，故投保人必须如实陈述与保险标的相关的问题。例如所投保的被保险人的身体健康状况、年龄等，以免因不如实告知而影响保险合同的效力。

与此同时，还应当把握你愿投保的保险标的与所选择的保险合同规定的承保的保险标的范围相吻合。使其符合保险合同的承保条件，实现订立保险合同的目的。

第四部分，保险责任和责任免除。

保险责任是指保险人按照保险合同的约定所应当承担的保险赔偿金或人身保险金的给付责任。它是保险人在保险合同中所承担的基本义务，是保险合同宗旨的直接体现。即保险人在保险合同约定范围内的保险事故发生并造成保险标的损失或者保险合同期限届满时，向被保险人或者受益人支付保险赔偿金或者人身保险金。

保险合同中的保险责任是基于长期保险业的传统而沿用"责任"一词，实际是保险人承担的合同义务，故根本区别于民法上的民事责任。而且，保险责任按其责任范围和承担责任的条件，分为基本责任、附加责任的特约责任。

实践中，一般都采用列举的方式，逐项列举出承担保险责任的危险事故，保险业称为保险事故，以所列举的保险事故的发生来界定保险责任的范围。因此，你在投保时，一定要搞清楚保险责任的范围及其类别，以使所签订的保险合同与所追求的保险保障需要相适应。

责任免除是与保险责任相对应的概念，即保险人不承担保险责任的范围。由于社会生活中危险事故的复杂性和多样性，保险人出于保险经营的营利目的和保护自身经济利益的需要，并非对于一切危险事故的发生均承担保险责任，而是在具体的保险合同中预先约定了相应的责任免险。其具体方式主要是规定除外责任条款，也有的保险合同中规定了免赔额条款。前者就是以列举式方法规定了不承担保险责任的危险事故，而后者则表现为在合同约定数额内的损失免除保险人的保险责任。

合同文书

保险合同中的保险责任是基于长期保险业的传统而沿用"责任"一词，实际是保险人承担的合同义务，故根本区别于民法上的民事责任。

因此，在投保时，需看清楚保险合同中有无此类规定以及除外责任的范围和免赔的数额或比例。

第五部分，保险期间和保险责任开始时间。

保险期间是指保险合同所提供的保险保障的期间，也就是保险人所承担的保险责任从开始到终止的存续期间。在此期间发生保险事故致保险标的损害的，保险人承担保险责任，否则，保险人将不承担保险责任。由于保险期间关系到双方当事人行使权利和履行义务的期限，也是保险人计算保险费的重要根据之一，因此，保险合同必须明确规定保险期间。

而不同的保险合同，其计算保险期间的方法也不一样。有的是以具体的时间为根据，比如人身保险是以当事人约定的开始日零时开始至到期日 24 时终止。有的按特定活动的经过计算，比如，运输保险一般按航程——起运地起至到达地时止。合同中，尤其应当明确而具体地约定保险责任的开始时间，避免发生异议。

合同文书

保险价值是指保险标的所具有的实际价值。保险法要求投保人投保之时，应当申明保险标的的保险价值。

第六部分，保险价值。

保险价值是指保险标的所具有的实际价值。保险法要求投保人投保之时，应当申明保险标的的保险价值。由于保险价值是确定保险金额的直接根据，故保险价值在保险合同中具有重要意义。

通常来说，保险合同的保险价值是由投保人或者保险人根据有关因素，对于保险标的进行评估判断后协商确定。具体的估价方法多采用客观评价原则，而在客观评价有困难时，才采用主观判断方法。如果当事人没有在保险合同中约定保险价值的，则依法律的有关规定确定保险价值。

在保险实践中，保险合同分为定值保险合同和不定值保险合同。前者是双方当事人在签订保险合同时明确约定保险标的的保险价值作为保险金额列入保险合同，后者则是在保险合同中不约定保险价值，而以发生保险事故时保险标的的实际价值作为赔付标准。比如财产保险合同中，除了货物运输保险和船舶保险采用定值保险方式以外，一般都属于不定值保险合同。当然，保险价值一词不适用于人身保险合同。因为人身保险合同的保险标的——人的寿命和身体不是通过估价确定保险金额的。

第七部分，保险金额。

保险金额是指投保人向保险人实际投保的货币数额，也就是保险人承担保险责任的最高限额。因此，可以将保险金额理解为投保人享有的保险利益的货币表现。它也是保险人计收保险费的重要依据，故在保险合同中具有重要意义，必须予以明确规定。

而财产保险合同与人身保险合同确定保险金额的方法是不一样

的。在财产保险合同中，以保险标的的保险价值为依据，按可能遭受损失的数额来确定保险金额。故财产保险合同的保险金额与保险标的保险价值关系密切。如果投保人投保的保险金额等于保险标的的保险价值，就构成“足额保险”。那么，在保险标的全损时，可以获得充分的保险赔偿金。而投保人投保的保险金额小于保险标的的保险价值的，则为“不足额保险”，相应地，超过保险金额的损失部分就不能获得保险赔偿金。至于投保人投保的保险金额大于保险标的的保险价值的，叫做“超额保险”，为法律所禁止。这就是说，保险并非牟利的手段。故超过保险标的的保险价值的部分是无效的。

与财产保险合同不同，人身保险合同是根据投保人在投保时要求给付的货币数额来决定保险金额的。这表明，投保人在投保人身保险的同时，可以根据自己的需要如付费能力决定投保的保险金额。如投保人按其保险需求，要求投保 10 万元或 20 万元，则其所订人身保险合同的保险金额就为 10 万元或 20 万元(不过，投保人要为此交付对应数额的保险费)。当然，法律或保险监管机构另有规定的除外。

第八部分，保险费以及其支付办法。

保险费是指投保人为了获取保险保障而依合同约定向保险人交付的货币数额。它是被保险人或者受益人取得保险赔偿金或者人身保险金的对价条件。

保险费的具体数额，是根据保险合同的保险金额、保险费率、保险期限等计算确定的。双方当事人也可另行约定保险费数额，但不得违反有关法律和保险监管机关的规定。

保险费的支付办法，可由当事人协商决定。可以是按年、按季或按月分期支付，也可是在订立保险合同时一次交清。不过，保险费支付办法一经确定，投保人就应如约履行，以免影响合同的效力。

合同文书

保险费的支付办法，可由当事人协商决定。可以是按年、按季或按月分期支付，也可是在订立保险合同时一次交清。不过，保险费支付办法一经确定，投保人就应如约履行，以免影响合同的效力。

(3)例文：

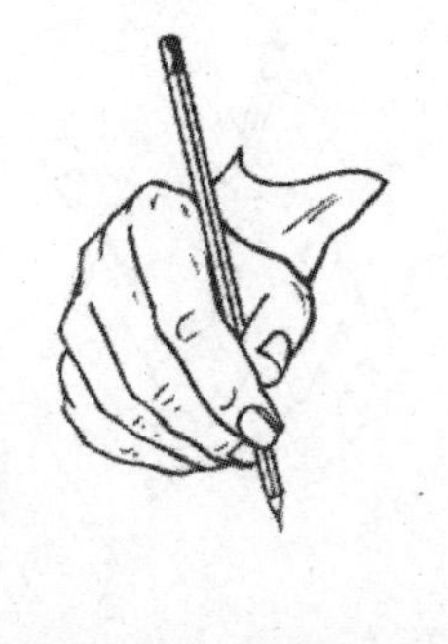

××人寿保险公司个人养老金保险条款

(参考文本)

第一条　保险合同构成

个人养老金保险合同(以下简称本合同)由保险单及所附条款、声

明、批注、批单，以及与本合同有关的投保单、复效申请书、健康声明书和其他书面协议共同构成。

合同文书

本合同自本公司同意承保、收取首期保险费并签发保险单的次日开始生效。除另有约定外，本合同生效的日期为本公司开始承担保险责任的日期。

第二条　投保范围

凡六十五周岁以下的城乡居民均可作为被保险人，由本人或对其具有保险利益的人作为投保人向××人寿保险公司（以下简称本公司）投保本保险。

第三条　保险责任开始

本合同自本公司同意承保、收取首期保险费并签发保险单的次日开始生效。除另有约定外，本合同生效的日期为本公司开始承担保险责任的日期。

第四条　养老金的领取方式及开始领取日

养老金的领取分为即期领取和延期领取两种。即期领取养老金的领取方式分为年领、月领两种，开始领取日为本合同的生效日。

延期领取养老金的领取方式为年领、月领和一次性领取三种，开始领取年龄为四十五、五十、五十五、六十、六十五岁五种，开始领取日为投保人约定领取年龄的生效对应日。

第五条　保险责任

在本合同有效期内，本公司负下列保险责任：

一、在本合同约定的养老金开始领取日前被保险人身故，本公司按所交保险费（不计利息）与现金价值中数额较高的给付身故保险金，本合同终止。

二、被保险人生存至本合同约定的养老金开始领取日：

1.约定一次性领取养老金的，本公司按保险单载明的养老金额取金额给付养老金，本合同终止。

2.约定按年或按月领取养老金的，本公司于每年或每月的生效对应日按保险单载明的养老金领取金额给付养老金，保证给付十年。若被保险人自开始领取养老金之日起不满十年身故，其受益人可继续领取未满十年部分的养老金，本合同于自开始领取养老金之日起满十年的年生效对应日终止。若被保险人自开始领取养老金之日起满十年后仍生存，可继续领取养老金直至身故；被保险人身故，本合同终止。

第六条　责任免除

因下列情形导致被保险人身故，本公司不负保险责任：

一、投保人、受益人对被保险人的故意行为；

二、被保险人故意犯罪、拒捕；

三、被保险人服用、吸食或注射毒品；

四、被保险人在本合同生效(或复效)之日起二年内自杀；

五、被保险人酒后驾驶、无有效驾驶执照驾驶，或驾驶无有效行驶证的机动交通工具；

六、被保险人感染艾滋病病毒（HIV 呈阳性）或患艾滋病(AIDS)期间；

七、战争、军事行动、暴动或武装叛乱；

八、核爆炸、核辐射或核污染及由此引起的疾病。

无论上述何种情形发生，本合同终止。投保人已交足二年以上保险费的，本公司退还本合同现金价值；投保人未交足二年保险费的，本公司在扣除手续费后，退还保险费。

第七条　保险费

保险费的交付方式分为趸交、年交和月交。分期交付保险费的，交费期间分为五年、十年、十五年、二十年和自本合同生效之日起至约定养老金开始领取日止五种。

第八条　首期后保险费的交付、宽限期间、保险费自动垫交及合同效力中止

分期交付保险费的，首期后的保险费应按照如下规定向本公司交付：

一、年交保险费的交付日期为本合同每年的生效对应日；

二、月交保险费的交付日期为本合同每月的生效对应日。

如未按上述规定日期交付保险费的，自次日起六十日为宽限期间；在宽限期间内发生保险事故，本公司仍负保险责任；逾宽限期间仍未交付保险费的，如本合同当时具有现金价值，且现金价值扣除以前已垫交的保险费及利息、借款及利息后的余额足以垫交到期应交的保险费时，本公司将自动垫交该项欠交保险费，使本合同继续有效；当本合同当时的现金价值余额不足以垫交到期应交的保险费时，或前项垫交的保险费及利息达到本合同现金价值时，本合同效力中止。

第九条　合同效力恢复

在本合同效力中止之日起二年内，投保人可填写复效申请书，并提

合同文书

无论上述何种情形发生，本合同终止。投保人已交足二年以上保险费的，本公司退还本合同现金价值；投保人未交足二年保险费的，本公司在扣除手续费后，退还保险费。

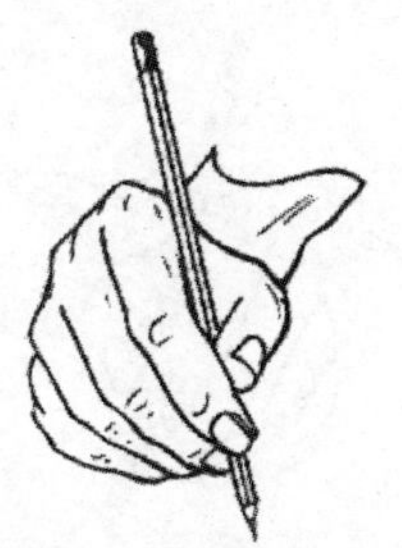

供被保险人的健康声明书或本公司指定或认可的医疗机构出具的体验报告书，申请恢复合同效力，经本公司审核同意，自投保人补交所欠的保险费及利息的次日起，本合同效力恢复。

合同文书

订立本合同时，本公司应向投保人明确说明本合同的条款内容，特别是责任免除条款，并可以就投保人、被保险人的有关情况提出书面询问，投保人应当如实告知。

自本合同效力中止之日起二年内双方未达成协议的，本公司有权解除本合同。投保人已交足二年以上保险费的，本公司退还本合同现金价值；投保人未交足二年保险费的，本公司在扣除手续费后，退还保险费。

第十条　如实告知

订立本合同时，本公司应向投保人明确说明本合同的条款内容，特别是责任免除条款，并可以就投保人、被保险人的有关情况提出书面询问，投保人应当如实告知。恢复本合同效力时，投保人应如实告知被保险人当时的健康状况。

投保人故意隐瞒事实，不履行如实告知义务的，或因过失未履行如实告知义务，足以影响本公司决定是否同意承保或者提高保险费率的，本公司有权解除本合同。

投保人故意不履行如实告知义务的，本公司对本合同解除前发生的保险事故，不承担给付保险金的责任，并不退还保险费。投保人因过失未履行如实告知义务，对保险事故的发生有严重影响的，本公司对本合同解除前发生的保险事故，不承担给付保险金的责任，但可以退还保险费。

第十一条　受益人的指定和变更

被保险人或投保人可指定一人或数人为身故保险金受益人。受益人为数人的，可以确定受益顺序和受益份额；未确定受益份额的，受益人按照相等份额享有受益权。

被保险人或投保人可以变更身故保险金受益人，但需书面通知本公司，经本公司在保险单上批准后方能生效。

投保人指定或变更受益人时须经被保险人书面同意。

养老金的受益人为被保险人本人，本公司不受理其他指定和变更。

第十二条　保险事故通知

投保人、被保险人或受益人应于知悉保险事故发生之日起十日内以书面形式通知本公司，否则，投保人、被保险人或受益人应承担由于通知迟延致使本公司增加的查勘、调查费用，但因不可抗力导致迟延的除外。

第十三条　保险金申请

一、在本合同有效期内，被保险人生存至养老金开始领取日，由被保险人作为申请人，填写保险金给付申请书，并提交下列证明、资料：

1.保险合同及最近一次保险费的交费凭证；

2.被保险人的身份证明。

二、在本合同有效期内被保险人身故的，由身故保险金受益人作为申请人，填写保险金给付申请书，并提交下列证明、资料：

1.保险合同及最近一次保险费的交费凭证；

2.受益人的身份证明；

3.公安部门或县级以上(含县级)医疗出具的被保险人死亡证明书；

4.被保险人的户籍注销证明；

5.本公司要求提供的与确认保险事故的性质、原因等相关的证明、资料。

三、本公司收到申请人的保险金给付申请书及上述证明、资料后，对核定属于保险责任的人，本公司在与申请人达成有关给付保险金协议后十日内，履行给付保险金的义务；对不属于保险责任的；本公司向申请人发出拒绝给付保险金通知书。

四、被保险人或受益人对本公司请求给付保险金的权利自其知道保险事故发生之日起五年不行使而消失。

第十四条　借款

在本合同有效期内，如果本合同当时已经具有现金价值，投保人可以书面形式向本公司申请借款，最高借款金额不得超过本合同当时的现金价值在扣除欠交保险费及利息、借款及利息后余额的70%，每次借款时间不得超过六个月。

借款及利息应在借款期满日偿还。未能及时偿还的，则所有利息将被并入原借款金额中，视同重新借款。

当本合同当时的现金价值不足以抵偿欠交的保险费及利息、借款及利息时，本合同效力中止。

第十五条　欠款扣除

本公司在给付保险金、退还本合同现金价值或保险费时，如投

合同文书

在本合同有效期内，投保人可填写变更申请书变更本合同的有关内容，经本公司审核同意后，由本公司出具批准，或与投保人订立书面变更协议。

保人有欠交保险费或保单借款未还清者，本公司须先扣除欠款及其应付利息。

第十六条　合同内容变更

在本合同有效期内，投保人可填写变更申请书变更本合同的有关内容，经本公司审核同意后，由本公司出具批准，或与投保人订立书面变更协议。

第十七条　住所或地址变更

投保人的住所或通讯地址变更时，应及时以书面形式通知本公司。投保人未以书面形式通知的，本公司按所知最后的投保人住所或通讯地址发送有关通知。

第十八条　年龄计算及错误处理

被保险人的投保年龄按周岁计算。投保人应在投保本保险时将被保险人的真实年龄在投保单上填明，如果发生错误，本公司按照下列规定办理：

一、投保人申报的被保险人年龄不真实，并且其真实年龄不符合本合同约定的年龄限制的，本公司可以解除本合同，并在扣除手续费后向投保人退还保险费，但是自本合同生效之日起逾二年的除外。

二、投保人申报的被保险人年龄不真实，致使投保人实付保险费少于应付保险费的，本公司有权更正并要求投保人补交保险费及利息，或在给付保险金时按照实付保险费与应付保险费的比例给付。

三、投保人申报的被保险人年龄不真实，致使投保人实付保险费多于应付保险费的，本公司应将多收的保险费无息退还投保人。

第十九条　投保人解除合同的处理

本合同成立后，养老金开始领取日前，投保人可以要求解除本合同，解除本合同时，应填写解除合同申请书，并提交保险合同、最近一次保险费交费凭证和投保人的身份证明。

本合同的保险责任自本公司接到解除合同申请书之日起终止。投保人于签收保险单后十日内要求解除合同的，本公司退还已收全部保险费，但如经本公司体检的，则应扣除体检费。投保人已交足二年以上保险费的，本公司退还本合同现金价值；投保人未交足二年保险费的，本公司在扣除手续费后，退还保险费。

第二十条　争议处理

合同文书

保险分为很多种：有养老保险、疾病保险、人身意外保险等，各种不同的险种有不同的侧重点，所以在日常生活中，如果你正准备为自己买一份保险，请根据实际情况，购买最适合自己的保险。

因履行本合同发生的争议，由当事人协商解决，协商不成的，当事人可依达成的仲裁协议通过仲裁解决。无仲裁协议或者仲裁协议无效的，可依法向保险单签发地有管辖权的人民法院提起诉讼。

第二十一条　释义

本条款有关名词释义如下：

生效对应日：生效日每年（或月）的对应日为本合同每年（或月）的生效对应日。

艾滋病：是指获得性免疫缺陷综合症（AIDS）。

艾滋病病毒：是指人类免疫缺陷病毒（HIV）。获得性免疫缺陷综合症的定义应按世界卫生组织制定的定义为准，如在血清学检验中 HIV 抗体呈阳性，则可认为感染艾滋病病毒或患艾滋病。

不可抗力：是指不能预见、不能避免并不能克服的客观情况。

利息：是指外（或垫）欠交保险费、借款的利息，按补（或垫）欠交保险费、借款的数额，经过天数和利率依复利方式计算。利率由本公司每年度公布一次。

手续费：是指每张保险单平均承担的营业费用、佣金以及本公司对该保险单已承担的保险责任所收取的费用总和。

保险分为很多种，有养老保险、疾病保险、人身意外保险等，各种不同的险种有不同的侧重点，所以在日常生活中，如果你正准备为自己买一份保险，请根据实际情况，购买最适合自己的保险。

28. 运输合同

(1)什么是运输合同

运输合同是承运人将旅客或者货物从起运地点运输到约定地点，旅客、托运人，或者收货人支付票款或者运输费用的合同，主要包括客运合同和货运合同。

(2)如何写作运输合同

合同文书

运输合同是承运人将旅客或者货物从起运地点运输到约定地点，旅客、托运人，或者收货人支付票款或者运输费用的合同，主要包括客运合同和货运合同。

合同文书

货物运到后，承运人知道收货人的详细地址和姓名时，应及时向其发出书面、电话等通知，告之收货人催提货物。承运人如果没有及时通知收货人提取货物，致其遭受损失的，应当负责赔偿。

运输合同的内容由以下九部分组成：

第一部分，托运人、收货人的名称、地址、邮政编码、联系电话。

货运合同中，托运人、收货人的名称、地址等一定要写清楚，名称一定要写全称，不能用简称，以免与其他人相混淆而发生错误。生活中，经常碰到因当事人的名称写得不准确而发生纠纷的案件。

第二部分，承运人的名称、地址、邮政编码、电话、发站(港)、到站(港)名称。

货物运到后，承运人知道收货人的详细地址和姓名时，应及时向其发出书面、电话等通知，告之收货人催提货物。承运人如果没有及时通知收货人提取货物，致其遭受损失的，应当负责赔偿。

第三部分，拖运货物的品名、数量、重量、件数等。

托运人办理货物运输，应当向承运人准确表明货物名称、性质、数量、重量、件数等关于货物运输的必要情况。托运人申报不实或者遗漏重要情况，造成承运人损失的，托运人应当承担损害赔偿责任。

第四部分，托运货物的包装要求。

托运人应当按照约定的方式包装货物，对包装方式没有约定的或者约定不明确的，应按照通用的方式包装，没有通用方式的，应当采取足以保护标的物的包装方式。

第五部分，运输方式、运到期限及验货期限。

在合同中，要体现运输方式是铁路运输还是公路运输，海运还是航空。运到期限须明确。收货人提货时应当按照约定的期限检验货物，对检验货物期限没有约定，应当在合理期限内检验货物。

第六部分，货物装运时间、目的地及收货人。

在运输合同中，这是关于货物运输的几个主要问题。如果托运人在所签格式合同中，对这些规定得不清楚或者填报不认真，容易造成承运人错发货物到达地或收货人，而引起纠纷。当然，一般情况下，托运人不是故意的，但也不能排除某些情况下托运人是有意为之。为了防止纠纷的发生，保证自己业务的正常运行，承运人有必要对这些内容仔细地进行审查核实。

第七部分，承运人、托运人、收货人的权利与义务。

承运人的主要权利和义务

承运人的权利主要有下面几项：

A.有权依照有关规定收取一定的运杂费，承运人收取运杂费应依其公告的标准和项目确定。承运人不按其公告的标准和项目收取运杂费，其超出部分，承运人应当退还托运人，不能退还的，应收缴归国库。

B.有权留置托运的货物。但留置权是一种法定权利，必须依法行使。当托运人未能按规定交付运杂费时，承运人有权留置自己送到目的地的货物。但是承运人留置的货物的价值应与承运人未受偿的债权额相当，如果货物价值超过其未受偿的债权额，收货人有权请求返还，承运人也不得以托运人未交付运杂费而留置货物不予运送。

C.有权处理无人认领的货物。此项权利也必须依法行使。只有在货物经催告后，仍然无人认领，并满一定期限后，才能处理该货物。一般以提存方式处理，如果不宜提存的，可以依法拍卖，在扣除应清偿债权后，将剩余的拍卖价款提存。

承运人的义务主要有以下几项：

A.承运人应按约定的时间配发运送工具并及时接受托运人依约定交付的货物，保证货物能按时送达目的地。如承运人未能按规定的时间将货物运送到目的地，应当负违约责任。

B.承运人应当将托运的货物安全送达目的地。由于承运人的原因，造成货物毁损灭失的，承运人应负责赔偿损失。

C.承运人应按照合同约定的地点将货物交付收货人。承运人错发到货地点或错交收货人，应当无偿地将货物运至规定的地点和交付收货人，如果因此造成收货人损失或迟延受领，承运人应负违约责任。承运人将货物送至目的地，应当及时通知收货人提货。在收货人不明或收货人拒绝接受该货物时，承运人应当请求托运人在一定的期限内就货物的处理作出指示。只有当托运人在该期限内未给以指示或该指示事实上不能实行时，承运人才能将运送物予以提存。

合同文书

按合同约定的时间准备好货物，在货物起运期限内及时发货、收货。托运货物需要办理审批、检验手续的，应当将有关审批、检验的文件提交承运人。

托运人的主要权利和义务

托运人的权利主要有以下几项：

A.有权请求承运人按照合同约定的时间和地点将要运送的货物运至目的地，并交付给收货人。

B.在货物发运之前，除规定不得变更的情况外，托运人有权解除或变更合同，取回托运的全部或部分货物。但由此造成承运人的损失，应

由托运人承担。

C.在货物发运之后，托运人按照规定有权变更到站、变更收货人，但由此所支出的费用由托运人承担。

托运人的义务主要有以下几项：

A.按合同约定的时间准备好货物，在货物起运期限内及时发货、收货。托运货物需要办理审批、检验手续的，应当将有关审批、检验的文件提交承运人。

B.托运人应按照约定的方法包装货物，对货物的包装方法没有约定的，应当按照国家有关包装标准或者行业包装标准进行包装，没有国家包装标准和行业包装标准的，应当按照能够使货物安全地运送的方法进行包装。

C.负责装卸时，应准备相应的劳力和装卸工具按照约定的时间和质量要求进行装卸。

D.在托运易燃、易爆，有毒、有腐蚀性、有放射性等危险物品的时候，应当按照运送危险物品的有关规定办理，并将有关危险品的名称、性质和防范措施等书面通知承运人，否则一旦发生损害，将承担法律责任。

E.托运货物需要派人押送的，应当按约定派人押送。

F.按照合同约定交付运杂费。

3.收货人的主要权利和义务

收货人的权利主要有以下几项：

A.在货物到达之前，依照有关规定变更收货地点和收货人。

B.在货物到达后有权凭证领取货物。

收货人的义务主要有以下几项：

A.缴清托运人在发站时未交或者少交以及运送期间发生的运输费用。

B.及时领取货物，并在免费暂存期限内及时地将货物搬出车站（港口、机场）。

C.收货人负责组织卸车的货物，应在规定的期间内卸完货物。

第八部分，违约责任

违约责任条款是货运合同的主要条款。由于它是确定当事人违约时应负责任的条款，因此应当尽可能地详尽具体。这一方面可以督促

合同文书

违约责任条款是货运合同的主要条款。由于它是确定当事人违约时应负责任的条款，因此应当尽可能地详尽具体。这一方面可以督促当事人双方全面履行合同；另一方面，一旦当事人违约，也容易追究其法律责任。

当事人双方全面履行合同;另一方面,一旦当事人违约,也容易追究其法律责任。

第九部分,双方约定的其他事项

订立货运合同时,货物运单是运输合同的重要组成部分。依据《铁路货运合同实施细则》之规定,货运单应载明下列内容:

A.托运人、收货人名称及其详细地址。地址要具体明确,一般应冠以省、市、区县等字样。之所以如此规定,是因为一些单位仅从名称上看不出所在地在哪里,这类单位在货运单上应将自己的地址写清楚。否则,因此而错发到站地的,应当负主要责任。

B.发站、到站及到站的主管铁路局。

C物名称。

D.发货物包装、标志。货物包装直接影响到货物的安全运输。货物的包装要根据货物的性质、重量、体积、运距、气候、装卸方式等决定。

E.件数和重量。

F.承运日期。即承运人实际承运货物的日期。

G.运到期限。即按照规定货物运到的日期。承运日期和运到日期是货运合同的履行期限,它与是否按期履行或者迟延履行问题有着密切的关系,它是当事人承担不履行、迟延履行责任的时间界限。

H.运输费用。运输费用是承运人实施铁路运输行为应享有的权利,也是托运人托运货物时应尽的义务。其中包括运费和杂费。

I.货车类型及车号,施封货车和集装箱的施封号码等。施封号码的确定,其目的是便于收货方验收。

合同文书

即按照规定货物运到的日期。承运日期和运到日期是货运合同的履行期限,它与是否按期履行或者迟延履行问题有着密切的关系,它是当事人承担不履行、迟延履行责任的时间界限。

(3)例文:

货物运输合同

(参考文本)

订立合同双方:

托运人:________________ 承运人:________________

托运人详细地址:__________ 收货方详细地址:__________

根据《合同法》及其他有关运输规定,经过双方充分协商,特订立本合同,以便双方共同遵守。

合同文书

托运人必须按国家主管机关规定的标准包装；没有统一规定包装标准的，应根据保证货物运输安全原则进行包装，否则承运人有权拒绝承运。

第一条　货物名称、规格、数量、价款

货物编号:________________

品名:________________

规格:________________

单位:________________

单价:________________

数量:________________

金额(元):________________

第二条　包装要求

托运人必须按国家主管机关规定的标准包装；没有统一规定包装标准的,应根据保证货物运输安全原则进行包装,否则承运人有权拒绝承运。

第三条 货物起运地点:________________

货物到达地点:________________

第四条　货物承运日期:________________

货物运到期限:________________

第五条　运输质量及安全要求:________________

第六条　货物装卸责任和方法:________________

第七条　收货人领取货物及验收办法:________________

第八条　运输费用、结算方式:________________

第九条　各方的权利义务

一、托运人的权利义务

1.托运人的权利:要求承运人按照合同规定的时间、地点,把货物运输到目的地。货物托运后,托运人需要变更到货地点或收货人,或者取消托运时,有权向承运人提出变更合同的内容或解除合同的要求。但必须在货物未运到目的地之前通知承运人，并应按有关规定付给承运人所需费用。

2.托运人的义务:按约定向承运人交付运杂费。否则,承运人有权停止运输,并要求对方支付违约金。托运人对托运的货物,应按照规定的标准进行包装,遵守有关危险品运输的规定,按照合同中规定的时间和数量交付托运货物。

二、承运人的权利义务

1.承运人的权利:向托运人、收货方收取运杂费用。如果收货方不交或不按时交纳规定的各种运杂费用,承运人对其货物有扣压权。查不到收货人或收货人拒绝提取货物,承运人应及时与托运人联系,在规定期限内负责保管并有权收取保管费用,对于超过规定期限仍无法交付的货物,承运人有权按有关规定予以处理。

2.承运人的义务:在合同规定的期限内,将货物运到指定的地点,按时向收货人发出货物到达的通知。对托运的货物要负责安全,保证货物无短缺、无损坏、无人为的变质,如有上述问题应承担赔偿义务。在货物到达以后,按规定的期限,负责保管。

三、收货人的权利义务

1.收货人的权利:在货物运到指定地点后有以凭证领取货物的权利。必要时,收货人有权向到站、或中途货物所在站提出变更到站或变更收货人的要求,签订变更协议。

2.收货人的义务:在接到提货通知后,按时提取货物,缴清应付费用,超过规定提货时,应向承运人交付保管费。

第十条　违约责任

一、托运人责任

1.未按合同规定的时间和要求提供托运的货物,托运人应按其价值的 ________%偿付给承运人违约金。

2.由于在普通货物中夹带、匿报危险货物,错报笨重货物重量等而招致吊具断裂、货物摔损、吊机倾翻、爆炸、腐蚀等事故,托运人应承担赔偿责任。

3.由于货物包装缺陷产生破损,致使其他货工具、机械设备被污染腐蚀、损坏,造成人身伤亡的,托运人应承担赔偿责任。

4.在托运人专用线或在港、站公用线、专用铁道自装的货物,在到站卸货时,发现货物损坏、缺少,在车辆施封完好或无异状的情况下,托运人应赔偿收货人的损失。

5.罐车发运货物,因未随车附带规格质量证明或化验报告,造成收货方无法卸货时,托运人应偿付承运人卸车等存费及违约金。

二、承运人责任

1.不按合同规定的时间和要求配车(船)发运的,承运人应偿付托运人违约金 __________ 元。

合同文书

收货人的权利:在货物运到指定地点后有以凭证领取货物的权利。必要时,收货人有权向到站、或中途货物所在站提出变更到站或变更收货人的要求,签订变更协议。

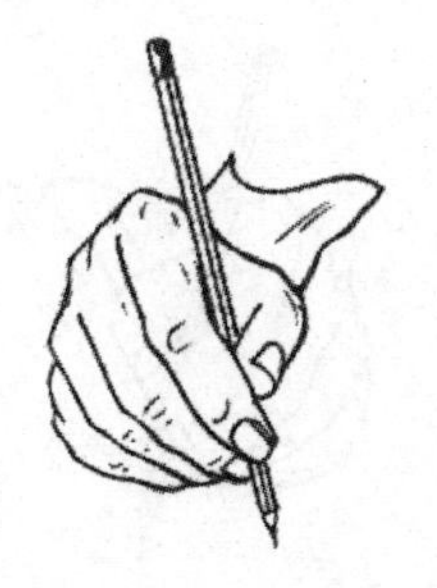

合同文书

运输合同中，特别要注意的是，一些托运人在普通货物中夹带或匿藏危险物品，或者其他违反运输规定的物品，比如公安部门常缴获的一些毒品，就经常藏在其他普通的物品之中。

2.承运人如将货物错运到货地点或接货人，应无偿运至合同规定的到货地点或接货人。如果货物逾期达到，承运人应偿付逾期交货的违约金。

3.运输过程中货物灭失、短少、变质、污染、损坏，承运人应按货物的实际损失(包括装费，运杂费)赔偿托运人。

4.联运的货物发生灭失、短少、变质、污染、损坏，应由承运人承担赔偿责任的，由终点阶段的承运人向负有责任的其他承运人追偿。

5.在符合法律和合同规定条件下的运输，由于下列原因造成货物灭失、短少、变质、污染、损坏的，承运人不承担违约责任：

(1)不可抗力；

(2)货物本身的自然属性；

(3)货物的合理损耗；

(4)托运人或收货方本身的过错。

本合同正本一式二份，合同双方各执一份；合同副本一式_______份，送______留一份。

托运人：________________ 承运人：________________

代表人：________________ 代表人：________________

地 址：________________ 地 址：________________

电 话：________________ 电 话：________________

开户银行：______________ 开户银行：______________

账 号：________________ 账 号：________________

_____年____月_____日订

运输合同中，特别要注意的是，一些托运人在普通货物中夹带或匿藏危险物品，或者其他违反运输规定的物品，比如公安部门常缴获的一些毒品，就经常藏在其他普通的物品之中。

29. 仓储合同

(1)什么是仓储合同

仓储合同是保管人储存存货人交付的仓储物,存货人支付仓储费的合同。提供储存保管服务的一方称为保管人,接受储存保管服务并支付报酬的一方称为存货人。

(2)如何写作仓储合同

仓储合同的内容主要由以下十部分组成:

第一部分,保管货物的品名、品类。

仓储合同的标的物,对于存货人来说,具有特定的用途,保管人不但应妥善保管,以免发生损毁,而且在保管期满后应当按约定将原物及孳息交还给存货人。因此,双方当事人必须在合同中对货物的品种或品名作出明确详细的规定。

第二部分,货物的数量、质量、包装。

货物的数量依据保管人的存储能力由双方协商确定,并以法定计量单位计算。在合同中,货物的质量应使国家或者有关部门规定的质量标准标明。有些货物具有保质期,也应一并注明。货物的包装由存货人负责,包装标准,有国家或者专业包装标准的,执行规定标准;没有有关标准的,在保证运输和储存安全的前提下,由合同当事人约定。

第三部分,货物验收的内容、标准、方法及时间。

验收存货人的货物是保管人的义务和责任。合同中应明确约定验收的内容、标准。通常验收的内容和标准,包括三个方面:一是无需开箱拆捆,即直观可见的质量情况,验收项目主要有货物的品名、规格、数量、外包装状况等;二是包装内的货物品名、规格、数量,以外包装或者货物上的标记为准;无标记的,以供货方提供的验收资料为准;三是散装货物按国家有关规定或合同的约定验收。

验收的方法,有全验和按比例抽验两种。具体采用哪种方法,双方当事人应在合同明确写明。验收的期限是自货物和验收资料全部送达保管人之日起,至验收报告送出之日止,日期以运输或邮电部门的戳记或直接送达的日期为准。

第四部分,货物保管和保管要求。

仓储合同的标的物即存货人委托储存保管的货物种类繁多,性质各异,因而对保管要求也各不相同,许多货物需要特殊的保管条件和

合同文书

仓储合同是保管人储存存货人交付的仓储物,存货人支付仓储费的合同。提供储存保管服务的一方称为保管人,接受储存保管服务并支付报酬的一方称为存货人。

货物损耗标准是指货物在储存运输过程中，由于自然因素和货物本身的性质或度量衡的误差原因，产生的一定数量毁损或计量误差。

保管方法，在合同中应作出相应的约定。比如储存一些易燃、易爆、有毒、有腐蚀性、有放射性等危险物品，或者易变质物品，需要有专门的仓储设备及技术条件，在合同中必须明确约定，存货人必须向保管人说明该物的性质，并提供有关材料。

第五部分，货物进出库手续、时间、地点及运输方式。

双方应当详细约定货物进出库的具体的交接事项，以便分清责任。合同对货物入库，应明确规定是由存货人或运输部门、供货单位送货到库，还是由保管人到供货单位、车站、码头等处提取货物；同样，对货物出库，也应明确规定是由存货人、用户自提或是由保管人代送、代办发运手续。

第六部分，货物损耗标准和损耗处理。

货物损耗标准是指货物在储存运输过程中，由于自然因素和货物本身的性质或度量衡的误差原因，产生的一定数量毁损或计量误差。因此，双方当事人应当在合同条款中，约定货物在储存保管和运输过程中的损耗标准和磅差标准。

此类标准有国家或行业标准的，采用国家或行业标准；无国家或行业标准的，双方应协商确定标准。

第七部分，计费项目、标准和结算方式、时间及银行账号。

计费项目包括：仓储费、转仓费、出入库装卸搬运费，车皮、站台、包装整理、商品养护等费用。在这一条款中，除了要写明上述费用由哪一方承担以外，还应标明各种费用的计算标准、支付方式、地点、开户银行、账号等。

第八部分，责任划分和违约处理。

仓储合同可以从货物的入库、验收、保管、包装、出库等方面，明确双方当事人的权利和义务。同时，双方应约定，什么性质的违约行为承担什么性质的违约责任，明确约定承担违约责任的方式，即支付违约金、赔偿金及赔偿实际损失等，并约定赔偿金的数额和计算方法。

1.仓储合同保管人的主要违约责任：

(1)仓管人不能完全按合同约定及时提供仓位，致使货物不能全部入库，或者在合同有效期限内要求存货人退仓的，应当按约定支付违约金。

(2)保管人未按国家规定或者合同约定的项目、方法等验收储存

货物或者验收不准确，应承担由此造成的实际经济损失；验收后发现仓储物的品种、数量、质量不符合规定的，应当承担损害赔偿责任。

(3)货物在储存保管期间，因未按合同规定的储存条件和保管要求保管货物，而造成货物损坏、短少、变质以致灭失的，保管人负责修复或折价赔偿，造成损失的，由保管人承担赔偿责任。

(4)货物保管期满后，保管人没有按照合同规定的时间、数量返还储存保管物的，保管人应承担违约责任；保管人按照约定负责发货而未按约定的时间、地点发货，承担由此而给存货人造成的经济损失。

(5)合同双方约定的其他违约责任。

2.仓储合同存货人的主要违约责任：

(1)存货人未按合同约定向保管方交付储存货物的，或者在约定的时间内，中途要求退仓的，应当支付违约金或赔偿保管方的损失。赔偿损失的数额，一般相当于保管方应得费用与报酬，再减去由于空出仓位给保管方带来的其他收入。

(2)货物入库时，存货人未向保管人提供验收资料或提供的资料不齐全或不及时，因此造成损失的，责任自负。储存易燃、易爆等危险品和易变质品，未事先向保管人说明并出示有关资料，而造成货物损毁或人身伤亡时，存货人承担损害赔偿责任。

(3)由于仓储物包装不符合约定或者超过有效储存期，造成仓储物变质、损坏的，由存货人承担责任。

(4)货物运输方式、到站和接收人有变更而未按合同规定的期限通知保管人，造成延期发货或错发的，存货人承担因此而增加的费用。

(5)储存期届满或保管人已通知货物出库，由于存货人的原因或提货人的原因不能提货出库，存货人除按合同规定交仓储费外，还应偿付合理的违约金。

第九部分，合同的有效期限及变更解除。

双方当事人在合同中，应约定合同的有效期限，即货物的储存期限。当事人还可以在合同中，约定或者按照法律规定设定变更或解除合同的条款。

第十部分，争议的解决方式及其他的约定。

在合同中约定发生纠纷的解决方法，还可根据需要约定其他经双方同意的条款。

合同文书

货物入库时，存货人未向保管人提供验收资料或提供的资料不齐全或不及时，因此造成损失的，责任自负。

合同文书

存货人应当向保管人提供必要的货物验收资料，如未提供必要的货物验收资料或提供的资料不齐全、不及时，所造成的验收差错及贻误索赔期或者发生货物品种、数量、质量不符合合同规定时，保管人不承担赔偿责任。

(3)例文：

仓储合同

（参考文本）

订立合同双方：

保管人：____________

存货人：____________

保管人和存货人根据委托储存计划和仓储容量的情况，双方协商一致，签订本合同，共同信守。

第一条　储存货物的名称、规格、数量、质量：

1.货物名称：________________

2.品种规格：________________

3.数　　量：________________

4.质　　量：________________

第二条　货物包装：

1.存货人负责货物的包装，包装标准按国家或专业标准规定执行，没有以上标准的，在保证运输和储存安全的前提下，由合同当事人议定；

2.包装不符合国家或合同规定，造成货物损坏、变质的，由存货人负责。

第三条　保管人应当根据有关规定进行保管，或者根据双方协商方法进行保管。

第四条　保管期限：从____年____月____日起至____年____月____日止。

第五条　验收项目和验收方法：

1.存货人应当向保管人提供必要的货物验收资料，如未提供必要的货物验收资料或提供的资料不齐全、不及时，所造成的验收差错及贻误索赔期或者发生货物品种、数量、质量不符合合同规定时，保管人不承担赔偿责任。

2.保管人应按照合同规定的包装外观、货物品种、数量和质量，对入库货物进行验收，如果发现入库货物与合同规定不符，应及时通知存货人。保管人未按规定的项目、方法和期限验收，或验收不准确而造成的实际经济损失，由保管人负责。

3.验收期限：国内货物不超过10天，国外到货不超过30天。超过验收期限所造成的损失由保管人负责。货物验收期限，是指货物和验收资料全部送达保管人之日起，至验收报告送出之日止。日期均以运输或邮电部门的戳记或直接送达的签收日期为准。

第六条　入库和出库的手续：按照有关入库、出库的规定办理，如无规定，按双方协议办理。入库和出库时，双方代表或经办人都应在场，检验后的记录要由双方代表或经办人签字。该记录应视为合同有效组成部分，当事人双方各保存一份。

第七条　损耗标准和损耗处理：按照有关损耗标准和损耗处理的规定办理，如无规定，按双方协议办理。

第八条　费用负担、结算办法：＿＿＿＿＿＿＿＿＿＿＿＿＿＿＿＿

第九条　违约责任：

1.保管人的责任：

(1)由于保管人的责任，造成退仓或不能入库时，应按合同规定赔偿存货人运费和支付违约金。

(2)对危险物品和易腐货物，不按规程操作或妥善保管，造成毁损的，负责赔偿损失。

(3)货物在储存期间，由于保管不善而发生货物灭失、短少、变质、污染、损坏的，负责赔偿损失。如属包装不符合合同规定或超过有效储存期而造成货物损坏、变质的，不负赔偿责任。

(4)由保管人负责发运的货物，不能按期发货，赔偿存货人逾期交货的损失；错发到货地点，除按合同规定无偿运到规定的到货地点外，并赔偿存货人因此而造成的实际损失。

2.存货人的责任：

(1)易燃、易爆、有毒等危险物品和易腐物品，必须在合同中注明，并提供必要的资料，否则造成货物毁损或人身伤亡，由存货人承担赔偿责任直至由司法机关追究刑事责任。

(2)存货人不能按期存货，应偿付保管人的损失。

(3)超议定储存量储存或逾期不提时，除交纳保管费外，还应偿付违约金。

合同文书

入库和出库的手续：按照有关入库、出库的规定办理，如无规定，按双方协议办理。入库和出库时，双方代表或经办人都应在场，检验后的记录要由双方代表或经办人签字。该记录应视为合同有效组成部分，当事人双方各保存一份。

3.违约金和赔偿方法：

(1)违反货物入库计划的执行和货物出库的规定，当事人必须向对方交付违约金。违约金的数额，为违约所涉及的那一部分货物的3个月保管费(或租金)或3倍的劳务费。

(2)因违约使对方遭受经济损失时，如违约金不足以抵偿实际损失，还应以赔偿金的形式补偿其差额部分。

(3)前述违约行为，给对方造成损失的，一律赔偿实际损失。

(4)赔偿货物的损失，一律按照进货价或国家批准调整后的价格计算；有残值的，应扣除其残值部分或残件归赔偿方，不负责赔偿实物。

第十条　由于不能预见并且对其发生和后果不能防止或避免的不可抗力事故，致使直接影响合同的履行或者不能按约定的条件履行时，遇有不可抗力事故的一方，应立即将事故情况电报通知对方，并应在数天内，提供事故详情及合同不能履行，或者部分不能履行，或者需要延期履行的理由的有效证明文件，此项证明文件应由事故发生地区的公证机构出具。

按照事故对履行合同影响的程度，由双方协商决定是否解除合同，或者部分免除履行合同的责任，或者延期履行合同。

第十一条　其他：____________________

保管人：(公章)____________　　存货人：(公章)____________

代表人：(盖章)______________

地　址：____________________

开户银行：__________________

账　号：____________________

由于一些货物在运输和储存过程中，会出现一定程度的损耗，因此会产生一些计量误差，有时候，这些误差甚至还很大，所以，对于这种误差，双方应在合同中有明确的规定。

30. 居间合同

(1)什么是居间合同

合同文书

由于一些货物在运输和储存过程中，会出现一定程度的损耗，因此会产生一些计量误差，有时候，这些误差甚至还很大，所以，对于这种误差，双方应在合同中有明确的规定。

《合同法》第 424 条规定，居间合同是居间人向委托人报告订立合同的机会或者提供订立合同的媒介服务，委托人支付报酬的合同。居间合同不是经纪合同，也不是委托合同。

(2)如何写作居间合同

居间合同的内容由以下几部分组成：

第一部分，标题。合同的标题，多为“合同”或“居间合同”。

第二部分，双方当事人的名称及签订地点和日期。

第三部分，正文。正文内容包括：

A.委托人和居间人的名称或姓名；

B.委托事项，即委托居间人提供哪些订立合同的机会及媒介服务；

C.期限；

D.报酬；

E.费用负担，即居间活动中发生的费用的承担。

第四部分，署名日期，除当事人双方外，还要有见证人的签名。

(3)例文：

居间合同

委托人：____________

居间人：____________

签订地点：____________________

签订时间：________ 年 _____ 月 ______ 日

第一条　委托事项及具体要求：______________________________

第二条　居间期限：从 ________ 年 ______ 月 _____ 日至 ________ 年 _____ 月 ______ 日。

第三条 报酬及支付期限：居间人促成合同成立的，报酬为促成合同成立金额的 ___%或者 (大写)___ 元。委托人应在合同成立后的 ______ 天内支付报酬。未促成合同成立的，居间人不得要求支付报酬。

第四条　居间费用的负担：居间人促成合同成立的，居间活动的费

合同文书

《合同法》第 424 条规定，居间合同是居间人向委托人报告订立合同的机会或者提供订立合同的媒介服务，委托人支付报酬的合同。居间合同不是经纪合同，也不是委托合同。

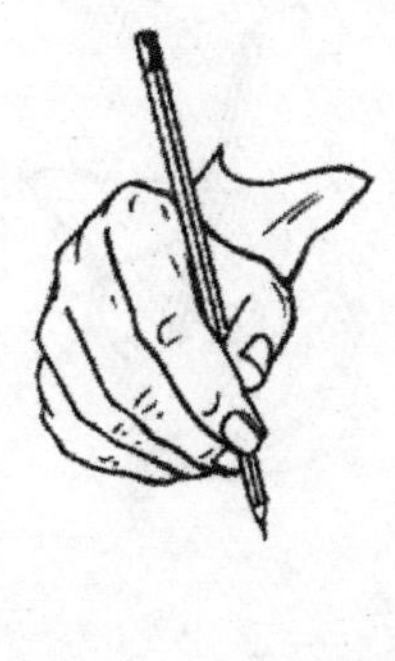

用由居间人负担;未促成合同成立的,委托人应向居间人支付必要费用(大写)________元。

第五条 本合同解除的条件:

1.当事人就解除合同协商一致;

2.因不可抗力致使不能实现合同的目的;

3.在委托期限届满之前,当事人一方明确表示或者以自己的行为表明不履行主要义务;

4.当事人一方迟延履行主要义务,经催告后在合理期限内仍未履行;

5.当事人一方迟延履行义务或者有其他违约行为致使不能实现合同目的。

第六条 委托人的违约责任:________________________

第七条 居间人的违约责任:________________________

第八条 合同争议的解决方式:本合同在履行过程中发生的争议,由双方当事人协商解决;也可由当地工商行政管理部门调解;协商或调解不成的,按下列第______种方式解决:

(一)提交________仲裁委员会仲裁;

(二)依法向人民法院起诉。

第九条 其他约定事项:________________________

第十条 本合同未作规定的,按《中华人民共和国合同法》的规定执行。

居间人(章):	委托人(章)	鉴(公)证意见:
住所:	住所:	
法定代表人:	法定代表人:	
居民身份证号码:	居民身份证号码:	
委托代理人:	委托代理人:	鉴(公)证机关:
电话:	电话:	(章)
开户银行:	开户银行:	经办人:
账号:	账号:	
邮政编码:	邮政编码:	
		××××年×月×日

合同文书

居间合同既不是经纪合同,也不是委托合同。在居间合同中,对于居间人能否促成合同的成立,促成后的报酬为多少,应有明确的规定。

居间合同既不是经纪合同，也不是委托合同。在居间合同中，对于居间人能否促成合同的成立，促成后的报酬为多少，应有明确的规定。

31. 赠与合同

(1)什么是赠与合同

赠与合同是合同一方当事人将自己的财产无偿给予另一方当事人而订立的协议。赠与合同是单方无偿合同。赠与人为了达到某种目的，可以在合同中附条件或附义务，约定受赠人接受赠与时负担一定义务。

(2)如何写作赠与合同

赠与合同的内容由以下几部分组成。

第一部分，首部。即标题，多写“赠与合同”、“赠与协议”、“合同”或“协议”。

第二部分，双方当事人的名称及地址。

第三部分，正文。正文部分的内容根据情况说明，它包括：

①标的；

②数量；

③违约责任；

④履行期限；

⑤合同一式两份，当事人双方每人一份。

第四部分，尾部。合同的尾部包括：双方当事人的签章；签订合同的日期。

合同文书

赠与合同是合同一方当事人将自己的财产无偿给予另一方当事人而订立的协议。赠与合同是单方无偿合同。赠与人为了达到某种目的，可以在合同中附条件或附义务，约定受赠人接受赠与时负担一定义务。

(3)例文：

赠与合同

甲方(赠与人)：________________ 住址：______________________

合同文书

如果赠与的财产比较大，如房产、车等，一定要请公证人进行及时的公证，以使得赠与合同在法律上生效。

乙方(受赠人)：＿＿＿＿＿＿＿＿＿ 住址：＿＿＿＿＿＿＿＿＿＿＿＿＿＿

甲乙双方就赠送×××(赠与的标的物，如赠与微机一台，应写明“浪潮 586 型微机一台”，如其他物品，也应写明该赠与物是什么、在什么位置)事宜达成协议如下：

一、甲方将其所有的×××(标的物)赠送给乙方，其所有权证明为：(写明证明甲方拥有所有权的证据名称，如赠与房屋，就应有房产所有权证，赠与微机应有购买该微机的发票等)。

二、赠与物的交割。

(写明交割的条件，在什么时间、什么地点交割，办理什么手续等等)。

三、乙方应在 ＿＿＿＿＿＿ 内办理所有权转移的手续，逾期不办的，视为拒绝赠与(也可以约定其他条件)。

四、本合同自××××年×月×日起生效(可以写自公证之日起生效)。

五、本合同一式两份，双方各执一份。

甲方：×××(签字、盖章)　　　　乙方：×××(签字、盖章)

××××年×月×日

如果赠与的财产比较大，如房产、车等，一定要请公证人进行及时的公证，以使得赠与合同在法律上生效。

32. 表演合同

(1)什么是表演合同

表演合同是指双方当事人约定一方依他方要求，表演文艺、体育节目，他方为此支付报酬的合同。表演合同属于提供服务的合同。

(2)如何写作表演合同

表演合同由以下几部分组成：

第一部分，演出方、受演方姓名。

第二部分，演出剧目、主要演员姓名。

第三部分，演出时间、场次安排及票价。

第四部分，演出费用分担条款。

第五部分，分账方法。

第六部分，违约责任及双方约定的其他条款。

(3)例文：

演出合同
（参考文本）

演出方：__________（艺术表演团体），以下简称甲方；

受演方：__________，以下简称乙方。

为了促进艺术交流，繁荣社会主义文艺，满足人民文化生活的需要，同时努力增加收入，减轻国家的财政负担，甲乙双方根据以上精神，经协商一致，签订本合同，共同信守。

第一条　演出剧目和主要演员：__________

第二条　演出时间和场次自________年________月________日起至________年________月________日止，由________至________演出，计________天，演出________场。

第三条　乙方应为甲方提供剧场现有设备________及联系好宿舍（住宿费由________承担），并给予一定装台时间，负责组织观众，作好宣传工作。

第四条　票价：__________

第五条　分账方法

每天所售票款，扣除公提费用外，甲方得________%，乙方得________%。

第六条　公提费用包括旅运费（是指演职员的旅费和演出用品的运费）和宣传费（包括报纸广告、海报及其他双方协商同意的宣传品）。

第七条　甲方应事先将上演计划及有关宣传资料于演出________日前寄给乙方。

第八条　甲方在________演出，应接受当地文化主管部门的安排和领导，办理有关演出手续。

合同文书

表演合同是指双方当事人约定一方依他方要求，表演文艺、体育节目，他方为此支付报酬的合同。表演合同属于提供服务的合同。

合同文书

随着我国演出市场的日益繁荣，表演合同这一新型合同显得愈发重要。表演者或表演团体在表演之前，一定要明确自己的责任和义务，当然，对于自己的经济收入，也应该做到心中有数。

第九条　在演出期间，双方均应注意防止发生意外事故。要注意节约水电、爱护公物，如果甲乙双方损坏对方的设备或演出物品时应照价赔偿。

第十条　违约责任

1.一方由于无故违约使对方遭受损失，应赔偿对方的实际损失，并偿付违约金________元。

2.一方因不可抗力的原因，不能履行合同时，应尽快用电话、电报、电传通知对方，双方均应设法补救。如仍无法履行合同，可协商延缓或撤销合同。

3.一方接受出国、接待外国贵宾或中央指定特殊的政治任务时，应由接受方的任何一方协同主办单位在一个月前通知对方，双方应积极设法安排补救，如实在无补救者，应由主办单位根据对方实际损失进行补偿。

第十一条　双方因合同的解释或履行发生争议，由双方协商解决，协商不成，由双方指定的仲裁机构裁决。该裁决为终局裁决，任何一方不得向法院起诉。

第十二条　本合同自签字之日起生效。本合同正本一式二份，双方各执一份。

甲方：(签名盖章)__________ 乙方：(签名盖章)__________

联系人姓名：__________ 联系人姓名：__________

谈判代表：__________ 谈判代表：__________

地址：__________ 地址：__________

电话：__________ 电话：__________

________年________月________日

随着我国演出市场的日益繁荣，表演合同这一新型合同显得愈发重要。表演者或表演团体在表演之前，一定要明确自己的责任和义务，当然，对于自己的经济收入，也应该做到心中有数。

33. 加工定做合同

(1)什么是加工定做合同

加工定做合同为《合同法》中规定的承揽合同中的一种。它是承揽人(加工人)按照定做人的要求完成工作，交付工作成果，定做人给付报酬的合同。

(2)如何写作加工定做合同

加工定做合同由以下几部分组成：

第一部分，标题。多为“加工定做合同”、“加工定做×××合同”或“合同”。

第二部分，合同编号及双方当事人的签订时间。

第三部分，正文。正文的内容包括：

①承揽的标的；

②数量、质量；

③承揽方式；

④材料的提供；

⑤履行期限；

⑥验收标准与方法。

(3)例文：

加工定做合同

合同编号：__________

定做人：____________ 签订地点：________________

承揽人：____________ 签订时间：_______ 年 ______ 月 _____ 日

第一条　定做物、数量、报酬、交付期限

定做物名称：______________________

规格型号：________________________

计量单位：________________________

数量：____________________

报酬：____________________

交货期限及数量：______________________

合同文书

加工定做合同为《合同法》中规定的承揽合同中的一种。它是承揽人(加工人)按照定做人的要求完成工作，交付工作成果，定做人给付报酬的合同。

合同文书

加工定做合同中，对于定做物品的技术标准和质量，应有明确的要求，同时，定做人对原材料的质量是否达到一定的标准，也可以提出异议。

合计人民币金额(大写)：____________

第二条 承揽人提供的材料

序号：____________

材料名称：____________

牌号商标：____________

生产厂家：____________

计量单位：____________

用料数量：____________

质量：____________

单价：____________

金额：____________

第三条 定做人对承揽人提供的材料的检验标准、方法、时间及提出异议的期限：____________

第四条 定做物的技术标准、质量要求：____________

第五条 承揽人对定做物质量负责的期限及条件：____________

第六条 定做人提供技术资料、图纸样品、工艺要求等的时间、办法及保密要求：____________

第七条 承揽人发现定做方提供的图纸、技术要求不合理的，应在______天内向定做人提出书面异议。定做人应在收到书面异议后的______天内答复。

第八条 定做物的包装要求及费用负担：____________

第九条 定做人(是或否)允许第三人完成定做物的主要工作。

第十条 定做物交付的方式及地点：____________

第十一条 定做物检验标准、方法、地点及期限：____________

第十二条 定做人在______年______月______日前向承揽人预付材料款(大写)____________元。

第十三条 报酬及材料费的结算方式及期限：____________

第十四条 定做人在______年______月______日前交定金(大写)____________元。

第十五条 本合同解除的条件：____________

第十六条 定做人未向承揽人支付报酬或者材料费的，承揽人(是或否)可以留置定做物。

第十七条　违约责任：________________________

第十八条　合同争议的解决方式：本合同在履行过程中发生的争议，由双方当事人协商解决；也可由当地工商行政管理部门调解；协商或调解不成的，按下列第 ______ 种方式解决：

(一)提交 ________ 仲裁委员会仲裁；

(二)依法向人民法院起诉。

第十九条　其他约定事项：________________________

加工定做合同中，对于定做物品的技术标准和质量，应有明确的要求，同时，定做人对原材料的质量是否达到一定的标准，也可以提出异议。

34. 出口信用证抵押外汇借贷合同

(1)什么是出口信用证抵押外汇借贷合同

出口信用证抵押外汇借贷合同是借款人以信用证为抵押，向贷款人申请外汇贷款事宜，经共同协商达成一致意见后签订的合同。是保证合同中的信用担保合同。

合同文书

出口信用证抵押外汇借贷合同是借款人以信用证为抵押，向贷款人申请外汇贷款事宜，经共同协商达成一致意见后签订的合同。是保证合同中的信用担保合同。

(2)如何写作出口信用证抵押外汇借贷合同

出口信用证抵押外汇借贷合同由合同名称、合同当事人、要约、合同条款与署名及日期构成。

第一部分，合同名称。直接标明“出口信用证抵押外汇借贷合同”即可。

第二部分，合同当事人。写明贷款人、借款人名称和地址。

第三部分，要约。即为了什么签订本合同。要约是合同的重要组成部分，文字不多，但作用很大，合同中不能缺少。

第四部分，合同条款。包括合同相关的定义、贷款金额和用途、期限、利息与费用、信用证的抵押和还款等内容。

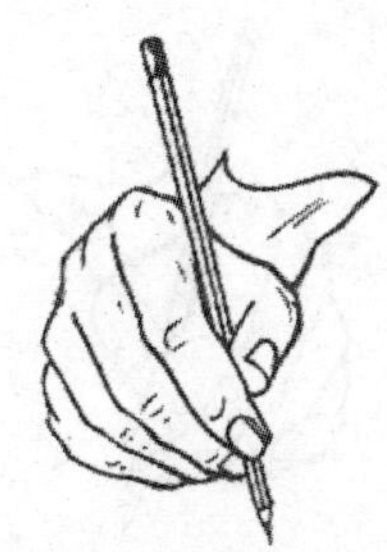

第五部分，署名、日期。除借、贷双方外，还要有授权人签名。

合同文书

借款人是从事商务经营和有民事行为能力的经济法人，按中华人民共和国法律登记、注册，具有执行、履行所有民事行为的能力。

(3)例文：

出口信用证抵押外汇借贷合同

合同编号：__________

贷款人：________________ 借款人：________________

法定地址：__________________ 法定地址：________________

贷款人和借款人就借款人以信用证为抵押向贷款人申请外汇贷款一事共同协商签订合同如下：

1.双方同意以下定义

①信用证：由银行开出信用证。

②债务：指借款人在本合同项下应付的贷款本金、利息及与此有关的费用。

2.贷款金额和用途

①本合同贷款金额的最高额为 __________ 元。

②本合同项下贷款限于借款人正常生产经营所需流动资金。

3.期限

本合同项下的贷款期限从合同签订日起 ________ 个月。

4.利息与费用

①本合同项下的贷款利率为 __________。

②贷款从第一笔提款日起息，利息以一年 360 天为基础，根据实际经过的天数计算。

③贷款的结算日为每季第 3 个月的 20 日和贷款到期日。

④借款人到期应付利息由贷款人主动从借款人开立在贷款人处的存款账户内扣收。

5.信用证的抵押与还款

①本合同签订之日起，借款人将 1-①条款下的信用证正本抵押给贷款人并由贷款人保管，作为贷款的还款保证。

②在提交单据后，借款人保证不做出口押汇并授权贷款人将押汇收入直接用于归还贷款。

6.陈述与保证

借款人在此作如下陈述与保证：

①借款人是从事商务经营和有民事行为能力的经济法人，按中华人民共和国法律登记、注册，具有执行、履行所有民事行为的能力。

②本合同的制订、签署、执行，符合借款人所在地的法律、法规、条令、制度。借款人已办妥所有签署本合同的合法有效的手续。

③保证根据出口信用证条款的要求按时发运货物，履行信用证规定的各项义务。

④保证及时将抵押信用证规定出口单据向贷款人提交议付。

⑤按时支付利息和归还贷款。

⑥保证按本合同2–②条款规定的用途使用贷款。

7.违约

下列事件属于违约：

①借款人未按信用证规定的日期内运出商品。

②借款人在本合同第6条中所做的陈述与保证不真实或不履行。

③借款人将抵押信用证项下的单据向别的金融机构议付。

④借款人擅自改变贷款用途挪用贷款。

⑤借款人发生或将要发生解体、重组或破产。

⑥借款人违反本合同其他条款。

8. 违约的处理

①在上述一项或数项违约事件发生后，借款人必须在收到贷款人发出的违约通知后的7天内采取积极有效的措施，消除和弥补因借款人违约所造成的或可能造成的损失。

②在这种情况下，贷款人有权采取以下部分或全部措施

A.对违约金额处以20%~50%的罚息。

B.宣布部分或全部贷款到期，主动从借款人账户中扣还贷款及其他费用。

C.冻结借款人在贷款人处的存款户，如借款人的债务没有得到全部清偿，贷款人保留进一步追偿的权利。

D.采取任何其他足以维持贷款人在本合同项下权益的措施。

上述措施的采取并不影响贷款人在本合同项下的任何权利，对此，借款人无条件放弃抗辩权。

9.生效

合同文书

本合同的制订、签署、执行，符合借款人所在地的法律、法规、条令、制度。借款人已办妥所有签署本合同的合法有效的手续。

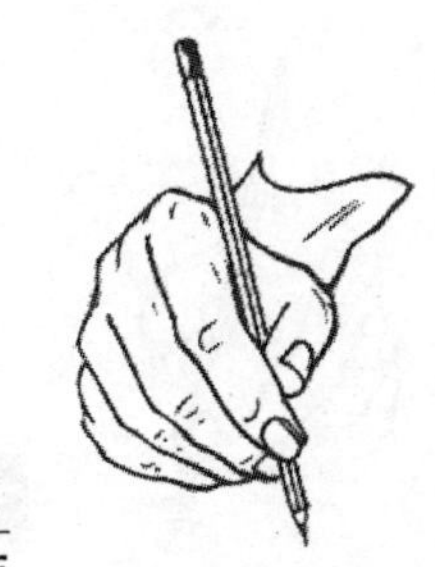

①本合同在贷款和借款人签字盖章后生效，有效期至借款人在本合同项下全部债务清偿后止。

②本合同受中华人民共和国法律管辖。

③本合同中文正本一式二份,签约双方各执一份。

贷款人(公章):　　　　　　借款人(公章):

授权人:　　　　　　　　　授权人:

××××年×月×日

出口信用证抵押外汇借贷合同中,应将签订本合同的原因写清楚,虽然文字并不需要很多,但却是合同中不可缺少的一部分。

合同文书

出口信用证抵押外汇借贷合同中，应将签订本合同的原因写清楚，虽然文字并不需要很多，但却是合同中不可缺少的一部分。

35. 中外买方信贷合同

(1)什么是中外买方信贷合同

中外买方信贷合同是一种涉外合同。它是中国银行应买方要求，就外国公司同中国公司签订出口贸易合同向买方融通部分资金签订的贷款合同。

(2)如何写作中外买方信贷合同

中外买方信贷合同的内容由以下几部分组成:

第一部分,合同标题。

第二部分,合同当事人。写明买方、卖方的姓名和地址。

第三部分,正文。正文的内容包括:

①当事人的名称或姓名和住所;

②标的;

③数量;

④质量;

⑤价款或者报酬;

⑥履行期限、地点和方式；

⑦违约责任；

⑧解决争议的方法。

第四部分，署名日期。除买方、卖方外，还要有双方见证人的签名。

(3)例文：

中外买方信贷合同

为支持 ________ 国公司(以下简称“买方”)同中国公司(以下简称“卖方”) 签订中国出口的资本商品、专有技术和有关劳务的贸易合同(以下简称“合同”)，应“买方”的要求，中国银行分行同意提供贷款，为上述合同的执行向买方融通部分资金。为此，以买方(以下简称“借款人”)为一方，以中国银行分行(以下简称“贷款人”)为另一方，于××××年×月×日在××(地点)签订本贷款合同(以下简称“合同”)。

第一条　定义

一、“贷款”：贷款人在本合同项下所承担的贷款金额和责任。

二、“提款”：贷款人在本合同项下，凭借款人通过其指定银行发来的提款电报，通知提款用以向卖方支付贷款的金额。

三、“承提期”：自本合同签字日起，至本合同第五条规定的贷款使用截止日为止的期间。

四、“计息期”：

1.自第一次提款日起，即自贷款账户第一次被借之日起，每6个月的期间为一个计息期；

2.每一个计息期的末日应与第一次提款日同日；

3.如该期末日无同日，即为该月之最后营业日；

4.如继后营业日跨入下月，即顺延至继后的营业日。

五、“付息日”：每个计息期的末日为借款人付息之日，按实有天数支付该期利息。

六、“还款日”：自承担期终止日起，3个月以后的第一个付息日开始的，连续 _______ 个付息日，为借款人分期还款之日。

七、“美元”：可以自由划拨和自由兑换的美利坚合众国的法定货币。

合同文书

中外买方信贷合同是一种涉外合同。它是中国银行应买方要求，就外国公司同中国公司签订出口贸易合同向买方融通部分资金签订的贷款合同。

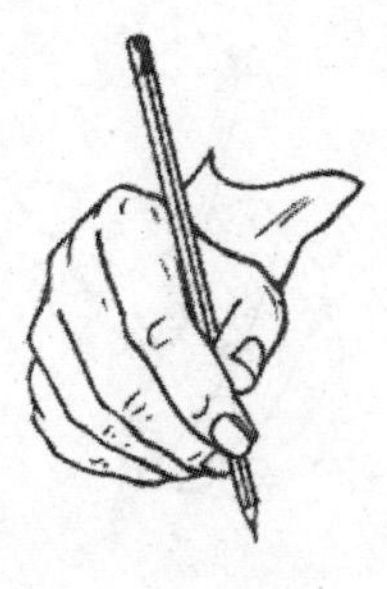

、借款人所在国的外汇管理当局出具的证明，承认该当局了解借款人在本合同中负的各种责任，并对借款人用以支付所有在本合同项下各项付款的外汇许可证书(可视所在国不同的管汇政策决定需否)。

八、“营业日”：北京、伦敦、纽约三地银行营业之日，同时又是后两地的美元拆放市场营业之日。

九、“年基数”：利息计息以 360 天为年基数。

十、“月”：日历月。

十一、“日”：日历日。

十二、“伦敦同业银行间贷款 LIBOR”：当付息日前的第二个营业日，伦敦时间上午 11 时，由指定的参考银行报出的伦敦欧洲货币市场上的商业银行之间 6 个月期美元贷款利率，经由中国银行伦敦分行同日以电传分别通知贷款人和借款人。

第二条 贸易合同

借款人在此确认：已于________年________月________日在__________(地方)与卖方签订下列合同：

合同号码：________________________

金额：__________美元

其中由中国制造的部分，占合同总金额的__________%，即________美元。

商品名称：________________

定金加现付的百分率：____________________

交货条件：________________

第二条 贷款金额

根据上述合同，贷款人同意向借款人提供总额不超过________万美元的贷款，用于支付上述合同总金额的__________%给卖方。

第四条 提款条件

提交下列文件后可以提款。

一、借款人组织规章、最近财政年度的、经当地开业的会计师签证的财务报告书，包括资产负债表和损益计息书。

二、借款人所在国政府对借款人进行营业签订本合同的批准文件。

三、担保人出具的在借款人无力偿还部分或全部借款之本息时承担还款的不可撤销的保函(或其他担保手段)。

四、借款人所在国的外汇管理当局出具的证明，承认该当局了解借款人在本合同中负的各种责任，并对借款人用以支付所有在本合同项下各项付款的外汇许可证书(可视所在国不同的管汇政策决定需否)。

五、借款人提供已按贸易合同规定，付讫定金和现付部分款项的银行证明文件。

第五条 提取贷款

一、借款人从其指定的银行，收到卖方通过贷款人交来的，按第二条贸易合同第一款规定的汇票、发票、全套装运单据后，在不超过30天的期限内，通过指定的银行拍发加押电报(格式见附录一)向贷款人提取贷款支付给卖方。

二、贷款人当收到上述加押电报后，即凭此借记贷款账户，付款给卖方并取得收据(格式见附录二)正副本一式二份。

三、本贷款的提取期限截至××××年×月×日止。

第六条 贷款账户

一、贷款人在其账簿上以借款人名义开立贷款账户，用以记载全部提款人本金、利息和还款的收付金额。

二、贷款人根据第五条第二款借记贷款账户后，向借款人寄送借记通知书、还款付息日程表附卖方收据副本，还款付息日程表内容按第七条第二款和第三款填列(格式见附录三)。

三、贷款人收到借款人按第七条或第八条的各次还款时，贷记贷款账户。

四、贷款账户的借方余额，构成贷款人债权和借款人债务的正式记录。

第七条 付息和还息

一、借款人根据本合同规定应无条件地清偿债务，不受贸易合同项下买卖双方任何行为影响。

二、借款人按贷款账户的借方余额，于每期付息日按中国银行伦敦分行通知的参考银行所报六个月 LIBOR 加年率 ________%向贷款人支付本期利息。

三、借款人如迟付利息，迟付期间的利率改按 LIBOR 加年率 1%计息迟付利息。

四、借款人应自第一个还款日开始的一年内，按贷款账户借方余额所表示的提取总额分为一个等份，连续地每半年偿还一个分期金额。

五、各次还本付息，借款人均须于还款日和付息日之当天，不迟于纽约“票据交换所银行间支付系统”(CHIPS) 付给纽约麦迪逊街 115

合同文书

借款人应自第一个还款日开始的一年内，按贷款账户借方余额所表示的提取总额分为一个等份，连续地每半年偿还一个分期金额。

保人提供的保函(或其他担保手段),由于任何原因被取消、停止、不予执行或者更改以后而产生相反的效果。

邮区 10017 中国银行纽约分行,贷记中国银行总行的 100012—000—7001 号账户,并电告贷款人凭此贷记贷款账户。

六、本合同项下借款可根据本合同第八条规定自愿提前偿还。

第八条 自愿提前偿还

一、借款人可在任何一个还款日和付息日提前偿还贷款的部分或全部本金和应付利息。但借款人必须至少在 30 天前以书面或电传通知贷款人。

二、提前偿还的本金须为一万美元的倍数,且不少于一万美元。

三、提前偿还的本金限于归还按还款付息日程表上倒数次序的分期金额。

四、提前偿还通知一经发出,即不可撤销,提前偿还的本金不可重复提取。

第九条 费用

一、承担费。自本合同签字日的 90 天后开始,到承担期结束日为止,在此期间凡有未提取的贷款额,借款人应向贷款人按未提取的实际天数支付 ________%的承担费。

二、管理费。借款人应向贷款人一次支付按贷款总额 ________%的管理费,于本协议书签订日后的一天内支付。

三、信贷保险费。借款人应按贷款总额的 ________%于本合同签订日 ________ 天内,通过贷款人向中国出口信贷保险部门缴付出口信贷保险费。

四、其他费用。倘若发生如本合同第十一条所述的要求立即还款事件,借款人同意赔偿贷款人因维持其在本合同项下的权益而发生的费用及损失。

第十条 税款与扣除

目前或将来实现本合同有关的一切税收、扣除,或其他费用,凡是发生在借款人所在国的均由借款人负担,凡是发生在中华人民共和国的均由贷款人负担。

本合同项下贷款金额(包括应付利息)和应该付给贷款人的承担费、管理费和其他费用以及应缴付的信贷保险费,不得有任何的扣除或扣押。否则,其扣减部分应由借款人补足。

第十一条 立即还款

遇有下列任何情况时，贷款人可以立即停止或取消贷款承担责任并立即宣告所有贷款账户的借方金额连同应付未付的利息与费用应立即清偿。

一、借款人不能依照本合同规定，按时偿还任何一期的贷款本金、利息及其他费用。

二、任何在本合同内的各项陈述与保证被证明为不正确或不真实时，或者借款人不能承担本合同确定的各项责任时，或者这些意外是能够补救的，而借款人在收到贷款人的通知后30天内未能有效地作出补救。

三、担保人提供的保函(或其他担保手段)，由于任何原因被取消、停止、不予执行或者更改以后而产生相反的效果。

四、借款人所在国的外汇管理当局出具的证明，由于任何原因被取消、停止、不予执行，或者更改以后而产生相反的效果。

五、由于任何原因，借款人停止经营其业务，以至对贷款人不能履行其还本付息的责任，或者贷款人根据充足理由，证明借款人不能执行本合同的规定时。

第十二条 情况变更及本合同之修改和补充

一、由于本合同双方中任何一方政府的有关法令、规定、官方批示的变更或变动以及贸易合同的修改，致使本合同的部分或全部条款无法继续执行时，双方应立即进行诚意的磋商，对本合同有关条款进行修改或补充，以便达成一个双方都能接受的条件，使本合同能继续执行至完毕。

二、如果在三十日内，双方协商未能达成一致意见，则贷款人有权宣布本合同项下未付的全部分期金额和应付利息立即到期，借款人须于宣布之日起一天内清偿全部所欠的贷款本息。由此而起的贷款人的任何损失，均应由借款人承担。

三、本合同的修改和补充，需由借款人和贷款人双方签字后生放。

第十三条 仲裁

有关本合同项下的任何争执，应通过友好协商争取解决。

如上述争执不能在第十二条第二款贷款人宣布之日起一天内协商解决，则双方同意将争执事项提交××仲裁委员会进行仲裁。

仲裁由三方成员组成：一方由借款人指定；一方由贷款人指定；第

合同文书

仲裁由三方成员组成：一方由借款人指定；一方由贷款人指定；第三方由双方共同指定。当双方对指定第三方成员不能达成一致意见时，由斯德哥尔摩商会主席指定。

三方由双方共同指定。当双方对指定第三方成员不能达成一致意见时，由斯德哥尔摩商会主席指定。

仲裁委员会的裁决为最终裁决，对双方均有约束力，不能上诉或反对。借款人在此特别放弃其被控告的财物没收的任何豁免权，放弃给予其本身或其财产免除宣判执行的任何权利。该裁决可通过任何一家权力的法庭执行。

第十四条 其他事项

一、通知方法。

所有需要的或发出的书面通知必须采用下列方法之一为之：

1.专差送达；

2.经电传及(或)电报；

3.已支付挂号邮费的航空函件。

通讯地址是：________________

借款人公司全称：________________

地址：________________

负责人：________________

电传：________________

电报挂号：________________

贷款人银行名称：________________

地址：________________

负责人：________________

电传：________________

电报挂号：________________

双方同意用最快捷的通讯方式通知更改上述地址。

二、合同生效。本合同自双方签署后生效，有效期至还清全部借款本息时终止。

三、合同及通讯使用的文字。

1.本合同以英文填写。

2.本合同有关各方之间的通讯以及往来文件以英文填写。

贷款人：________________ 借款人：________________

中国银行________________ 分行 ______ 国 ______ 公司

见证人：(签字)________________ 见证人：(签字)________________

合同文书

在签订中外买方信贷合同时，由于涉及到与外国公司合作，最好请那些懂外语或对国外情况比较了解的人参加，免得由于合同签得不够完善而吃亏。

(借款人指定的银行):__________

(签字):　　　　　　　　　　　　(签字):

附件:附录一、二、三件(略)

××××年×月×日

在签订中外买方信贷合同时,由于涉及到与外国公司合作,最好请那些懂外语或对国外情况比较了解的人参加,免得由于合同签得不够完善而吃亏。

36. 涉外合同

(1)什么是涉外合同

涉外合同是指我国的企业或者其他经济组织与外国的企业、其他经济组织或者个人之间,为了进行国际经济技术的贸易与合作,进行投资或提供劳务等商事行为而依法自愿达成的以商务关系为内容、明确相互权利义务关系的协议。涉外合同是一种综合性的合同,包括买卖、委托、技术交易、劳务等各个方面。

合同文书

涉外合同是指我国的企业或者其他经济组织与外国的企业、其他经济组织或者个人之间,为了进行国际经济技术的贸易与合作,进行投资或提供劳务等商事行为而依法自愿达成的以商务关系为内容、明确相互权利义务关系的协议。涉外合同是一种综合性的合同,包括买卖、委托、技术交易、劳务等各个方面。

(2)如何写作涉外合同

涉外合同的综合性极强,并且包括许多方面,涉及面十分广泛。关于涉外合同的写作,由于具体内容的不同,可以形成许多种不同的合同形式。我们可以参照前面的各个章节,根据具体的情况,或者由双方当事人共同商定,拟定一份合同。

(3)例文:

中外货物买卖合同(FOB 条款)
(参考文本)

合同号:__________________

日期：__________________
地点：__________________
买方：__________________
地址：__________________
电报：__________________
电传：__________________
卖方：__________________
地址：__________________
电报：__________________
电传：__________________

合同文书

所供货物必须由卖方妥善包装，适合远洋和长途内陆运输，防潮、防湿、防震、防锈、耐野蛮装卸，任何由于卖方包装不善而造成的损失由卖方负担。

本合同由买卖双方商订，在合同项下，双方同意按下列条款买卖下述商品：

第一条　品名、规格、数量及单价

第二条　合同总值

第三条　原产国别及制造厂商

第四条　装运港

第五条　目的港

第五条 装运期

分运：_____________

转动：_____________

第七条　包装

所供货物必须由卖方妥善包装，适合远洋和长途内陆运输，防潮、防湿、防震、防锈、耐野蛮装卸，任何由于卖方包装不善而造成的损失由卖方负担。

第八条 唛头

卖方须用不褪色油漆于每件包装上印装编号、尺码、毛重、净重、提吊位置及“此端向上”、“小心轻放”、“切勿受潮”等字样及下列唛头；

唛 NA

第九条　保险

装运后由买方投保。

第十条　付款条件

1.买方在收到备货电传通知后工装运期前 30 天，开立以卖方为受益人的不可撤销信用证，其金额为合同总值的________%，计__________。中国银行__________行收到下列单证经核对无误后，承付信用证款项（如果分运，应按分运比例承付）：

a.全套可议付已装船清洁海运提单，外加两套副本，注明“运费待收”，空白抬头，空白背书，已通知到货口岸中国对外贸易运输公司。

b.商业发票一式五份，注明合同、信用证号和唛头。

c.装箱单一式四份，注明每包货物数量、毛重和净重。

d.由制造厂家出具并由卖方签署的品质证明书一式三份。

e.提供全套技术文件的确认书一式两份。

f.装运后即该通知买方启运日期的电报/电传副本一份。

2.卖方在装船后10天内，须挂号航空邮寄三套上述文件（f除外），一份寄买方，两份寄目的港中国对外贸易运输公司。

3.中国银行收到合同__________中规定的，经双方签署的验收证明后，承付合同总值的__________%，金额为____________。

4.买方在付款时，有权按合同第十五条、第十八条规定扣除应由卖方支付的延期罚款金额。

5.一切在中国境内的银行费用均由买方承担，一切在中国境外的银行费用均由卖方承担。

第十一条　装运条款

1.卖方必须在装运期前45天，用电报/电传向买方通知合同号、货物品名、数量、发票金额，件数，毛重，尺码及备货日期，以便买方安排订仓。

2.如果货物任一包装达到或超过重20吨，长12米，宽2.7米，高3米，卖方应在装船前50天，向买方提供五份包装图纸，说明详细尺码和每件重量，以便买方安排运输。

3.买方须预计船抵达装运港日期前10天，通知卖方船名，预计装船日期，合同号和装运港船方代理，以便卖方安排装船。如果需要更改载货船只，提前或推后船期，买方或船方代理应及时通知卖方。如果货船未能在买方通知的抵达日期后30天内到达装运港，从第31天起，在装运港所发生的一切仓储费和保险费由买方承担。

4.船按期抵达装运港后，如果卖方未能备货待装，一切空仓费和滞期费由卖方承担。

合同文书

在货物越过船舷脱离吊钩前，一切风险及费用由卖方承担，在货物越过船舷脱离吊钩后，一切风险及费用由买方承担。

5.在货物越过船舷脱离吊钩前，一切风险及费用由卖方承担，在货物越过船舷脱离吊钩后，一切风险及费用由买方承担。

6.卖方在货物全部装运完毕后 48 小时内，须以电报/电传通知买方合同号、货物品名、数量、毛重、发票金额，载货船名和启运日期。如果由于卖方未及时电告买方，以致货物未及时保险而发生的一切损失由卖方承担。

第十二条　技术文件

1.下述全套英文本技术文件应随货物发运：

a.基础设计图。

b.接线说明书，电路图和气/液压连接图。

c.易磨损失制造图纸和说明书。

d.零备件目录。

e.安装、操作和维修说明书。

2.卖方应在签订合同后 60 天内，向买方或用户挂号航空邮寄本条 1 款规定的技术文件，否则买方有权拒开信用证或拒付货款。

第十三条　保质条款

卖方保证货物系用上等的材料和一流工艺制成，崭新、未曾使用，并在各方面与合同规定的质量、规格和性能相一致，在货物正确安装、正常操作和维修情况下，卖方对合同货物的正常使用给予 ________ 天的保证期，此保证期从货物到达 ________ 起开始计算。

第十四条　检验条款

1.卖方/制造厂必须在交货前全面、准确地检验货物的质量、规格和数量，签发质量证书，证明所交货物与合同中有关条款规定相符，但此证明书不作为货物质量、规格、性能和数量的最后依据，卖方或制造厂商应将记载检验细节和结果的书面的报告附在质量证明书内。

2.在货物抵达目的港之后，买方须申请中国商品检验局(以下称商检局)就货物质量、规格和数量进行初步检验并签发检验证明书。如果商检局的检验发现到货的质量、规格或数量与合同不符，除应由保险公司或船方负责者外，买方在货物到港后 ________ 天内有权拒收货物，向卖方提出索赔。

3.如果发现货物质量和规格与合同规定不符，或货物在本合同第十三条所规定的保证内证明有缺陷，包括内在缺陷或使用不良的原材

合同文书

如果发现货物质量和规格与合同规定不符，或货物在本合同第十三条所规定的保证期内证明有缺陷，包括内在缺陷或使用不良的原材料，买方将安排商检局检验，并有权依据商检证书向卖方索赔。

料，买方将安排商检局检验，并有权依据商检证书向卖方索赔。

4.如果由于某种不能预料的原因，在合同有效期内检验证不及时办妥，买方须电告卖方延长商检期限 ________ 天。

第十五条　索赔

1.如果卖方对货物不符合同规定负有责任且买方按照本合同第十三条和第十四条规定，在检验和质量保证期内提出索赔时，卖方在征得买方同意后，可按下列方法之一种或几种理赔：

(1)同意买方退货，并将所退货物金额用合同规定的货币偿还买方，并承担买方因退货而蒙受的一切直接损失和费用，包括利息、银行费用、运费、保险费、仓储、码头装卸及监管保护所退货物的一切其他必要的费用。

(2)按照货物的质量低劣程度、损坏程度和买方蒙受损失的金额将货物贬值。

(3)用符合合同规定规格、质量和性能的部件替换有瑕疵部件，并承担买方所蒙受的一切直接损失和费用。新替换部件的保质期须相应延长。

2.如果卖方在收到买方赔书后一个月之内不予签复，则视为卖方接受索赔。

第十六条　不可抗力

1.签约双方中任何一方受不可抗力所阻无法履约，履约期限则应按不可抗力影响履约的期限相应延长。

2.受阻方应在不可抗力发生或终止尽快电告另一方，并在事故发生后 14 天内将有关当局出具的事故证明书挂号航空邮寄给另一方认可。

3.如果不可抗力事故持续超过 120 天，另一方有权用挂号航空邮寄书通知，通知受阻方终止合同。通知立即生效。

第十七条　仲裁

1.双方对执行合同时发生的一切争执均应通过友好协商解决。如果不能解决，则可诉诸仲裁。

2.仲裁应提交中国国际经济贸易仲裁委员会，根据该会的仲裁程序进行仲裁，也可提交双方同意的第三国仲裁机构。

3.仲裁机构的裁决具有最终效力，双方必须遵照执行，仲裁费用由

合同文书

用符合合同规定规格、质量和性能的部件替换有瑕疵部件，并承担买方所蒙受的一切直接损失和费用。新替换部件的保质期须相应延长。

败诉方承担，除非仲裁机构另有裁定。

4.仲裁期间，双方须继续执行合同中除争议部分之外的其他条款。

第十八条　延期和罚款

如果卖方不能按合同规定及时交货，除因不可抗力者外，若卖方同意支付延期罚款，买方应同意延期交货。罚款通过在议付行付款时扣除，但罚款总额不超过延期货物总值的5%，罚款率按每星期0.5%计算，少于7天者按7天计。如果卖方交货延期超过合同规定船期计星期时，买方有权取消合同，但卖方仍须立即向买方交付上述规定罚款。

第十九条　附加条款＿＿＿＿＿＿＿＿＿＿＿＿＿＿（如果上述任何条款与下列附加条款不一致时，应以后者为准）

本合同由双方于＿＿＿＿年＿＿＿＿月＿＿＿＿日用＿＿＿＿文签署。原本一式＿＿＿＿份，买卖双方各执＿＿＿＿份。

本合同以下述第（　　）款方式生效：a.立即生效。b.合同签署后＿＿＿＿天内，由双方确认生效。

买方：＿＿＿＿＿＿＿＿　卖方：＿＿＿＿＿＿＿＿

签名：＿＿＿＿＿＿＿＿　签名：＿＿＿＿＿＿＿＿

由于涉外合同涉及的范围十分广泛，需要掌握的知识很多。而且不同国家的贸易政策存在很大的区别，跨国交易又十分复杂，因此，在签订涉外合同时，最好请那些经验丰富、对国际行情较为内行的人士进行把关，免得在合同上存在漏洞，功亏一篑。

合同文书

由于涉外合同涉及的范围十分广泛，需要掌握的知识很多。而且不同国家的贸易政策存在很大的区别，跨国交易又十分复杂，因此，在签订涉外合同时，最好请那些经验丰富、对国际行情较为内行的人士进行把关，免得在合同上存在漏洞，功亏一篑。

一生要学习的应用文书写作与合同文书写作

一生要学习的应用文书写作

yi sheng yao xue xi de ying yong wen shu xie zuo

赛 格 / 编著

时 事 出 版 社

图书在版编目(CIP)数据

一生要学习的应用文书写作与合同文书写作/赛格编著.
—北京:时事出版社,2006
ISBN 978-7-80232-012-7

Ⅰ.一… Ⅱ.赛… Ⅲ.①汉语—应用文—写作
②合同—法律文书—写作—中国 Ⅳ.①H152.3
②D926.13

中国版本图书馆 CIP 数据核字(2006)第 061219 号

一生要学习的应用文书写作

出版发行:时事出版社
地　　址:北京市海淀区万寿寺甲 2 号
邮　　编:100081
发行热线:(010)88547590　88547591
读者服务部:(010)88547595
传　　真:(010)68418647
电子邮箱:shishichubanshe@sina.com
网　　址:www.shishishe.com
印　　刷:北京龙跃印务有限公司

开本:850×1168　1/24　印张:15　字数:260 千字
2010 年 1 月第 2 版　2010 年 1 月第 1 次印刷
定价:26.00 元

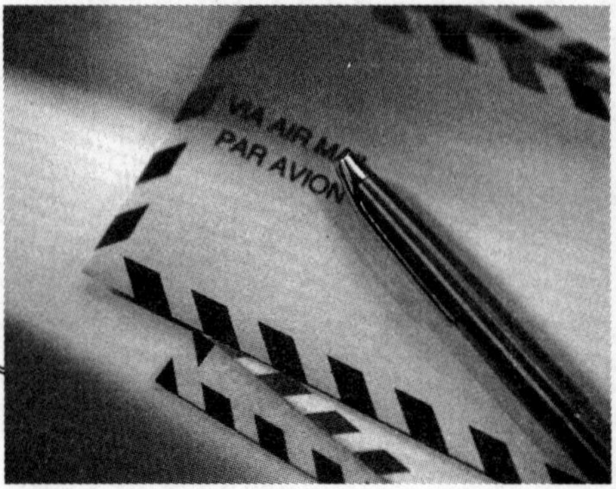

前 言

qian yan

应用文书在日常生活中的应用十分广泛，我们甚至在许多不经意的时候，就经常用到它，比如：单位有事情发个通知，丢失物品写份寻物启事，得到别人的帮助时写封感谢信，年底时写个工作总结……这一切，简直成了生活和工作中不可缺少的一部分。

但应用文书的写作又是一件很严肃的事情，有着严格的规范和格式要求，更不能两种不同的文体混用。在日常生活和工作中，虽然许多人都能够写，但并不是每个人写的都符合文体的规范和要求，闹出笑话的现象比比皆是。这样，不但容易耽误事情，有时候甚至还把事情弄得很糟糕。因此，应用文书的规范化写作就显得十分重要。

同样，写好一篇规范的文书，既是一个人文化修养素质的良好体现，也是认真、严谨对待生活态度的一种反映，更能对生活和工作有着长足的帮助，使自己受益。

应用文书的许多固定格式具有一定的严谨性，因此，对应用文书写作的训练显得非常有必要。通过学习和借鉴，再根据实际情况进行融会贯通，相信每个人都能熟练地学会应用文书的写作。

应用文书的写作适用于各个阶层以及各个行业和领域，党政机关、企事业单位、群众团体、个体私营企业、普通个人等等，掌握多种必备文体的写法和格式，使自己的写作更加规范化和标准化，是我们每一个人

的追求。

一篇好的应用文书，能准确地表达出它所要表达的意思，它通俗易懂、简洁明了，既准确又具体，使人一目了然。这种规范的应用文书，一定会使我们的工作成绩更加突出，办事效率更加快捷，生活也会随之变得更加美好。

目录

1. 行政命令

(1)什么是行政命令

行政命令是一种带有强制性的、具有最高权威的行政性事务指挥性公文。行政命令又叫行政令。

(2)如何写作行政命令

行政令的内容由以下几部分组成：

第一部分，标题。绝大多数行政令的标题由制发机关、事由、文种三部分组成，制发机关、事由、文种齐全。尤其是采取重大强制性行政措施的命令多采用，如：《国务院关于在西藏自治区拉萨市实行戒严的命令》《国务院关于在我国统一实行法定计量单位的命令》等。

第二部分，文号。行政命令(令)的文号有两种形式：

①机关代字、年号序号都齐全的“齐全式”。

例如，“国发委[2004]12 号”、“国发委[2005]20 号”。

②序号式。

“序号式”中的序号与“齐全式”中的序号编法不同。“齐全式”中的序号以年为单位，采用流水编法；“序号式”中的序号以一届政府为期，在本届政府任期期间按流水编序码。

这类文号用在发布令上。如：《中华人民共和国农业部令》(第 15 号)。

第三部分，正文。行政命令(令)的正文多数采用二段式，第一段的基本内容是发布此行政令的目的，第二段的基本内容是命令事项。

第四部分，发布行政命令的机关和日期。

应用文书

行政命令是一种带有强制性的、具有最高权威的行政性事务指挥性公文。行政命令又叫行政令。

(3)例文：

中华人民共和国主席令

第 六十六 号

应用文书

公布令是依照有关法律规定发布行政法规和规章的命令(令)。

根据中华人民共和国第九届全国人民代表大会常务委员会第二十五次会议2001年12月29日的决定:

免去俞正声的建设部部长职务;

任命汪光焘为建设部部长。

中华人民共和国主席 江泽民

二〇〇一年十二月二十九日

命令是一种带有强制性的、具有最高权威的指挥性公文,带有绝对的威严性。

2. 公布令

(1)什么是公布令

公布令是依照有关法律规定发布行政法规和规章的命令(令)。

(2)如何写作公布令

公布令的内容由首部、正文和尾部三部分及附件组成:

第一部分,首部。首部主要是标题项目。公布令的标题一般有三种构成形式:

①由发令机关名称、事由和文种构成,例如:《北京市人民政府关于公布〈×××××××〉的命令》。

②文种前面冠以发令机关名称或领导人职务,例如:《中华人民共和国财政部命令》《中华人民共和国主席令》。

③由事由加文种构成,例如:《关于公布〈戒严法〉的命令》。

第二部分,正文。公布令属于复合体令文,由命令(令)和附件两部分组成;命令的正文,公布令多数为一段式,基本内容为发布什么法规和施行日期。其他内容有三方面,根据需要选用。

其一,什么时间第几次什么会议通过。

其二,什么时间经什么机关批准。

其三,如果此法律是取代以前的同类法规,则写明什么时候的什么法规何时废止。

附件就是附上所公布的行政法规或规章全文。

第三部分,尾部。发布公布令的机关、领导人和日期。

(3)例文:

中华人民共和国主席令

第 五十五 号

《中华人民共和国领海及毗连区法》已由中华人民共和国第七届全国人民代表大会常务委员会第二十四次会议于 1992 年 2 月 25 日通过,现予公布,自公布之日起施行。

中华人民共和国主席　杨尚昆

一九九二年二月二十五日

发布令用于公布行政法规和规章,一般在新出台或修改某种行政法规时使用。

3. 嘉奖令

(1)什么是嘉奖令

嘉奖,又叫称赞和奖励。

嘉奖令是上级领导机关对于下属的部门或个人取得卓越成绩、作出重大贡献,进行通令嘉奖时,使用的一种应用文样式。

应用文书

发布令用于公布行政法规和规章,一般在新出台或修改某种行政法规时使用。

(2)如何写作嘉奖令

嘉奖令的内容一般由下面四部分组成:

第一部分,标题。嘉奖令的标题有两种写法。一种只用"嘉奖令"三个字,写在第一至第三行中间,字要大点。另一种用制文机关加文种的

形式，如《××军校追授×××同志为“模范共产党员”称号》，把全文内容概括到标题内。

第二部分，称呼。另起一行，顶格写。写被嘉奖者个人或集体所属单位的机关名称。

第三部分，正文。嘉奖令多数采用三段结构。

第一段写嘉奖缘由，主要写明被嘉奖者的功勋业绩，其中时间、地点、事情、原因、结果要交代清楚，此段的最后要给此功勋业绩定性。

第二段写嘉奖目的及嘉奖内容，其嘉奖内容，有授予荣誉称号的，也有既授予荣誉称号又记功、晋升级别、给予奖金的。

第三段写嘉奖希望，写明对受奖者的勉励与要求，或向有关方面人员提出希望。

第四部分，署名和日期。写在正文右下方第三行处，分两行，要注意盖公章。

应用文书

嘉奖，又叫称赞和奖励。

嘉奖令是上级领导机关对于下属的部门或个人取得卓越成绩、作出重大贡献，进行通令嘉奖时，使用的一种应用文样式。

(3)例文：

嘉奖令

大宇有限公司全体员工：

我公司销售部员工陈明于 2005 年 8 月 2 日上午 12 时，到本市的游泳池去学游泳时，正在换泳装，忽然听到有人呼救。他顾不上换泳装就向游泳池跑去，发现游泳池里有两个小孩一沉一浮。陈明见此情景，他不顾水性不好，勇敢地跳进深水区，两手抓住两个落水的小学生，奋力往池边游去。当时他左手中的男孩突然挣扎脱开，死抱住陈明的腰部不放，致使他一时难以行动，而且有逐步下沉的危险。在此种情况下，陈明竭尽全力，英勇顽强地用双手把右手中的男孩推到池边。在池上的小男孩的配合下，救出了第一个 9 岁的名叫张宝的男孩儿。在他救腰部的另一个 10 岁的男孩时，已经精疲力竭了。最后，他用尽平生力气，抠开那个男孩的双手，把他托出水面，异常艰难地游到池边，终于救出了另一个名叫刘强的男孩。这时陈明已无力上池。幸好，管理游泳池的同志吃完午饭赶来，把陈明救了上来。

陈明不顾个人生命安危，见义勇为的行为，是新时代高尚人格的体现。为了表彰陈明同志的英勇事迹，号召全体员工向他学习，大宇公司

董事会研究决定，授予陈明同志“优秀员工”的光荣称号。特此嘉奖。

大宇公司董事会

二〇〇五年八月十日

嘉奖令在行政、事业或企业单位中，经常对某一部门或某个人获得重大贡献时用到。

4. 决定

(1)什么是决定

决定是党政机关、社会团体、企事业单位对重要事项或重大行动作出决定或安排，是向所辖范围制发的指挥性公文。

(2)如何写作决定

决定一般由首部、正文和尾部三部分组成：

第一部分，首部。一般包括标题和成文时间两项内容。

①标题。决定的标题有两种构成形式：

一种是由发文机关、事由和文种构成，如《中共中央关于建立老干部退休制度的决定》。

另一种是由事由和文种构成，如《关于严惩严重危害社会治安的犯罪分子的决定》。

②成文时间。指发布决定的时间。有的在标题正下方注明成文的年、月、日，也有的用括号注明该决定什么时间、经什么会议通过等内容。

第二部分，正文。决定正文的结构一般由开头、主体和结尾组成。开头主要交代决定的缘由或根据；主体部分说明决定事项；结尾部分提出希望、要求或关于执行决定的有关说明。

有的决定的正文部分只有前两项内容，主体写完，全文就结束。

决定正文内容的布局安排，大体有两种写法：

应用文书

决定是党政机关、社会团体、企事业单位对重要事项或重大行动作出决定或安排，是向所辖范围制发的指挥性公文。

应用文书

决定一般用在某些重大事项的时候，具有一定的权威性。

①段落表述法。

段落表述法是用一段或者几段文字表述决定内容。

②标序列述法。

标序列述法，是用序号依次来表述正文内容的方法。有时序号后面可以设小标题，提示每部分内容。这种方法一般用于表述内容比较复杂的决定。

有的决定需要带附件。有附件的决定，应当于正文之后、发文机关署名之前注明附件的名称或依据，并将附件附在主件之后。

第三部分，尾部。即发文机关和日期。

(3)例文：

关于授予广州市迎"九运"城市基础设施建设及环境综合整治特别奖的决定

广州市建委：

近年来，为迎接第九届全国体育运动会在穗举办，广州市建设了以内环路为代表的一大批市政基础设施项目，同时大力加强城市环境综合整治工作，为保障"九运会"的成功举办提供了良好的场馆、环境和设施，取得了显著成绩，也实现了"一年一小变、三年一大变"的城市建设和管理工作目标，受到中央领导和"九运会"组委会以及各体育代表团的肯定和赞扬，并被国际组织评为"国际花园城市"。

为此，建设部决定，授予广州市迎"九运"城市基础设施建设及环境综合整治特别奖称号。希望你们再接再厉，发扬成绩，开拓创新，在加快推进城市化的进程中再创佳绩，为改善城市生态环境做出新的贡献！

中华人民共和国建设部

二〇〇一年十二月二十九日

决定一般用在某些重大事项的时候，具有一定的权威性。

5. 通知

(1)什么是通知

通知是知照性公文，是上级机关用来批转下级机关的公文、转发上级机关和不相隶属机关的公文，发布规章，向下级机关和有关单位传达需要周知或者共同执行的事项，以及用来任免和聘用干部的。

(2)如何写作通知

通知一般由标题、主送机关、正文、落款和日期五部分构成。

第一部分，标题。主要由发文机关、事由和文种组成。有些情况特殊的通知，在标题中应写明性质，在“通知”前加上说明词语，如“紧急通知”、“补充通知”、“联合通知”等。

第二部分，主送机关。在标题下、正文前顶格写受文的单位或个人。

第三部分，正文。包括通知的缘由、通知事项、通知要求三部分。

第四部分落款和第五部分日期写在正文右下方。发文机关如果已经在标题中写明，这里可以不写；成文时间如果在首部写了，这里也不再写。

(3)通知最常见的几种形式

通知最常见的形式包括任免性通知、会议通知、发布性通知、指示性通知、事务性通知等。

任免性通知，是指上级机关任免下级机关的领导人员，或者上级机关的有关任免事项需要下级或平级机关知道时所发出的通知。

会议通知是各机关单位用以发出召开会议的通知。

发布性通知主要用于发布法规、规章。

指示性通知是指对某一事项作出具体规定或对处理某一问题作出具体指示的通知。它一般都是上级机关需要对下级机关或所属单位下达指示，而内容又不适用“命令”、“指示”等文种时使用的。这类通知的政策性和指导性较强，也要求下级机关认真贯彻执行。

事务性通知是用于安排一般具体事务的通知。如调整机构、启用印章、变更作息时间、安排节假日值班等所发的通知等。事务性通知或者要求下级机关办理，或者需要有关单位周知，或者需要有关部门协助共

应用文书

通知是知照性公文，是上级机关用来批转下级机关的公文、转发上级机关和不相隶属机关的公文，发布规章，向下级机关和有关单位传达需要周知或者共同执行的事项，以及用来任免和聘用干部的。

同执行等等，应用广泛，内容单一。

应用文书

通知在日常生活中运用十分广泛，我们在写通知时，各种要素一定要具备，否则容易出现让人弄不明白的地方。如遇特殊情况，可以用“紧急通知”或“重要通知”的形式出现。

(4)会议通知例文：

通知

各县(区)人民政府：

经研究决定，定于×月×日在市政府办公室召开各县(区)人民政府办公室主任会议三天，传达上级关于公文处理的有关指示，请各县(区)人民政府办公室主任或副主任一人参加。

××市政府办公室

三〇〇六年四月二十日

通知在日常生活中运用十分广泛，我们在写通知时，各种要素一定要具备，否则容易出现让人弄不明白的地方。如遇特殊情况，可以用“紧急通知”或“重要通知”的形式出现。

6. 布告

(1)什么是布告

布告是国家机关在向人民群众公布政策法令和重大事件，以及宣布其他需要人民群众了解、遵守和执行的事项时使用的一种公文。

布告，在使用上，只限于上级对下级，在平级之间不可以使用。布告所发布的内容，主要是针对某些具体事项，而且是面向国内或一定的区域。行文风格不如公告庄重严肃。

(2)如何写作布告

布告由于它要张贴出来，面向群众，所以一般不写受文机关。布告的内容由标题、编号、正文和落款四部分构成。

第一部分，标题。布告的标题比较灵活，根据不同的情况，一般有三

种写法：

A.写出完整的标题。发文机关、事由和公文种类都写出。这一般用于事由不太大的情况，给人一目了然的感觉，从题目就可以了解布告的中心内容，如《福建省人民政府关于迅速制止乱砍滥伐、保护森林资源的布告》。

B.写出其他部分，省略事由。只写出发文机关和公文种类，由于事由比较长，为了醒目，则将事由省去，如《四川省人民政府布告》。

C.只标“布告”二字。如果布告的内容和文字都简短，就用不着在题目中写明。现在有很多布告都直接用“布告”标题，既醒目又简便，特别是各级人民法院的刑事审判结果的布告，就多用“布告”作标题。

第二部分，编号。布告有专门的编号，由于是对外张贴，所以编号一般写在标题的下一行右半部。

第三部分，正文。布告的正文包括引言、事项和结语三部分。

引言就是导语，说明发此布告的根据、原因和目的。

事项是正文的中心内容。为了方便人民群众阅读识别，这部分一般采用分条分款的形式来叙述规定的要求，有的条款还特地作出说明解释。

结语是布告的结尾。有的布告以“特此布告周知”或“此布”、“切切此布”作结，有的则提出遵照执行的要求，或写上生效日期，用以表达正文完结。

第四部分，落款。布告正文结束后，在右下方都有签署和日期。

A.签署可以是个人的姓名，但姓名前必须冠以职务，也可以是发布机关。

B.日期指发布告的日期，要写全年、月、日，放在签署之下。

C.落款要根据具体情况而定。如果标题只有“布告”两字，必须写明发布机关名称及发布日期。如果标题中有发布机关名称，文尾可不再写发布机关名称。

D.布告一般应加盖印章，以示负责。

应用文书

布告是国家机关在向人民群众公布政策法令和重大事件，以及宣布其他需要人民群众了解、遵守和执行的事项时使用的一种公文。

布告，在使用上，只限于上级对下级，在平级之间不可以使用。布告所发布的内容，主要是针对某些具体事项，而且是面向国内或一定的区域。行文风格不如公告庄重严肃。

(3)例文：

××市××区人民法院布告

应用文书

布告较常用于国家机关宣布一些政策法令的时候，虽然具有一定的威严性，但行文风格比公告略感轻松。

法布[2003]06 号

本区选举第八届人民代表大会代表的工作已经开始，选民名单也已公布了。根据《中华人民共和国全国人民代表大会和地方各级人民代表大会选举法》第二十五条的规定，本院管理有关选民资格的诉讼案件。对公布的选民名单有不同意见的，可以向选举委员会提出申诉，如对选举委员会的处理决定不服，可以向本院起诉。

此布

院长：×××

二〇〇三年四月六日

布告较常用于国家机关宣布一些政策法令的时候，虽然具有一定的威严性，但行文风格比公告略感轻松。

7. 公告

(1)什么是公告

公告是国家权力机关、行政机关向国内外宣布重要事项或者法定事项的晓谕性公文。

(2)如何写作公告

公告的内容一般由标题、正文、签署、日期、编号五部分组成。其各部分的格式、项目内容和写法如下：

第一部分，标题。公告的标题，一般有三种写法：

A.只写发文机关的名称加上文种组成，如《全国人民代表大会公告》。

B.只写公文文种“公告”二字，而将发文机关的名称置于正文之后。事由加文种，如《关于宋庆龄副委员长病情的公告》。

C.第二部分，正文。公告内容单一，篇幅不长，一般采取一段式写法，由公告的依据和公告事项两部分组成。先写公告事项的依据，再写

公告事项的内容，最后以“现予公告”、“特此公告”等惯用语结尾。

第三部分，签署。在正文之下的横宽二分之一处，写上发布公告机关的全名，若以个人名义发布，在姓名前要写上职务。

第四部分，日期。在签署下面排齐写上年月日并带上发布公告的地点。

第五部分，编号。公告在标题下往往要单独编出顺序号如“第一号”、“第二号”等。

撰写公告，应注意以下几点：

A.要文字严谨，语气庄重。因为发布公告是代表国家党政机关和部门，对象又是国内外的人民群众和有关机构，所以行文要缜密严谨，做到庄重严肃。

B.公告宣布的必须是重大事件，不能将通告的内容用公告的形式发布。

C.告的文风，一般是客观叙述，少加议论。要简明扼要，言简意赅。公告不必过多地陈述意义和细节，不要说一些俏皮话，要忌讳夸张、比喻等、修辞手法。

(3)公告最常见的几种形式

公告最常见的几种形式包括行政公告、国家重要事项公告、法定专门事项公告等。

行政公告是国家机关向国内外宣布重要事项的行政性公告。这类公告用于国家权力机关和国家行政机关对外公布以下事项：A. 向国内外宣布国家领导人选举结果、出访。B.颁布法规、行政规章，宣布重大行政措施。C.公布重大科技成果。D.答谢国外有关部门和友好人士对我国重大国事活动的祝贺等。

国家重要事项公告是宣布有关国家的政治、经济、军事等方面重要事项的公告。

法定专门事项公告是指由国家公布有关法律、法令和行政法规或其他专门事项的公告。

应用文书

公告是国家权力机关、行政机关向国内外宣布重要事项或者法定事项的晓谕性公文。

应用文书

公告的文风应客观叙述，不必过多地陈述某件事的意义和细节，不要说一些俏皮话，更忌讳夸张、比喻等修辞手法。

(4)行政公告例文：

全国人民代表大会公告

第 一 号

第六届全国人民代表大会第一次会议于一九八三年六月十八日选出：

中华人民共和国主席　　李先念

中华人民共和国副主席　　乌兰夫

现予公告

中华人民共和国第六届全国人民代表大会第一次会议主席团

一九八三年六月十八日

公告的文风应客观叙述，不必过多地陈述某件事的意义和细节，不要说一些俏皮话，更忌讳夸张、比喻等修辞手法。

8. 通告

(1)什么是通告

通告是国家机关、社会团体、企事业单位在一定范围内向社会公众或者有关单位、人员公布应当遵守或者周知的事项的知照性公文。

(2)如何写作通告

通告一般由标题、正文和落款三部分组成。其各部分的格式、项目内容和写法如下：

第一部分，标题。通告的标题有四种构成形式：一是由发文机关名称、事由和文种构成；二是在文种前面冠以发文机关名称，如《中华人民共和国公安部通告》；三是事由和文种构成；四是只写文种“通告”。实践中，前三种形式用得较多，而最后这种形式比较少见。

第二部分，正文。通告正文的结构一般由开头、主体、结尾和结语四

部分组成。

A.开头。主要交代缘由、根据。要求概括说明发出通告的原因和目的。法规性通告一般还要求写清法律依据,以增强通告的法律效力。缘由后面常用习惯用语“通告如下”、“特作如下通告”等过渡到下文。

B.主体。即通告事项部分,主要说明通告具体内容。这一部分由于事项比较多,常常采用标序列述的方法来写。要求做到主旨鲜明,事项具体,条理清晰,简洁通俗,便于理解执行。

C.结尾。提出执行要求或号召。有的通告没有结尾段。

D.结语。一般单独设段,用“特此通告”作结,以体现通告的规范性和严肃性。

第三部分,落款。通告的落款与标题有关系,标题有发布单位的,后面则无落款;标题没有发布单位的,落款是注明发布单位。发布通告的时间,写在标题之后,内容之前;或写在落款后面都可以。

(3)通告最常见的几种形式

通告最常见的几种形式包括法规性通告、周知性通告、禁止性通告等。

法规性通告是在一定范围内公布政策法规或带有政策法规性质事项的通告。

周知性通告是在一定范围内,向机关单位和人民群众公布应当周知事项的通告。

禁止性通告多数是根据有关规定、条例之类法规性文件制订的,而禁止有关对象从事某一事项或多项事务的通告,是法规性文件有关规定的具体化。这类通告的依据是法规性文件,所以带有强制性,多数由地方一级政府发布。

应用文书

通告是国家机关、社会团体、企事业单位在一定范围内向社会公众或者有关单位、人员公布应当遵守或者周知的事项的知照性公文。

(4)法规性通告例文:

关于对本市互联网上网服务营业场所进行清理整顿并加强管理的通告

在书写通告具体内容的时候，尽管要做到主旨鲜明，事项具体，条理清晰，简洁通俗，以便于阅读者能更好地理解和执行。

为加强对北京市互联网上网服务营业场所的管理，根据《国务院办公厅关于进一步加强互联网上网服务营业场所管理的通知》(国办发〔2001〕21号)和《北京市人民政府办公厅关于对本市互联网上网服务营业场所进行清理整顿并加强管理的通知》(京政办发〔2001〕32号)要求，依照信息产业部等国家四部局发布的《互联网上网服务营业场所管理办法》(以下简称《办法》)，北京市通信管理局、北京市公安局、北京市文化局、北京市工商行政管理局于即日起对本市互联网上网服务营业场所进行为期3个月的清理整顿，并加强管理。现就有关事项通告如下：

一、互联网上网服务营业场所是指通过计算机与互联网联网向公众提供互联网上网服务的营业性场所(包括“网吧”提供的上网服务)。

二、开办互联网上网服务营业场所按下列程序办理审批登记：开办互联网上网服务营业场所的经营者向区县公安、文化部门提出申请，并取得市公安、文化部门的批准文件；持批准文件到北京市通信管理局办理经营许可证；持批准文件及经营许可证到工商行政管理部门登记注册(该经营项目核定为“提供互联网上网服务场所”)。手续齐全后方可营业。

……

七、获得有关部门批准设立的互联网上网服务营业场所应持批准文件、经营许可证和营业执照，与持有计算机信息网络国际联网业务经营许可证的ISP签订信息安全责任书，办理互联网接入手续。不得通过无经营许可证的ISP接入互联网；计算机信息网络国际联网业务经营单位不得为未获得相关部门批准的互联网上网服务营业场所提供接入服务。

北京市通信管理局、北京市公安局
北京市文化局、北京市工商行政管理局
二〇〇一年五月二日

在书写通告具体内容的时候，尽管要做到主旨鲜明，事项具体，条理清晰，简洁通俗，以便于阅读者能更好地理解和执行。

9. 请示

(1)什么是请示

请示是下级机关或个人向上级机关请求决断、指示、批示或批准事项所使用的呈批性公文。

(2)如何写作请示

请示写作的内容由标题、主送机关、正文、落款四个部分组成。

第一部分，标题。标题有两种写法，一种写法是只标明请示的事由和文种。另一种写法是在标题的事由和文种之前，还加上发出请示的机关或个人的名称。请示的标题要明确标明请求批示(批准)的问题是什么。

标题要写明制发机关名称(如有版头，也可省略)，事由与文种。如《国家税务局关于加强批发扣税工作的请示》-《××局关于召开 2003 年城市管理工作总结表彰会议的请示》。

第二部分，请示的主送机关。这是指请示报送的直接上级主管机关，要写机关全称或者规范化的简称。

第三部分，正文。正文是请示的主要部分，从称呼的下一行空两格开始写起，正文内要写清楚请示什么问题，目的是什么，有什么要求。如果请示的内容比较简单，用一段文字写出即可，假使内容较多，可分几段文字写，正文内容写完以后，另起一行写上一句简单的结束语，如“以上报告是否妥当，请批示”。

第四部分，落款。要写明请示的单位或个人和时间，并加盖公章。

应用文书

请示是下级机关或个人向上级机关请求决断、指示、批示或批准事项所使用的呈批性公文。

(3)请示最常见的几种形式

请示最常见的几种形式包括请求批准的请示、请求批转性请示等。

请求批准的请示多数是单位要求增设机构、增加编制，上项目、列计划，要资金、要购置设备等，或个人要解决什么困难、问题而向上级机

批复是答复下级机关或个人请示事项的公文，是上级对下级来文所提出的请示而表明的态度或作出明确回答的公文，是一种下行文。

关的请示。请示的要求就是请求批准。

请求批转性请示是政府的职能部门对新情况、新问题提出了处置意见和解决办法，但因“条条不对块块”的规定，不能直接要求同级职能部门或不相隶属机关、部门照此执行，因而请求上级领导机关审查批准，并批转给有关方面执行的请示。

(4)请求批准的请示例文：

关于建立中国工程院有关问题的请示

国务院：

近年来，我国科学家、工程技术专家和有关人士，曾多次提出建立中国工程院问题。

全国政协七届五次会议和中国科学院第六次学部委员大会期间，不少政协委员、学部委员和工程技术专家，又先后提出提案和建议。党中央和国务院领导同志十分重视这一建议。曾就建立中国工程院问题，多次作过批示。根据党中央和国务院领导同志的批示精神，组成了专家研究小组，经过广泛调查研究，听取各方面人士和有关产业部门的意见，进行反复酝酿和讨论，形成工程院的初步方案。现就建立中国工程院的有关问题报告如下。

一、关于建立中国工程院的必要性。(略)

二、关于组建中国工程院的一些原则。

(一)关于名称(略)

(二)关于中国工程院的性质和作用(略)

(三)关于中国工程院成员的称谓(略)

(四)关于中国工程院与中国科学院(学部)的关系(略)

(五)关于中国工程院院士的标准和条件(略)

(六)关于中国工程院第一批院士的产生及以后的增选制度(略)

(七)关于中国工程院的领导体制及学部设置(略)

三、关于中国工程院的筹建工作及进度安排(略)

以上请示当否，请批示。

附件：中国工程院筹备领导小组名单。

国家科委(盖章)
中国科学院(盖章)
XXXX 年 X 月 X 日

文题一定要写“请示”，凡写“申请”、“要求”、“请求”都不对，上级机关甚至可以不予受理。

10. 批复

(1)什么是批复

批复是答复下级机关或个人请示事项的公文，是上级对下级来文所提出的请示而表明的态度或作出明确回答的公文，是一种下行文。

(2)如何写作批复

批复的内容由标题、主送机关、正文、结尾四部分组成：

第一部分，标题。由制发机关、事由、文种三要素组成。

第二部分，主送机关。批复只主送请示机关，即谁请示批复给谁。

第三部分，正文。由两部分组成，一是引据，也就是正文的开头部分，写明是针对何文所作的批复；二是答复为来文的请示事项所作的答复。三是正文结尾部分多用“此复”、“特此批复”来结束全文。

第四部分，结尾。写上批复的机关和日期，标题中有制发机关的可以不写机关。

应用文书

批复是一种上级对下级的行文，这一点至关重要，可千万不能弄反了。

(3)例文：

中国证券监督管理委员会
关于××新华期货经纪有限公司的批复
证监期审字〔2002〕28 号

××新华期货经纪有限公司：

经审核，你公司符合期货经纪公司的标准，请持本批复到国家工商局申请注册登记，经营范围为：国内期货经纪业务，期货投资、信息咨询服务业务，期货从业人员培训业务。在完成公司注册登记手续后，请持营业执照副本原件及复印件、法人授权委托书和领取人身份证原件及复印件到我会领取《期货经纪业务许可证》。

二〇〇二年十月四日

应用文书

通报是国家机关、社会团体、企事业单位用于表彰先进、批评错误，传达重要精神或者通报有关情况的公文。

批复是一种上级对下级的行文，这一点至关重要，可千万不能弄反了。

11. 通报

(1)什么是通报

通报是国家机关、社会团体、企事业单位用于表彰先进、批评错误，传达重要精神或者通报有关情况的公文。

(2)如何写作通报

通报一般由首部、正文和尾部三部分组成。其各部分的格式、内容和写法要求如下：

第一部分，首部。通报的首部主要包括标题和主送机关两个项目内容。

A.标题。通常有两种构成形式：一种是由发文机关名称、事由和文种构成；另一种是由事由和文种构成。此外，有少数通报的标题是在文种前冠以机关单位名称；也有的通报标题只有文种名称。

B.主送机关。除普发性通报外，其他通报应该标明主送机关。

第二部分，正文。通报正文的结构通常由开头、主体和结尾等部分组成。开头说明通报缘由；主体说明通报决定；结尾提出通报的希望和

要求。

第三部分，尾部。尾部应写上发文机关和日期。

(3)通报最常见的几种形式

通报最常见的几种形式包括表扬通报、批评通报、事故通报、情况通报等。

表扬通报用于表扬先进集体、先进个人、先进事迹的通报。目的是宣扬先进思想，树立榜样，鼓励下级学习先进典型、先进经验，把工作做得更好。

批评通报是用来批评、处分错误，以示警戒，要求被通报者和大家吸取教训的通报。

事故通报是针对生产事故、安全事故、交通事故、火灾事故、医疗事故等重大责任事故而发的通报，以引起有关单位的警觉，防止类似事故的发生。

情况通报是在一定范围内传达重要情况和动向，以指导面上工作为目的的通报。

(4) 事故通报例文：

应用文书

决议就是公布经过会议讨论通过、并要求有关单位和个人贯彻执行的一种公文。会议一作出决议，就要求有关单位或个人，必须遵照执行。决议具有指导和指示作用。

关于氮气泄漏事故的通报

2005 年 10 月 10 日下午 4 点，在仪器分析实验室，2002 级学生正在做气相色谱实验时，色谱室的气路突然发出泄漏，并伴有急速的响声，实验室的几位老师赶紧过去关闭了氢气瓶和空气瓶。由于氮气瓶的出气口正对着氢气瓶颈处，紧张之中误以为氢气泄漏，造成一场虚惊。造成氮气泄漏的主要原因是任课老师将氮气分压调到 0.8MPa（按操作规程气压不能超出 0.5MPa）。由于气压过高，冲掉导气管引起泄漏。

这次事故虽然是虚惊一场没有造成严重后果和危害，但是给全院师生敲起警钟。我们将这次事故向全院通报，希望全院师生以此为鉴，并牢记曾在另外几所大学发生的实验室爆炸事故的教训，自觉做好安全防范工作，杜绝各类事故发生。

×××工程学院

二○○五年十月十八日

应用文书

决议具有一定的实用性指导作用，单位或个人通过决议，可以对自己下一步的工作进行更好的安排和部署。

通报是一种十分常见的公文形式，一般采用较平和的语气，结尾处应提出通报的希望和要求。

12. 决议

(1)什么是决议

决议就是公布经过会议讨论通过、并要求有关单位和个人贯彻执行的一种公文。会议一作出决议，就要求有关单位或个人，必须遵照执行。决议具有指导和指示作用。

(2)如何写作决议

决议一般由三个部分组成：标题、通过的会议和日期、正文。

第一部分，标题。标题要写明发文机关或会议的名称和文种。发文机关或会议名称，要写全称，不要省略。文种也不能省略。标题有两种写法：

A.完整标题。这种标题使用频率最大，因为这种标题最能体现决议严肃、郑重的特点。

B.由加文种或会议加文种的标题法，其表现形式一般是：××××会议批准×××××的决议。

第二部分，通过的会议和日期。即在标题下面，注明该决议由什么会议、于什么时间通过，并用括号括上。

决议的时间，不能写在决议的正文之后，而是写在标题之下、正文之前，通常用括号注明是什么时间，在什么会议上通过的，表示生效时间。如果标题中未写明通过决议的会议名称，那么此处时间之后，应加上某会议通过字样。

第三部分，正文。正文的写法因决议类型不同而有些差异。决议的正文，一般写三个内容：

A.对被批准的议案等,给予充分的肯定和恰当的评价。
B.对报告中提出的工作要点表明支持态度。
C.对下级干部和群众发出号召。

(3)例文:

安徽省第十届人民代表大会第三次议关于政府工作报告的决议

(2005 年 1 月 29 日安徽省第十届人民代表大会第三次会议通过)

安徽省第二届人民代表大会第三次会议听取和审议了王金山省长代表省人民政府所作的《政府工作报告》。会议决定批准这个报告。

会议号召,全省各族人民要紧密团结在以胡锦涛同志为总书记的党中央周围,高举邓小平理论和“三个代表”重要思想伟大旗帜,以科学发展观统领全局,在中共安徽省委的领导下,抢抓机遇,乘势而上,奋力崛起,为加快发展、富民强省,全面建设小康社会而努力奋斗。

决议具有一定的实用性指导作用,单位或个人通过决议,可以对自己下一步的工作进行更好的安排和部署。

应用文书

议案是我国政府机关与人民代表大会及其常务委员会之间联系工作常用的例行公文之一,是指导国务院和地方各级人民政府依照法律程序规定,向同级人民代表大会或其常务委员会提请审议属于该人民代表大会或其常务委员会职权范围有关事项的公务文书。

13. 议案

(1)什么是议案

议案是我国政府机关与人民代表大会及其常务委员会之间联系工作常用的例行公文之一,是指导国务院和地方各级人民政府依照法律程序规定,向同级人民代表大会或其常务委员会提请审议属于该人民代表大会或其常务委员会职权范围有关事项的公务文书。

(2)如何写作议案

写作议案一般由标题、正文和签署三个部分组成。

应用文书

议案是我国政府机关或某些特定人士才能使用的一种公文，在日常生活中，切不可随便乱用。

第一部分，标题。标题的写作有两点：

A.文号多用“函”字。国务院是国家最高行政机关，全国人大及其常委会是国家最高权力机关。国务院对全国人大及其常委会负责，但国务院并不隶属于全国人大及其常委会，所以在用文号上，用表示不相隶属关系的“函”字。

例如：《国务院关于提请审议〈中华人民共和国农业基本法(草案)〉的议案》文号是“国函〔1993〕9 号”。

B.立法议案后应加 上“草案”二字。立法议案必须在法的名称后用圆括号括上“草案”两字。因为此法未经国家或地方权力机关审议通过、批准，都不能算做正式的法律。

第二部分，正文。先写明提议案的送达机关，一般为某次会议。再另起一行，写明提议案的原因、目的与意义以及此议案事项的形成过程。提出审议要求或请求的具体内容。

第三部分，签署。写明议案提议人(包括职务)、日期。

(3)例文：

国务院关于提请审议
《中华人民共和国农业基本法(草案)》的议案
国函〔1993〕年 9 号

全国人民代表大会常务委员会：

农业是我国经济发展、社会安定、国家自立的基础，农业的稳定增长是国民经济稳定增长的前提。为了巩固和发展农村经济改革的成果，保障农业在国民经济中的基础地位，发展农村社会主义市场经济，维护农业劳动者的合法权益，促进农业的持续、稳定、协调发展，实现农业现代化，农业部等部门经过广泛调查研究，反复修改，草拟了《中华人民共和国农业基本法(草案)》，这个草案业经国务院常务会议讨论通过，现提请全国人大常委会审议决定提请八届全国人大一次会议审议。

国务院总理　李鹏

一九九三年二月三日

议案是我国政府机关或某些特定人士才能使用的一种公文，在日

常生活中，切不可随便乱用。

14. 指示

(1)什么是指示

指示是一种指导性文件，是领导机关对下级机关布置工作，阐明工作活动的指导原则的下行公文。

(2)如何写作指示

指示的内容一般由首部和正文两部分组成，有的指示还有尾部。各部分的格式、内容和写法如下：

第一部分，首部。主要包括标题和成文时间两项内容。有的指示还要写主送机关。

A.标题。多采用完全式标题，即由发文机关、事由和文种构成，如《国务院关于加强电子政务工作的指示》。

B.成文时间。用括号注明年、月、日，标在标题下方正中位置。

C.主送机关。除部分针对普遍性问题而发的指示外，其他指示大都有这一项目内容。这一项目的格式与一般公文相同。

第二部分，正文。其结构一般由开头、主体和结尾三部分组成。开头部分交代指示缘由或者根据；主体部分说明指示事项；结尾部分提出执行要求。在指示缘由后面，用“为此，特紧急指示如下”或者“特作如下指示”等语提起下文。

A.指示的缘由。主要用以阐明发出指示的原因、目的、根据、意义等。

B.指示的事项。这是指示的主体部分。包括工作任务、指导原则、具体步骤、措施方法等项内容。其写法一般采用标序列述的方法。要求论述完整、层次清晰，表述具体明白，以便执行。

C.指示的执行要求。为保证指示得以贯彻执行，必然要向受文者提出希望和要求。

应用文书

指示是一种指导性文件，是领导机关对下级机关布置工作，阐明工作活动的指导原则的下行公文。

应用文书

指示是一种上级领导对下级机关布置工作的下行公文，具有一定的指导性意义。值得注意的是，指示在平级单位之间切不可混淆使用。

第三部分，尾部。有的指示公文，标题中没有发文机关，标题下也没有设时间项，要在尾部写上发文机关的全称和年、月、日期。如果标题中已有发文机关，可以只写时间一项。

(3)指示最常见的几种形式

指示最常见的几种形式包括政策性指示、部署性指示、全局性指示等。

政策性指示是专为贯彻某一重大方针政策而制发的指示。

部署性指示是部署某项重大任务、某项重要工作或某个重大行动所作的指示。它比政策性指示写得更具体、更明确，更便于下级遵照执行。

全局性指示是针对普遍性或全局性的问题而发的指示，如《中共中央、国务院关于认真做好第三次全国人口普查工作的指示》。

(4)部署性指示例文：

××防汛总指挥部关于加强防汛工作的指示

自7月3日起，长江上中下游普降大雨，16日沙市水位最高达43.43米，超过危险水位1.13米。荆江大堤曾因獾洞发生漏洞，经抢堵后幸未成灾。长江下游皖南、苏南地区，因遭特大的暴雨(安庆三天降雨量曾达416毫米)，部分地区曾发生山洪及内涝灾害。淮河流域及苏北沂、沭河区，7月中旬，亦曾发生连续暴雨。除淮河南岸的潢川专区和六安专区的部分地区曾发生山洪及内涝灾害以外，其余各地情况尚平稳。

截至现在，我们的防汛工作，虽已取得初步胜利，但按一般规律，今后的一个多月内，是全国防汛工作最紧要的阶段，各地区各流域水利机构和防汛机构都应继续提高警惕，加紧堤防检查和防汛准备工作，以期战胜洪水，保障今年的农产丰收。

(一)曾经一度涨水或正在涨水的河流，如长江，珠江，沂、沭河和淮河流域，应用一切力量加紧防汛，战胜水灾。同时要抓紧洪水间歇期间，检查修补堤防，并对内涝地区进行有系统有领导的排水工作。各级防汛领导机关，对这些工作，要掌握水情的变化，了解各地实际情况，及时进

行具体的指导。

（二）黄河及华北、东北各河，目前水情虽尚平稳，个别地区甚至有干旱现象，但须知既入汛期，随时有发生暴雨的可能，以上地区及流域水利机构应切实检查群众的防汛组织与沿河堤防，以防止麻痹大意。部分河流如黄河、永定河等，河槽冲积变化较多，因初汛水量不大或尚未涨水，河槽尚未冲开，当地防汛机构尤其必须估计到骤然涨水时可能发生的险恶情况，严加防范，以保安全。

×××年×月×日

指示是一种上级领导对下级机关布置工作的下行公文，具有一定的指导性意义。值得注意的是，指示在平级单位之间切不可混淆使用。

15. 函

(1)什么是函

函是不相隶属机关之间相互商洽工作、询问和答复问题，或者向有关主管部门请求批准事项时所使用的公文。

(2)如何写作函

公函由首部、正文和尾部三部分组成。其各部分的格式、内容和写法要求如下：

第一部分，首部。主要包括标题、主送机关两项内容。

A.标题。公函的标题一般有两种形式，一种是由发文机关名称、事由和文种构成；另一种是由事由和文种构成，如《关于报送全国政府部门机关事务工作座谈会材料的函》。公务实践中，前一种标题式样用得比较多。

B.主送机关。即受文并办理来函事项的机关单位，于文首顶格写明全称或者规范化简称，其后用冒号。

第二部分，正文。其结构一般由开头、主体、结尾、结语等部分组成。

应用文书

函是不相隶属机关之间相互商洽工作、询问和答复问题，或者向有关主管部门请求批准事项时所使用的公文。

函最常见的形式包括建立业务关系函、答复客户建立贸易关系函、老客户联络问候信函、索取样品函、询价函、回复商业询购函、报价函、要求约见信函、答复求职者信函等多种。

A.开头。主要说明发函缘由。一般要求概括交代发函的目的、根据、原因等内容,然后用“现将有关问题说明如下:”或“现将有关问题函复如下:”等过渡语转入下文。缘由部分讲了两层意思:一是发文目的;二是发文根据。复函的缘由部分,一般首先引叙来文的标题、发文字号,然后再交代根据,以说明发文的缘由。

B.主体。这是函的核心内容部分,主要说明致函事项。函的事项部分内容单一,一函一事,行文要直陈其事。无论是商洽工作,询问和答复问题,还是向有关主管部门请求批准事项,都要用简洁得体的语言把需要告诉对方的问题、意见叙写清楚。如果属于复函,还要注意答复事项的针对性和明确性。

C.结尾。一般用礼貌性语言向对方提出希望。即或请对方协助解决某一问题,或请对方及时复函,或请对方提出意见或请主管部门批准等。

D.结语。通常应根据函询、函告、函商或函复的事项,选择运用不同的结束语。如“特此函询(商)”、“请即复函”、“特此函告”“特此函复”等。有的函可以不用结束语,如届便函,可以像普通信件一样,使用“此致,敬礼”。

第三部分,尾部。一般包括署名和成文时间两项内容。

署名写上机关单位名称,并加盖公章;成文时间写明年、月、日。

(3) 函最常见的几种形式

函最常见的形式包括建立业务关系函、答复客户建立贸易关系函、老客户联络问候信函、索取样品函、询价函、回复商业询购函、报价函、要求约见信函、答复求职者信函等多种。

建立业务关系函,是为了企业的生产与销售,通过多种途径了解客户后,经论证值得与之建立贸易关系而与之联系所用的信函文书。

答复客户建立贸易关系函是企业收到希望建立贸易关系函后,迅速按对方要求完整地答复所用的商业信函。

老客户联络问候信函是企业为了巩固与老客户的关系, 应通过各种途径开展与老客户的公关关系。在厂庆、节日等特殊的日子,寄给他们联络信函,并在节日中对他们表示祝贺。

索取样品函指要求对方提供样本及样品的信件。

询价函是由买方向卖方就某项商品交易条件提出的询问。询价目的是请对方报价，询价对交易双方都没有法律上的约束力。

回复商业询购函是指企业(公司)对收到的询问(询价、询购)信后，予以回复的商业信函。

报价函是指卖方向买方提供商品的有关交易条件的信函。

要求约见信函是推销员为了推销其产品及服务，给客户的要求约见的信函。它比冒昧求见有礼貌和效率高。

答复求职者信函是人事部的负责人向求职者答复是否安排面试或者录用的答复信函。

(4) 报价函例文：

报价函

万利超级商场：

贵方×月×日询价信收悉，谢谢。兹就贵方要求，报价详述如下：

商品：君山毛尖茶

规格：一级

容量：每包 100 克

单价：每包×元(含包装费)

包装：标准纸箱，每箱 100 包

结算方式：商业汇票

交货方式：自提

交货日期：收到订单 10 天内发货

我方所报价格极具竞争力，如果贵方订货量在 1000 包以上，我方可按 95%的折扣收款。

如贵方认为我们的报价符合贵公司的要求，请早日定购。

恭候佳音。

红山茶叶厂

二〇〇六年四月十日

应用文书

函是在日常生活中运用最广泛的公文方式之一。无论是哪一种函，都要求礼貌客气，以便能够更好地得到对方的答复或获得有关部门的批准。

函是在日常生活中运用最广泛的公文方式之一。无论是哪一种函，

都要求礼貌客气，以便能够更好地得到对方的答复或获得有关部门的批准。

应用文书

意见并不是人们常常说的“提意见”的“意见”,而是领导机关常用的公务文书之一，是用于对重要问题提出见解和处理办法的一种事务性公文形式。

16. 意见

(1)什么是意见

意见并不是人们常常说的“提意见”的“意见”,而是领导机关常用的公务文书之一，是用于对重要问题提出见解和处理办法的一种事务性公文形式。

(2)如何写作意见

意见通常由首部、正文两部分组成,有的还有附件,但一般没有尾部。其格式、内容和写法如下：

第一部分,首部。一般包括标题和成文时间两项内容。不过,有的在成文时间前注明发文机关名称；有的以文件形式直接行文下发的意见还有主送机关的项目。

A.标题。一般由发文机关、事由和文种构成。例如《中共××市委组织部关于×××的意见》。

B.成文时间。在标题中标明发文机关名称的,一般于标题之下用括号注明成文的年、月、日期。但标题中省略发文机关一项的,有的于成文日期前注明发文机关,有的不在此处注明发文机关,却将其署于正文之后。

第二部分,正文。意见的正文部分大都包括发文的缘由和具体意见两项内容,个别的还有贯彻执行的要求。

A.发文缘由。所谓发文的缘由,具体是指提出意见的背景、依据、原因、目的等,表述文字可长可短。

B.具体意见。有的具体意见在正文结束时有结尾部分。结尾部分的内容,大多是提出要求。

意见与我们通常所说的对某人“提意见”是两种不同的概念，应具体区分开来。

17. 制度

(1)什么是制度

制度，作为一种公务文书，不是指在一定条件下形成的政治、经济、文化等方面的体系，如政治制度、经济制度等，而是指一个系统或单位制定的要求下属全体成员共同遵守的办事规程或行动准则，如工作制度、财务制度、作息制度、教学制度等。

(2)如何写作制度

制度的内容由标题和正文两部分组成。

第一部分，标题。标题由发文机关、事由和文种三部分组成，但很多时候标题中省去发文机关，只写事由和文种。发文机关、发布日期写在标题下用括号标注。

第二部分，正文。一般分三部分写：

A.写明制发制度的缘由，用“特制定本制度”一语承上启下；

B 明各种具体条文，即制度的具体规定是什么；

C.写实施范围、生效日期、修订权、解释权等内容，并且视其内容决定是否分章写。

写作制度的文字必须明白易懂、具体准确，切忌重复和写无用的话。

应用文书

制度，作为一种公务文书，不是指在一定条件下形成的政治、经济、文化等方面的体系，如政治制度、经济制度等，而是指一个系统或单位制定的要求下属全体成员共同遵守的办事规程或行动准则，如工作制度、财务制度、作息制度、教学制度等。

(3)例文：

用电管理制度

(××厂××××年×月×日发布)

为了合理利用国家电力资源，充分发挥用电设备潜力，达到安全、

经济、合理、节约用电目的，特制定本制度。

第一条　加强用电管理，严格用电制度。实行内部合同制，每月根据生产、工作任务把用电指标下达到车间、部门，做到日清、旬结、月考核，实行节奖超罚，充分调动各用电部门的积极性。

……

第五条　对常年坚持节约用电有贡献的集体和个人，根据贡献大小，分别在不同范围内给予表扬，或作为评先进的条件之一；对提出用电合理化建议和双节措施，并且有节电经济效果的集体和个人，要给予物质奖励(按厂合理化、双革奖励执行)。

第六条　各部门要经常开展节约用电常识，使有限的电力资源在我厂发挥应有的作用。

第七条　全厂车间、部门都应自觉执行，本制度自公布之日起生效。

第八条　本制度的修改权、解释权归厂职工代表大会。

应用文书

规程是对某一事项或操作在一定范围内要求人们遵守的统一的要求和程序，其目的是规范人们的行动，以便有一个正常的生产和活动的程序。

制度是工作中需要大家共同来遵守的一种行为规范，在写作制度时，应尽量将意思表达明确，通俗易懂。

18. 规程

(1)什么是规程

规程是对某一事项或操作在一定范围内要求人们遵守的统一的要求和程序，其目的是规范人们的行动，以便有一个正常的生产和活动的程序。

(2)如何写作规程

规程的基本格式一般由标题、正文、署名和日期三部分组成。

第一部分，标题。一般采用“××操作规程”、“××活动规程”的形式。

第二部分，正文。分条写出规程的各项具体内容，一般要包括整个

活动的每个环节。

第三部分，署名和日期。一般写在正文的右下方。有的也可不要署名和日期。

写作规程时要注意以下几点：

第一，各项要求和程序要以科学为依据，不能脱离实际。

第二，内容要具体、准确。要按逻辑顺序，分清条理。

第三，语言要通俗，文字要简洁，并且要易懂易记，便于操作。

(3)例文：

电工安全操作规程

一、工作前必须穿好工作服、胶鞋，戴好胶皮手套等，一切防护用品必须正确使用。

二、一切电气设备在未经检查、证明无电之前，应一律以为有电，作有无电试验时须用试电工具或仪器进行，不论在任何条件下，绝对禁止用手摸导电部分，或试验设备等。

三、电盘配电箱、母线干线及其他电气设备的安装和修理工作，不得少于二人；工作检查时应确定是否有电，断电部分如短路或接地，做短路或接地处理时必须戴胶皮手套、穿胶鞋，接地线首先要接接地端，然后才与要接的部分相连。

四、在设备断电部分上开始工作之前，必须在设备断电部分送电的刀闸上标明“禁止合闸”、“有人工作”等字样的标志牌。

五、电机运转时绝对不允许修理电动机及起动设备，在低压电气设备上进行安装或修理工作时，必须切断电源。

……

十二、在特殊情况下，必须带电工作时，要保证带电作业绝对安全，禁止单独一人进行，必须有一熟练技工随同监护指挥，负责安全责任。

生活中的规程一般实用性非常强，一定要做到条理清晰，便于记忆。这样，具体操作起来才能够方便可行。

应用文书

生活中的规程一般实用性非常强，一定要做到条理清晰，便于记忆。这样，具体操作起来才能够方便可行。

19. 计划

应用文书

计划，是机关内部的部门或个人为完成一定时期的特定工作事先所作的书面安排和打算。

(1)什么是计划

计划，是机关内部的部门或个人为完成一定时期的特定工作事先所作的书面安排和打算。

所谓计划是一个统称，即常见的“规划”、“部署”、“安排”、“设想”、“打算”、“工作纲要”、“工作要点”、“工作意见”，等等，都属于计划。但规划、部署、安排、方案更加具体，约束力较大，规定性较强。

(2)如何写作计划

计划的内容一般由标题、正文、落款三部分组成：

第一部分，标题。标题即计划的名称，可分为全称式标题、简称式标题和文章式标题三种。

A.全称式标题，包括制定计划的机关或单位名称、计划的适用时限、计划的内容及计划的种类四项，如《××省“九五”期间经济和社会发展规划》。

B.简称式标题，包括计划的适用时期、计划的内容和计划的种类三项。

C.文章式标题，一般按计划的主题或要达到的目标拟定，多用于政府及主管部门作计划工作报告使用，如《团结起来，为实现我市“九五”计划而奋斗》。

第二部分，正文。正文是计划的主干和核心。一般包括目的和依据、目标和任务、措施和步骤、执行希望四个部分：

A.目的和依据。这部分即计划的前言。一般不设小标题。

这部分篇幅不宜太长，实际上是写明“为什么做”、“依据什么做”、“能不能这样做”，这是计划的纲领。

B.目标和任务。这部分实际上是明确“做什么”、“做到什么程度”。

这是计划的核心。可设小标题，也可用序数分条列项，具体写明计划的目标、任务和各项主要指标。要求在行文上条理清楚、层次分明，根

据目标、任务、指标的地位和关系，分出轻重、主次、详略。特别是常规性、综合性计划，更要注意突出重点和特点。

C.措施和步骤。这部分要求具体回答“怎么做”、“什么时候完成”。应详细说明实现计划的各种措施和步骤安排，即如何执行计划、如何分工配合、如何检查考核等。可分条列项，逐一表述。

这部分要注意操作性，措施要实在，职责要分明，安排要具体，以便执行和检查，要坚决避免用原则和一般要求代替具体措施和步骤。

D.执行要求。即计划的结语。一般用一个段落，篇幅不宜太长。

在这部分简明扼要地提出执行本计划的希望、要求和注意事项。要有针对性和鼓动性，以激发执行者的热情和信心。

有的计划没有结语，目标任务、措施步骤写完就结束全文。

第三部分，落款。多数计划有落款。落款包括制定计划的单位名称或个人姓名、计划定稿的日期。需要上报的计划，特别是经济计划，通常还要加盖印章。有的计划没有落款，而把署名和日期放在标题下。

此外，在考虑计划的结构格式时还应注意与计划有关的材料、图表，如果在正文中不便表达，可作为计划附件放在正文之后。

(3) 计划最常见的几种形式

计划最常见的形式包括工作计划、个人学习计划等。

工作计划是指机关单位、部门、个人为完成预定工作目标和任务而制定的计划。

个人学习计划是个人为完成预定学习目标而制定的计划。

应用文书

计划的实用性非常强，我们在列具体计划的时候，一定要考虑计划的可行性。另外，计划的项目不要过于复杂，以免不利于执行。

(4)个人学习计划例文：

2006 年第一学期学习
《方正书版 9.1 实用教程》的学习计划

随着工作难度的增大，为了提高工作效率，领导要求我们在工作之余学习《方正书版 9.1 实用教程》。为此，我特订明年上半年的学习计划如下：

一、从明年 1 月份起，报读离家最近的电脑学校，每周五、六晚上

应用文书

办法，是依据一定法令、条例的原则而制定的具体规章，可以说是某特定法令、条例的具体化。办法是一种介乎于条例、规定与细则之间的一种法规性文体。它适用于各级各类行政机关，应用面很广。

去电脑班上课，认真做笔记。

二、每周一、周三的晚上8:30~9:30，复习上周学过的电脑知识。

三、每周二、周四的晚上8:00~9:00，到电脑学校上机操作，对上周学过的内容进行上机操作。

四、考虑到自己有计算机功底，而方正书版的核心是熟悉并灵活运用各种排版注解排出所要求的版面，难点是表格、数学和化学版面的排版。要对这方面进行大量时间的上机练习。

五、每月的月末，在电脑前对自己这个月学习过的电脑课程考核，并从中找出优点和不足之处，来总结学习经验。

六、争取提前学完第一学期的电脑课程，尽量在第一学期完后独立操作《方正书版9.1实用教程》，并能运用到工作当中去。

李 丽

二〇〇五年十二月十日

计划的实用性非常强，我们在列具体计划的时候，一定要考虑计划的可行性。另外，计划的项目不要过于复杂，以免不利于执行。

20. 办法

(1)什么是办法

办法，是依据一定法令、条例的原则而制定的具体规章，可以说是某特定法令、条例的具体化。办法是一种介乎于条例、规定与细则之间的一种法规性文体。它适用于各级各类行政机关，应用面很广。

(2)如何写作办法

办法由标题、签署和正文三部分组成：

第一部分，标题。标题有两种写法：一种由“机关”加“事由”加“文种”组成，如《中华人民共和国枪支管理办法》；一种由“事由”加“文种”组成，如《机动车辆管理办法》。

有的办法在实施、执行过程中还需要进一步完善、修改，可以在标题中常给以“暂行”加以限制。

第二部分，签署。签署标明发布机关和发布日期。签署置于标题之下。有的只标明某机关批准日期。

第三部分，正文。办法的正文由序言、主体和结尾组成。

A.序言说明制定本办法的目的、依据、原则和要求。

B.办法的主体部分，将具体措施、具体做法，按一定顺序逐条列出，规定明确、细致、周全，切实可行。

C.结尾一般用来交代实施日期、解释权属和有关实施的说明。也有一些办法用一句话作结语的。

(3)例文：

××院知识创新工程试点全面推进阶段
深化分配制度改革的实施办法
(2006年4月1日起开始实施)

为全面落实《××院知识创新工程试点全面推进阶段科技创新队伍建设和发展教育行动计划纲要》，深化分配制度改革，实现知识创新工程全面推进阶段的各项目标，特制定本实施办法。

全院各知识创新工程试点单位(以下简称试点单位)，均应实行以基本工资、岗位津贴、绩效奖励为基本框架的“三元”结构分配制度。

1.基本工资，由现行工资制度中的职务工资、标准津贴和各种补贴组成，根据国家现行政策变动或调整，所需经费按现行渠道列支。

2.岗位津贴，与岗位聘任制度紧密挂钩，根据岗位性质及职责设立相应的津贴标准。岗位津贴所需经费在创新经费中列支，原则上其总量控制在创新经费的15%~20%以内。

3.绩效奖励，应在“三元”分配结构中占主导地位，与对外争取经费的数量和完成任务的绩效挂钩。所需经费从争取到的纵向、横向任务经费及其他收入中按规定比例提取。为鼓励科技人员争取更多的项目和经费，绩效奖励应向在基础研究中获得高水平成果及在科技成果转化中创造高效益的优秀人才倾斜，向项目(课题)负责人及骨干人员倾斜，合理拉开差距。对绩效奖励额度明显偏高的，研究所应进行适度调控。

应用文书

办法在日常生活中运用十分广泛，一些可操作性强的具体措施也应在其中加以说明，以便清晰明了。

规定，是国家机关、社会团体、企事业单位针对某项具体工作或专门问题所提出的要求和规范，由主管部门或机关依据国家的法律政策制定。

……

本实施办法自下发之日起施行，由××局负责解释。

办法在日常生活中运用十分广泛，一些可操作性强的具体措施也应在其中加以说明，以便清晰明了。

21. 规定

(1)什么是规定

规定，是国家机关、社会团体、企事业单位针对某项具体工作或专门问题所提出的要求和规范，由主管部门或机关依据国家的法律政策制定。

(2)如何写作规定

规定由标题、签署和正文三部分组成：

第一部分，标题。规定的标题有两种写法：

A.由“发文机关”加“事由”加“文种”组成。如《国务院关于农民个人或联户购置机动车辆和拖拉机经营运输业的若干规定》。

B.由“事由”加“文种”组成，如《女职工劳动保护规定》。

有的规定为“暂行”，要在标题内标明。如《关于全国性专业公司管理体制的暂行规定》。

第二部分，签署。签署标明发布机关和发布日期。规定的签署有两种方式：

A.是涉及问题重大、面广、发文单位级别高的规定，签署置于标题之下。

B.普通的规定，标题中已标明发布单位，签署时可不签发文单位，只标明时间就可以了。

第三部分，正文。规定的正文，同“条例”相比，写法上比较自由灵便。一般由开头、主体和结尾三部分构成。

A.开头简明地交代制订规定的目的和缘由，即说明为什么要作出

这种规定。

B.主体部分即规定事项。所谓的“规”和“定”，既要有原则性要求，又要有具体措施和办法。规定的主体要有所提倡、有所反对，要明确“可以怎样”、“不可以怎样”，特别是对职责、权益、奖惩等问题要有具体措施。

C.规定的结尾一般以生效日期、实施要求或解释权属为内容，有些程序性的附加说明也可归入结尾部分。

(3)例文：

北京市人民政府关于加强自行车交通管理的规定

为进一步贯彻《北京市道路交通管理暂行规则》和《北京市道路交通管理暂行处罚规则》，加强自行车交通管理，除全面执行已有规定外，特重申并补充以下规定：

一、骑自行车者，必须遵守以下规定：

1.沿路靠右行驶，禁止逆行。禁止在便道上骑行。在划有机动车和非机动车分道线的道路上，禁止在机动车道上骑行。

2.转弯要提前减速，并伸手示意，不准突然猛拐、争道抢行。横穿划有上、下行四条以上机动车道的路段，必须推车从人行横道内通过。

3.在城镇地区和公路上不准骑车带人。骑车不准扶身并行，不准双手离把，不准攀扶其他车辆，不准拖带车辆，不准追逐竞驶。

4.在交叉路口遇有停止信号时，必须停在停止线以外的非机动车道内，不准越过停止线或绕行通过。

5.停放自行车，必须停放在存车处或指定地点；在未设存车处的地区，必须靠便道里边停放或放在不影响交通的地方。

二、对违反规定的，要给予批评教育，并分别情况，处以五角或一元罚款。拒不接受处理的，按规定加重处罚。

三、严格执行以责论处的原则，完全由于骑车人违反规定造成交通事故的，由骑车人承担全部责任。

四、本规定由市公安局负责实施。

××××年×月×日

应用文书

规定一般由机关部门或主管部门制定，普通个人不能制订规定。

规定一般由机关部门或主管部门制定，普通个人不能制订规定。

应用文书

规则是对某一事项或活动在一定范围内，为了达到特定的目的，顺利开展某项工作，维护某种秩序，把人们一致的认识、愿望和需要做到的事项，写成条文，作为共同遵守的准则。

22. 规则

(1)什么是规则

规则是对某一事项或活动在一定范围内，为了达到特定的目的，顺利开展某项工作，维护某种秩序，把人们一致的认识、愿望和需要做到的事项，写成条文，作为共同遵守的准则。

(2)如何写作规则

规则的内容由以下几部分组成：

第一部分，标题。一般由适用的范围和文种构成。

第二部分，正文。写本规则的目的和要求，通常先写发文缘由，次写具体内容，包括具体方法、措施、处罚手段等。

第三部分，写生效日期、解释权等方面的说明。

规则内容比较复杂的多采用分章别条列述法；内容简单的分条目陈述即可。

(3)例文：

阅览规则

一、凡入室阅览者，一律凭本人身份证领取座位号对号入座，离室时，须交回座位号，如有遗失赔款五十元。

二、本室期刊、报纸分架和闭架借阅两种方式。开架报刊，读者可自由取阅，每次只准取一册，阅后必须按排架号放回原处，不得乱扔乱放。

三、开架报纸每月换一次，凡下架散报不再借阅。

四、报纸合订本及内部资料，一律凭单位介绍信借阅，介绍信须写明查阅目的和要查找的报纸及内容。

五、本室闭架期刊和合订本期刊一律凭单位介绍信和本人工作证

对口借阅。

××图书馆

二〇〇五年九月一日

规则的内容一般比较具体，时间期限、处罚措施等应有明确的规定，做到有章可查。

23. 规划

(1)什么是规划

规划是一种用以制定比较全面的、长远的，带有发展性计划的文体。

(2)如何写作规划

规划的内容由以下几部分组成：

第一部分，标题。由制订单位、内容和文种构成。如《上海市2001—2005年市政建设规划》。

第二部分，正文。包括现实情况的分析、前景的规划、采取的对策和措施等三个部分。

A.现实情况的分析要切实、充分、实事求是。

B.前景的规划是正文的中心内容，要写得详细、具体，要提出指标。

C.对策和措施，要在原则上提出实现这一规划的对策和具体做法。

第三部分，结尾。在正文右下方写制订规划的日期，日期也可写在标题的下方。

应用文书

规划是一种用以制定比较全面的、长远的，带有发展性计划的文体。

(3)例文：

××厂经济发展十年规划

(2005年至2015年)

应用文书

制定规划的时候，一定要从自己的实际情况出发，并具有前瞻性的眼光。制定的目标既要长远，又要有可行性和操作性强。

一、基本任务和总目标

××集团总公司关于从本世纪初的前十年“力争使全国集团的年总产值翻两番”的要求，根据本厂的实际情况，制定2005年至2015年的远景规划，为全厂的高速发展打好基础。十年内的奋斗目标和重点是：研制尖端产品，赶上国际先进水平；进行部分产品的更新换代；新建和扩建部分生产车间；大量培训工人，促进技术进步；提高企业经营管理水平和经济效益，为加速集团的现代化建设作出贡献。

二、十年内的发展规划

(一)企业发展规划：新建××车间，发展××产品的生产；扩建××车间，使×种产品的生产，到2015年比现在提高×倍，年产量达到××万只。增加工程技术人员、技术工人和部分管理人员，使之从现有的××人，增加到××人。

……

三、为实现目标而采取的措施

(一)举办各种文化班、学习班，提高职工文化水平，学习先进技术，改善队伍素质，使之适合四化的要求。

(二)加强政治思想工作，正确贯彻经济责任制。严格执行奖惩制度，切实做到权、责、利相结合。克服平均主义倾向，以调动全体职工的积极性，不断提高生产技术和经营管理水平，实现各项技术经济指标。

(三)改善劳动组织，开展劳动竞赛。在保证产品质量的基础上，结合企业整顿，加强劳动纪律开展劳动竞赛，以不断提高劳动生产率。

(四)认真执行财经纪律。在处理经济业务和财务活动中，坚持以财政经济方面有关的法规、行政命令和规章制度为准则，充分发挥财会人员的内部监督作用，严肃财经纪律，提高经济效益。

二〇〇五年一月一日

制定规划的时候，一定要从自己的实际情况出发，并具有前瞻性的眼光。制定的目标既要长远，又要可行性和操作性强。

24. 工作要点

(1)什么是工作要点

工作要点是一种为了实现某一奋斗目标，而提出应该做的一些主要工作和采取的主要措施的文体。

(2)如何写作工作要点

工作要点一般由标题、正文、结尾三部分组成。

第一部分，标题。一般由单位、时间和文种构成，如《××市××局 2005 年工作要点》。

第二部分，正文。一般包括两方面内容：一是提出一定时间内的奋斗目标；二是提出为实现上述目标的工作要点和主要措施。二者可分为两部分，用小标题标明，也可不用，而用过渡句承上启下。在表达形式上，一般采用分项，一项讲述一个问题，用序数标注。

第三部分，结尾。一般包括制订工作要点的单位和日期两项，写在正文的右下方。如果在标题上已冠以单位名称，结尾就不必再重复了。

(3)例文：

××市 2003 年工作要点

奋斗目标：

工农业总产值实现××××万元，比去年增长 6.9%。其中，农业总产值××××万元，增长 5.1%。工业总产值××××万元，增长 9.2%。粮食总产量××××万斤，比上年增长 14.2%；甘蔗产量×××万吨；生猪年末存栏××万头，增长 6.2%；乡镇企业总收入××××万元，增长 31%；财政总收入力争实现××个亿，比去年提高 8.6%。

工作重点和主要措施：

1.城市的工作重点是搞好企业经济体制改革。要坚决落实简政放权的措施，政企职责分开；要理顺市与企业、企业与职工的分配关系；要建立一套鼓励企业技术改革和技术进步的机制；要建立企业主要领导人任期目标责任制。

计划工作的重点，是拟订好“十五”计划。

应用文书

工作要点是一种为了实现某一奋斗目标，而提出应该做的一些主要工作和采取的主要措施的文体。

经济建设的重点要继续抓好制糖工业。要大力发展建材工业、食品工业、饲料工业，并注意发展采矿和新材料工业。

2.农村工作的重点是搞好农村产业结构的调整。2000年，粮食播种面积150万亩，主攻方向是推广良种。

甘蔗面积26万亩，主攻方向是加强科学管理，提高单位质量。

要大力发展种养业，着重抓好果、林、桑、麻、茶、猪、羊、牛、兔、鱼十个项目。

要大力发展乡镇企业。重点发展农副产品加工业、建材业、采矿业、服务业。

3.精神文明建设，重点是加强思想工作，加强基础建设，深入开展创文明单位、文明五好家庭活动。

4.要健全干部岗位责任制，切实转变领导作风和工作作风，深入基层，深入第一线，保证各项工作的顺利开展。

××市人民政府

二〇〇二年十二月三十日

工作要点应抓住重点，把握大局，将重要的东西有序地列出，切忌将鸡毛蒜皮的小事一起罗列出来。

25. 调查报告

(1)什么是调查报告

调查报告是通过对典型的问题、情况、事件的深入调查，经过分析、综合，从而揭示出其本质或客观规律的书面报告。

(2)如何写作调查报告

一般来讲，调查报告的结构，是由标题、引言、正文和结尾四部分组成的。

第一部分，标题。调查报告的标题分单行标题和双行标题。典型的

应用文书

工作要点应抓住重点，把握大局，将重要的东西有序地列出，切忌将鸡毛蒜皮的小事一起罗列出来。

标题由调查对象、调查主题、文种三部分构成：

A.单行标题，如《对我省20家民营企业人事用工制度的调查》，“我省20家民营企业”标明调查对象，“人事用工制度”标明调查主题，“调查”标明文种。

B.双行标题，如《用公款请客送礼为何愈演愈烈？——来自我省部分县市的调查》。正题标明主题，副题标明调查对象和文体种类。

有时标题可以省略文种，如《××县小型国有企业改革试点的主要做法》；有时标题可以不点明主题，如《农村调查》《××开发区考察》。

第二部分，引言。调查报告的引言也叫前言、概述、开头。

典型的引言是说明性文字，位于全文开头，独立成段，包含调查的缘由、目的、对象、过程、方法等基本信息，有时还包含中心思想、结论等关键信息。

引言的主要作用是向读者提供背景材料，并导入正文。

第三部分，正文。正文是调查报告的主体，占全文2/3以上篇幅。作者调查得来的材料和材料的理性分析都集体中在这部分。

由于调查报告具有文章的特性，因此，正文的结构方式较为灵活，但在正文结构方面就形成了一些常用模式，主要有以下三种：

A.纵式结构。即按情况发生发展的时间顺序组织材料、安排内容。

B.横式结构。即按调查研究中获悉的情况或得出的结论，冠以小标题或序号组织材料，安排内容。

C.纵横结合式结构。即兼有纵式和横式的特点。

具体的调查报告要采用何种结构，应视写作目的和调查报告的功能而定。

情况反映调查报告的正文通常采用纵式结构，便于读者清楚了解情况的发生、发展和变化过程，获得对调查对象完整、客观的认识。

典型分析调查报告和探讨研究调查报告则多采用要横式结构或纵横结合式结构，将调查研究所得出的结论或发现的问题分别加以具体阐述和说明。

第四部分，结尾。调查报告的结尾位于全文最后，常常独立成段。它的基本作用是收束、归结全文。它可以概括全文的中心思想，也可以提出结论或点出问题，还可以补充与调查有关的信息，或仅让读者获得结束语感。

应用文书

调查报告是通过对典型的问题、情况、事件的深入调查，经过分析、综合，从而揭示出其本质或客观规律的书面报告。

应用文书

调查报告应有理有据，并提供令人信服的背景材料，同时可以在文中对一些发现的问题分别加以阐述和较详细的说明。

结尾不是调查报告必备的部分，在一些情况下，正文结束，全文也就戛然而止。

(3)例文：

潮州市实行人口指标包干责任制的调查报告

2000年，潮州市委、市政府实行人口指标包干责任制，把完成计划生育任务和发展经济，文明建设与领导班子建设等一起列入包干的内容，逐级落实，明确任务。做到区干部包乡，乡干部包村，村干部包对象。大大地调动了广大基层干部的积极性，较好地完成了计划生育各项指标，有效地控制了人口增长。去年超额完成“四术”任务，人口出生率为14.7‰，多胎率为0.75%，分别比1999年下降0.83‰和0.59%。

……

落实了人口包干责任制，他们注意抓好思想教育工作，加强检查督促工作，确保人口包干责任制落到实处。去年由市委书记亲自抓，组织有市委、市人大常委、市政府、市政协的主要领导参加的检查队伍，先后四次深入区、镇，街道开展检查，把检查计划生育工作作为主要内容之一。第一季度重点检查宣传月的实际效果和全年工作计划的部署情况；第二季度侧重检查计划外怀孕补救措施的落实；第三季度重点检查人口计划执行情况；第四季度结合年终评比，检查全年计划生育工作完成情况，及时发现和解决问题，因而取得了较好效果。

调查报告应有理有据，并提供令人信服的背景材料，同时可以在文中对一些发现的问题加以阐述和较详细的说明。

26. 公约

(1)什么是公约

公约就是大家为了共同的目的而共同拟定、共同信守的规则。

(2)如何写作公约

公约由标题、正文、落款三部分组成：

第一部分，标题。就是公约的名称，直接表达了公约的内容。

第二部分，正文。这是公约的主体。开始一段要简明扼要地写明订立本公约的目的和意义，以引出下面的条款。接着逐条逐款写出大家讨论通过的内容。有的公约没有引言，一开始就逐条逐款写。

第三部分，落款。国内单位、团体订的公约，要写清单位名称和年、月、日。如标题中已写单位名称，则落款时不再写。国际公约则要写上各国代表名字并签字盖章。有的在条文后有附件，还应特别写明附件名称。

(3) 公约最常见的几种形式

公约最常见的形式包括家庭文明公约、个体文明服务公约、商店服务公约、城市市民文明公约等。

家庭文明公约又称家庭文明责任制，它是人民群众以户为单位，在加强思想革命化，抵制和清除精神污染的过程中，所创造出的一种新的应用文样式。

个体文明服务公约是个体劳动者协会或有关部门在教育个体户遵纪守法、文明经商时所创造出来的、众个体户共同相约遵从的规则。

商店服务公约是商店的职工为保证服务质量，自觉接受群众监督时使用的一种应用文样式。

城市市民文明公约是城市市民在一定组织的指导下，共同制定、共同遵守的道德规范和准则。这种公约多半由几个组织制定，在举行“全民文明礼貌月”活动总结表彰大会上由群众组织负责宣读，而后在报纸上公开发表，在电台广播；有的还印成单页，贴在市民家庭和各机关、团体的办公室内。这种公约已经成了我国城镇人民共同遵守的道德规范和行为准则。

应用文书

公约就是大家为了共同的目的而共同拟定、共同信守的规则。

(4)城市市民文明公约例文：

首都市民文明公约

应用文书

公约要求每一个成员共同来遵守，一般在拟定的时候，应考虑到绝大多数成员内心的认同感。

第一，热爱祖国，热爱中国共产党，热爱社会主义制度，热爱首都，热爱劳动，同心同德干四化。

第二，讲文明，讲礼貌，敬老爱幼，邻里团结，家庭和睦，不说脏话，不耍态度。

第三，讲清洁卫生，不随地吐痰，不乱扔脏物，不乱倒垃圾，消灭蚊子、苍蝇、蟑螂、臭虫、老鼠。

第四，遵纪守法，维护公共秩序，不打架斗殴，不起哄。

第五，爱护山水林木，爱护文物古迹，爱护珍禽益鸟，爱护一切公共财物。

第六，积极植树造林、种草栽花，美化、绿化首都。

第七，破旧习，树新风，实行计划生育，婚丧事要简办，不赌博酗酒。

第八，开展健康的文化体育活动，坚决抵制反动淫秽书画和录音录像。

公约要求每一个成员共同来遵守，一般在拟定的时候，应考虑到绝大多数成员内心的认同感。

27. 乡规民约

(1)什么是乡规民约

乡规民约是我国农村广大干部和农民群众在建设社会主义精神文明，抵制和批判不正之风、不良习气，总结创造出来的一种新的应用文样式，是农村广大群众共同制订、相约共同遵守的道德规范和准则。

(2)如何写作乡规民约

乡规民约主要有以下几部分组成：

第一部分，标题。写法有两种：第一种，用“乡规民约”四个字标出；第二种，在“乡规民约”的上边加上制定的单位名称。

第二部分，正文。写法有两种：第一种，在条文前加几句表明目的的

前言;第二种,不要前言,一开始就写第一条,直到写完为止。为了便于记忆,便于执行,可以选用第二种写法。

正文的内容,一般限制在十条内;不要太多,但也不要只写一两条。条文定好后,按主次排列。每条的写法最好一致,句式、字数大体相等,最好押韵,好听好记。押韵办法,可以每一条四句押一个韵,一、二、四句押;也可以一韵到底,所有条文都按一个韵押下来。

每条的内容,一般是先提出一句正面要求,再写反对不按这条要求办事的错误、非法行为。这样写显得全面而没有遗漏。

第三部分,署名和日期。署名是写制定乡规民约的乡、村、队的名称;日期写在署名下,另起一行,上下对齐,好看。

(3)例文:

乡规民约

1.集体劳动好,勤劳致富步步高;正当副业要发展,投机倒把不准搞。

2.热爱集体好,不拿队里粮和草;落实生产责任制,损公肥私不能搞。

3.尊老爱幼好,赡养父母尽孝道;教育子女听党话,粗语脏话要去掉。

4.家庭和睦好,夫妻相敬偕到老;婆媳妯娌心连心,邻居团结赛金宝。

5.移风易俗好,勤俭持家要记牢;不搞迷信和浪费,计划生育不动摇。

6.文明新风好,待人诚恳有礼貌;不准打人和骂人,陋规恶习要除掉。

7.遵纪守法好,主持正义讲公道;检举坏人和坏事,打击报复法不饶。

8.四防安全好,综合治理很重要;场头仓库勤检查,实行制度排干扰。

××乡××村委会

二〇〇五年十二月二十五日

应用文书

乡规民约是我国农村广大干部和农民群众在建设社会主义精神文明,抵制和批判不正之风、不良习气,总结创造出来的一种新的应用文样式,是农村广大群众共同制订、相约共同遵守的道德规范和准则。

乡规民约一般应浅显易懂，通俗易读，便于记忆。切忌写得过于深奥，让人费解，不知所云。

经验介绍是总结、交流、推广各种经验时所写的文字材料。它不是正式文件，但在公务活动中，也有一定的指导作用，是一种参考性文件。有时是会议公文的一部分；有时它被作为“报告”送给上级；有时上级机关在上面加上批语或按语，变成批示、通报。

28. 经验介绍

(1)什么是经验介绍

经验介绍是总结、交流、推广各种经验时所写的文字材料。它不是正式文件，但在公务活动中，也有一定的指导作用，是一种参考性文件。有时是会议公文的一部分；有时它被作为“报告”送给上级；有时上级机关在上面加上批语或按语，变成批示、通报。

(2)如何写作经验介绍

经验介绍的格式由标题、署名、正文和时间四部分组成。

第一部分，标题。大体有两种写法。一是公文标题法，如《××厂关于体制改革的经验》；二是一般文章标题法。

第二部分，署名。在标题下方，署上单位或个人的名字。

第三部分，正文。经验介绍的正文在写法上比较灵活，没有固定模式。

A.开头一般介绍基本情况、工作成效或提出问题，并略加阐发。

B.主体介绍基本经验，往往从提高认识、加强领导、发动群众、掌握政策、注意方法、正确处理好各种关系等方面入手，进行总结。这是写单位或集体经验时，带有规律性的写法。

C.结语一般写存在的问题或不足之处，展望未来，有时写几句谦虚的话。

开头和结语应力戒重复，如开头写基本情况，结语就要写取得的成效；开头提出问题，结语则是解决问题。

第四部分，时间。正文之后注明经验材料的写作时间。

(3)例文：

做好无线电台工作的几点做法

(××县人民银行无线电台站)

上半年，我行无线电台站认真贯彻落实了有关文件精神，通过操作员对电台精心使用和保养，电台使用率有显著提高，机器完好率一直保持在100%，从而保证了我行与分行、各县支行之间的联络畅通，节省了电话费用，提高了办事效率，较好地完成了通信联络任务。我们的具体做法是：

一、加强组织领导工作。我们电台室由党组书记、行长×××兼业务主管，由办公室主任××直接负责。行里无线电台工作列入议事日程和目标管理，有关电台文件由办公室签发意见，主管行长直接批文。行长、主任经常深入电台过问工作情况，帮助解决电台机房建设、电台用电等问题，并多次了解电台管理的有关事宜，多次在行务会上强调辖区内联系务必用无线电台。

二、加强制度建设。为了使电台逐步走上正轨，我行电台室结合本行的实际情况于今年春天重新制订了《无线电台站值班制度》、《电台人员通信保密制度》、《电台工作间制度》，将这些制度公布出来，挂在墙上，落实在行动上。重申了防火、防盗、防腐蚀、防人为破坏的具体措施，做到了不得带入火种及易燃易爆物品(防火)，操作员单身宿舍挪到机房隔壁(防盗)，严禁带硫酸等腐蚀性药品(防腐)，严禁无关人员进入工作间(防人为破坏)。与此同时，进一步完善了目标管理责任制和电台工作考核程序，从而使电台管理制度化、规范化。

三、充分发挥电台的作用。本着"精心使用，预防为主"的原则，我们配置了专柜放置机器，每天打扫、拖洗工作间，经常保持机器整洁，做到无灰尘、无碰撞、无腐蚀、无火害，从而使机器完好率保持在100%。在此基础上，行里坚持了抽查考勤制度，电台室坚持按时开关机，认真填电台电话记录。保证迅速准确地联络，行里制定规则要求辖区内事情能用无线电台联系的，不用长途，从而使电话费降到最低限度，减少了不必要的支出。据无线电话记录本统计，通过电台与分行同各县市之间的联系，平均每天有两次。今年上半年节约电话费用上千元，从而出色地

应用文书

经验介绍一般以介绍优秀或成功的经验为主，以利于同行业学习、借鉴或推广，在写作时一定要从实际出发，切忌浮夸。

完成了通信联络任务，受到二级分行通报表扬。

二〇〇四年十月二十八日

经验介绍一般以介绍优秀或成功的经验为主，以利于同行业学习、借鉴或推广，在写作时一定要从实际出发，切忌浮夸。

应用文书

总结，也叫总结报告，是单位或个人对发生于某一时段的情况或问题进行概括和分析后撰写的文书。简要的总结也叫“小结”。

29. 总结

(1)什么是总结

总结，也叫总结报告，是单位或个人对发生于某一时段的情况或问题进行概括和分析后撰写的文书。简要的总结也叫“小结”。

(2)如何写作总结

总结的内容一般由标题、引言、正文、结尾四部分组成：

第一部分，标题。总结的标题有单行标题和双行标题两种。典型的标题由对象名称、时限、主题、文体种类四部分构成。

第二部分，引言。引言，也叫前言或开头。常规性总结，如年度工作总结，对一项具体工作或一个阶段的一般性小结，引言都很简单，主要目的是引出正文。这类总结有时甚至可以不要引言。

专题性总结则常常在引言中介绍某些背景材料或提出基本观点。

第三部分，正文。总结正文应占全文 2/3 以上篇幅。典型的总结正文有以下几个部分：

A.基本情况。这部分要求全面、简要地说明某一时期所做的各项工作(综合总结)或某项工作的各个方面(专题总结)，可分项逐条表述。但不能“记流水账”，应该着眼于大事，并要清楚反映出工作的开展过程。

B.取得的成绩。这部分要对应基本情况，有重点地概括介绍工作中取得的主要成绩或经验。这部分充分体现总结的评价性，主观评价与客观真实的材料结合起来。

C.存在的问题。总结工作中的问题与总结成绩一样，也应有重点、有主次。一般而言，成绩总是主流，但提到成绩与问题时，仍应本着实事求是的原则，具体问题具体分析，一是一，二是二。

D.今后的打算。总结和回顾过去的工作，是为了把下一阶段的工作做得更好。总结中谈到今后的打算时，既要与常规工作、中心工作和长远计划相结合，又要与本阶段存在的问题相对应。但总结毕竟不是计划，在谈今后打算时宜粗不宜细，宜简不宜繁，宜大不宜小。

第四部分，结尾。总结的结尾通常用简短篇幅作出结论或说明努力的方向、今后的打算等。如果这些内容很重要，需详写，可纳入正文中。结尾不是总结报告结构的必需部分。

(3) 总结最常见的几种形式

总结最常见的形式包括学习总结、工作总结等。

学习总结是整理和概括某一个阶段的学习成绩和心得体会的一种总结样式，是学习中常用的应用文的一个品种。这种总结，有时在某种会议上向与会者介绍经验时使用，有时在报纸、杂志上公开发表。它对提高本人的学习效果有一定作用，对别人也有借鉴作用。

工作总结又叫总结报告，它是在全面检查、评价以往一段工作得失，总结经验教训时，常使用的一种总结样式，也是工作中常用的一种应用文。

应用文书

总结既要对自己已取得的成绩予以肯定，同时也不要回避自己遇到的难题和不足之处，更要对未来提出新的展望。

(4)工作总结例文：

中国集团公司促进会 2002 年工作总结

2002 年是不平凡的一年，是中国加入世贸组织的第一年，是党的十六大召开，提出全面建设小康社会奋斗目标的一年。在这一年里，中促会把握新形势，抓住新趋势，调研新情况，反映新问题，紧紧抓住提高大型企业集团国际竞争力这个主题，在服务功能、服务手段上有了新的进展。

全年工作概括为“三、三、二、一”，即组织了三个课题研究，召开了三次重要会议，举办了二期培训班，编辑出版了一本书。三个课题是：

声明是告启类文书的一种。它是作者就有关事项或问题向社会表明自己立场、态度的应用文体。

政党和国家的领导机关及其领导人可以发表声明,机关单位、社会团体、企事业单位可以发表声明,其他组织或公民个人也可以发表声明。发表声明是我国法律赋予上述主体参与民事法律活动的权利。

《大型企业实施“走出去”战略研究》《大型企业集团投资审批制度改革研究》和《母子公司关系研究》。

三次重要会议是：博鳌高层研讨会、中促会成立15周年庆祝大会、两网工作会。两期培训班是:中外企业对比讲习班。一本书是《国有企业改革政策演变》。现分述如下：

一、为大型企业集团提高国际竞争力,争取公平竞争的外部环境,发展具有国际竞争力的大型企业集团,是党中央、国务院做出的重要部署,是一项对我国经济发展具有重大战略意义的工作。中促会根据调研情况,选择了企业普遍关心的两个问题,运用不同的形式组成了课题小组;并将研究成果上报国务院有关领导,引起了领导的重视,并做了重要批示。

……

三、加强自身建设,不断培育、提高服务功能。

四、工作中的体会和不足。

二〇〇二年一月十六日

总结既要对自己已取得的成绩予以肯定，同时也不要回避自己遇到的难题和不足之处,更要对未来提出新的展望。

30. 声明

(1)什么是声明

声明是告启类文书的一种。它是作者就有关事项或问题向社会表明自己立场、态度的应用文体。

政党和国家的领导机关及其领导人可以发表声明,机关单位、社会团体、企事业单位可以发表声明，其他组织或公民个人也可以发表声明。发表声明是我国法律赋予上述主体参与民事法律活动的权利。

(2)如何写作声明

声明的内容由标题、正文和尾部三部分组成。

第一部分，标题。一般有三种形式：

A.只写文种“声明”，并且比较常见。

B.由事由和文种构成，如《关于维护本公司注册商标权的声明》《遗失声明》等。

C.采用发布机关名称、授权事由、文种三项结构形式，如《××有限责任公司授权常年法律顾问×××主任律师声明》。

此外，有的在“声明”前面还加修饰词“郑重”，以表明自己是严肃对待声明事项的，多用于为保护合法权益而发表的声明。

第二部分，正文。简明扼要地写明发表声明的原因，表明对有关事件的立场、态度。

第三部分，尾部。包括署名、时间和附项三项内容。写完正文，于右下方由声明单位署名，并于其下写明年、月、日期。

(3) 声明最常见的几种形式

声明最常见的形式包括遗失作废声明、维权声明等。

遗失作废声明就是单位或个人在遗失比较重要物件，并且该物件由拾到者使用会产生对原物主有不利影响而发布的，此物件作废无效的声明。这类遗失物多为身份证、银行存折等。

维权声明是单位或个人为维护自己的合法权益而发表的声明。

(4) 遗失作废声明例文：

遗失作废声明

本人于××××年×月×日，在北京市复兴路×号附近遗失护照一本，编号为××××××，特声明作废。

王勇

××××年×月×日

声明的语言要尽可能做到郑重、严肃、简洁，但同时又得把要讲的意思彻底表达清楚。

应用文书

声明的语言要尽可能做到郑重、严肃、简洁，但同时又得把要讲的意思彻底表达清楚。

会议方案是召开大中型会议之前，对会议如何召开所作的预想性方案，是一种书面文字材料。

31. 会议方案

(1)什么是会议方案

会议方案是召开大中型会议之前，对会议如何召开所作的预想性方案，是一种书面文字材料。

(2)如何写作会议方案

会议方案一般包括标题、主送机关、正文、落款，有的还有附件。

第一部分，标题。有两种标题法：

A.由开会机关名称、会议名称和文种组成。

B.由事由和文种构成。

第二部分，主送机关，即写上报批的领导机关。有的也可以不写主送机关。

第三部分，正文。一般由开头、主体和结语组成。

A.开头，写召开会议的依据(原由)、单位、会议名称、会议时间、地点、会期等，然后用“特制定会议方案如下”，作承上启下的连接语。

B.主体写会议宗旨(目的)、会议规模(参加会议人员)、会议议程、会议日程、会议开法、会议的准备工作、经费预算等。有的还把邀请上级主管部门参加会议的名单写上，如果请某位领导讲话或作报告，也要注明。其讲话稿如何准备，必要时也要说明。

C.结语，写“以上方案，当否，请批示”。

第四部分，落款。写上召开会议的单位名称，或写会议领导小组，也有写会议筹备小组的。写上拟定此方案的时间。

(3)例文：

××厂关于召开职工教育工作会议的方案

××市机械局：

为了贯彻落实中共中央、国务院《关于加强职工教育的决定》，我厂拟定于5月10日至15日，在厂招待所召开职工教育工作会议，特制定会议方案如下：

一、会议目的。认真学习中共中央、国务院《关于加强职工教育工作的决定》，传达省市教育工作会议精神，结合我厂实际情况，制订加强职工教育的规划，研究落实中青年职工的“双补”教育工作。

二、会议规模。主管教育工作的厂党委书记、厂长；厂部有关科室负责人、工作人员；各分厂主管教育工作的负责人；各车间主管教育工作的主任；工会、共青团各级主管教育工作的负责人，共58人。

三、会议日程。5月10日，传达省市教育工作会议精神，学习中共中央、国务院《关于加强职工教育工作的决定》。大会传达后，分组讨论，吃透上级精神，提高认识，端正态度。5月11日至15日，结合我厂实际情况制订加强职工教育规划，研究落实“双补”教育任务，解决“双补”教育中的各种实际问题。

四、会议。采取大小会相结合的方法进行。10日上午举行开幕式，大会传达上级会议精神及中央文件，由党委书记×××作动员报告。15日下午举行闭幕式，宣读我厂加强职工教育规划，部署开展“双补”教育任务和措施。其余时间主要是分组讨论。

五、会议准备工作。厂里准备抽调十名熟悉教育工作的同志，用半月时间通过调查研究，上下结合，写出一份加强我厂职工教育工作特别是开展“双补”教育工作的实施方案，并制订出加强职工教育工作五年规划(草案)，拿到会议上讨论修改。

六、会议经费。为了集中精力开好会，所有参加会议人员一律在招待所住宿。其各项开支见附表。

七、请局领导参加我们的会议，并请分管教育工作的×××局长在开幕式上讲话。关于讲话稿的撰写，将派专人面谈。

以上方案，当否，请批示。

××厂(公章)

二○○四年五月八日

附：会议各项开支预算表(略)

会议方案应写到一些具体细节，如时间、地点、参加人数、经费预算等都应写明确，以增加可操作性。

应用文书

会议方案应写到一些具体细节，如时间、地点、参加人数、经费预算等都应写明确，以增加可操作性。

提案是提请国家代表机关或一定组织的会议讨论、处理的意见或建议。它一般由会议出席人或法律、章程上规定的机构或个人提出。

32. 提案

(1)什么是提案

提案是提请国家代表机关或一定组织的会议讨论、处理的意见或建议。它一般由会议出席人或法律、章程上规定的机构或个人提出。

(2)如何写作提案

一个完整的提案，一般由提案、理由、办法、落款四部分组成。

第一部分，提案，又叫“案由”。要概括明了地写出建议、主张、意见的内容。这部分类似于文章的正标题，往往用一个表示范围的介词结构“关于……提案”表达出来。要求写得简明扼要。如提案被采纳，则由主管部门在这部分前面加上编号，往往写上××省(市)第×届××代表大会第×次会议第××提案”的字样，以备查找。

第二部分，理由。这是提案的主要部分。即对提案的说明进行论证，使提案有理有据，有说服力。一般写法是列举事实，指明性质，提出解决问题的必要性。其中说话要中肯，讲究分寸，实事求是。

第三部分，办法。要写清楚实现提案的办法和措施。办法的内容要具体明确，切实可行；表述要有层次，可以分条列项写，也可以写成一个大段包含几层意思，即有几个办法。

第四部分，落款。写上提议人和附议人，签名盖章，如果是以集体名义写的提案，则要把单位的全称写出来。最后还要写明提案日期。

(3)例文：

关于我厂不再配备私人生活用具的提案

案由：宿舍家具折价卖给职工，今后我厂不再配备私人生活用具。

理由：我厂为职工配备私人生活用具，虽可方便职工，但也有不少弊端。诸如，厂里每增加一批职工，即需添置一批家具，这就增加了全厂

的经济负担；职工按月交家具费，不少老职工所交的家具费总数，实际上早已超过所使用家具当初购买的价格，这就无形中增加了这批老职工的经济负担；家具质量不等，不易做到合理分配；家具不易管理，丢失损坏严重。为此，建议将现有宿舍家具折价卖给职工，今后厂里不再配发私人生活用具。

办法：

1.自即日起实行家具冻结，不再配发或更换新家具。

2.由总务处组织力量对职工宿舍使用家具的数量及新旧程度进行清查、评定、登记。

3.由财务处计算出每个职工所使用家具的折合价格，按价将家具卖给使用者。钱款可由财务科分期从使用者工资中扣还，或由使用者一次交清。不愿购买者可将家具交还。

以上提议，当否，请职工代表大会研究决定。

提议人：×××、×××

附议人：×××、×××、×××

××××年×月×日

提案一般由一些具有特殊身份的人提出，并不是每一个普通人都能享有这种特权的。

应用文书

会议记录是一种在会议中记录人员把会议的基本情况（时间、地点、出席人数、主持者、讨论的主要问题等）、研究和讨论的问题、报告、发言的内容、形成的决议等如实记录下来成为书面材料的一种文书。

33. 会议记录

(1)什么是会议记录

会议记录是一种在会议中记录人员把会议的基本情况（时间、地点、出席人数、主持者、讨论的主要问题等）、研究和讨论的问题、报告、发言的内容、形成的决议等如实记录下来成为书面材料的一种文书。

(2)如何写作会议记录

应用文书

许多会议记录是用来做资料保存的，必要时用来查档。所以对一些话是谁说的，一定要记清楚，千万别将人名弄混淆了。

会议记录通常采用专用记录稿纸记录，一般由标题、会议组织情况、会议内容和会议结尾四个部分组成：

第一部分，标题。即记录的名称。一般由单位名称、会议名称(含届、次)加上“记录”组成。

第二部分，会议的组织情况。会议记录的第一部分包括会议名称、时间、地点、出席人数(人数较少的可以直接记下出席人的姓名)、缺席人数、列席人、主持人以及记录人。

第三部分，会议内容。包括议题、讨论过程、会议发言或讲话的内容、传达的问题或作出的决议等。

会议记录结束时，一般无特殊规定，习惯上另起一行写“散会”、“完”、“结束”字样，以为标示。

会议记录的基本要求是真实、准确，记录人耳灵手快、会后及时整理。

第四部分，会议结尾。会议内容记完，转行，空两格。写“散会”或“结束”。记录完毕在会议记录的右下方，由会议主持人和记录人签名，以示负责。

(3)例文：

××矿区行政办公会议记录

时间：2003 年 8 月 28 日

地点：矿区办公楼会议室

主持人：杨长青主任

参加人：矿区副主任宋圭、劳资科科长邓君、财务科科长李明、安全科科长王江、人事科科长方雷、办公室主任董爱国。

记录人：杨东宝、王珊

会议议题：

(1)二季度奖金发放办法；

(2)自然减员招工方案；

(3)有关人员的调动问题；

(4)对违反劳动纪律人员的处理问题。

会议内容：杨主任说：“……”

宋副主任说:“……”

会上达成的协议:

(1)矿区二季度奖金按总公司 2001 年 1 月制订的《奖金发放办法》(试行草案)第六条、第七条办。

(2)这次自然减员招工,招收 1995 年以前参加工作的职工的子女,并实行文化统考,择优录取的办法(详细规定由劳资科负责制订)。

(3)同意刘详同志以父母身边无人为理由,调往达华容器厂工作;同意徐炜同志与硫铁矿刘涛对调,解决其夫妻长期两地分居问题。

(4)对矿工陈海无故旷工三天的行为,责成劳资科在全矿区内给予通报批评,并扣发旷工工资及当月奖金。

散会。

记录人(签字):杨东宝、王珊

主持人(签字):杨长青

××矿区办公室(盖章)

2003 年 8 月 28 日

许多会议记录是用来做资料保存的,必要时用来查档。所以对一些话是谁说的,一定要记清楚,千万别将人名弄混淆了。

34. 会议简报

(1)什么是会议简报

会议简报是以书面形式写出的关于会议的情况。简明扼要的报告,是党政机关、人民团体、企事业单位广泛使用的一种比较特殊的文种。

应用文书

会议简报是以书面形式写出的关于会议的情况。简明扼要的报告,是党政机关、人民团体、企事业单位广泛使用的一种比较特殊的文种。

(2)如何写作会议简报

会议简报通常由报头、报身(正文)、报尾三部分构成。

第一部分,报头。报头多有一套专门设计的固定版式,上面正中用醒目大字标明简报名称,报名下面标明编印机关、印发日期、编号。简报

会议简报一般要抓住有指导意义、能引导会议健康发展的内容加以报送，文字应简洁、明快。

名称可由会议全称和文种(简报)组成，也有的只标“会议简报”字样。编号常用括号标在标题正下方靠近标题的地方。

第二部分，报身。又称正文，报身是会议简报的主体。通常的写法有三种：

A.综述法：即由编者采集各方面的言论、意见加以概括而成，相当于会议的综合报道，将会议的进程、出席情况、会议的发言和议程一一加以反映。

B.重点报道法：重点反映会议的某个重要报告的内容，小组讨论情况或一个与几个人的发言等。

C.摘要法：摘录代表发言的概要，供与会者参阅。

第三部分，报尾。报尾写在简报最后一页的下方，注明主送单位或个人姓名、抄送单位、增发单位和印发份数。

会议简报的编写，要求及时、简明。涉及各级机密事项的内容不应报道。

(3)例文：

××市政协六届×次会议简报

(第 24 期)

小标题：呼吁、建议今年政府应办几件实事

××委员说：建议市长要有相应的短期目标，要像×××那样一年办几件实事，年终总结，有哪些完成，有哪些没完成，为什么。

……

小标题：改“三公开一监督”为好

×××委员认为：报告在谈到廉政建设时，提出实行“两公开一监督”，我们认为应改为“三公开一监督”，即再增加公开市、县两级主要领导的经济收入，以便接受人民群众的监督。

……

主送：××××

抄送：××××、××××

印数：3000 份

会议简报一般要抓住有指导意义、能引导会议健康发展的内容加以报送，文字应简洁、明快。

35. 会议纪要

(1)什么是会议纪要

会议纪要是一种记载、传达会议情况及议定事项的纪实性公文。它用于党政机关、社会团体、企事业单位召开的工作会议、座谈会、研讨会等重要会议。

(2)如何写作会议纪要

一般来说，会议纪要由版头、标题、正文和落款四部分组成：

第一部分，版头。版头都是固定的。

A.日常工作会议、办公会议的纪要一般都有固定的版头。如：

工程会议纪要

第×期

北京市城乡建设委员会办公室　　　　200×年×月×日

B.有的版头把制发机关名称放在会议纪要前面，如：

首都规划建设委员会办公室

会议纪要

第×期　　　　200×年×月×日

如果会议纪要用报告的形式上报或用通知的形式印发，则用公文版头。

凡用专门版头的会议纪要，只标注“第×期”，用报告、通知形式上报、下发的，用报告、通知的文号。

用专门版头的会议纪要，成文日期在版头的右下角。其余会议纪要的成文日期放在会议纪要的末尾处。

第二部分，标题。会议纪要的标题有多种写法，如：

A.只写机关部门名称或与会人员身份和会议纪要。

应用文书

会议纪要是一种记载、传达会议情况及议定事项的纪实性公文。它用于党政机关、社会团体、企事业单位召开的工作会议、座谈会、研讨会等重要会议。

会议纪要记录的内容一般要抓住事件最主要的核心，切忌蜻蜓点水，或者面面俱到。

例如，《中国电影艺术家协会书记处会议纪要》《××市人民政府常务会议纪要》《××局局长办公会议纪要》。

B.只写会议性质和会议纪要。

例如，《全国农村工作会议纪要》《北京市成人高校工作会议纪要》。

C.用制发机关名称，有事由，有文种，没有“关于”关联词和纪要。

例如，《广播电视局电视剧创作座谈纪要》《化工局安全生产工作会议纪要》。

D.“三要素”齐全的标题。

例如《关于灯市东口煤气调压站工程协调会议纪要》《关于研究杜家坎铁路立交方案问题的会议纪要》。

E.如果会议纪要在报上发表，则可以用主标题和副标题。

例如：进一步贯彻《关于党内政治生活若干准则》，坚决纠正不正之风，中央纪委召开第三次贯彻《准则》座谈会纪要。

第三部分，正文。会议纪要通常不写主送机关。如随报告、通知行文，则依报告、通知的主送机关。会议纪要标题以下即是正文。会议纪要的正文由以下四部分组成：

A.会议概况。这部分写会议的时间(如会期超过一天，则写明起止日期)、地点、主持人、参加人、列席人、领导同志参加情况、会议议题等。

B.会议精神。这部分主要写明对会议需要解决的问题、会议的重要性、会议所取得的成果等进行分析与评价，使会议纪要带有一定的说理性。这种对会议精神的概括，要十分准确，语言要精炼。

一般的办公会议及工作会议，不用写这部分，只有规格较高的重要会议才写。

C.会议议定事项。办公会议及工作会议常常通过会议作出某些决定，这些决定可按会议研讨顺序归纳整理、扼要写出。如“经研究，议定事项如下：”，下面用序码标示写出若干事项。

座谈会纪要，可按会议座谈内容的逻辑顺序分列成若干问题，再按发言顺序分别叙述。

重要的专题性工作会议，可按会议讨论和议定事项的内容分成若干层次，每个层次可冠以小标题或序码，使之条理清楚，内容

主次有序。

D.结语。一般性会议纪要可不写结语，重要的工作会议和讨论会、座谈会纪要有结语，多数写一段对会议的评价，对工作提出希望、号召、要求等。

结语有三种写法：

第一，以会议名义向本地区、本系统发出号召，要求广大干部和群众认真贯彻执行会议精神。

第二，突出强调贯彻落实会议精神的关键问题，指出应注意的问题。

第三，对会议做简要评价，提出希望、要求。

第四部分，落款。署名和日期均写在正文的右下方。署名写会议主办单位名称，用全称。成文日期一般以会议结束的日期为准。公开发表的会议纪要，其日期写在标题下方正中。

落款之后应有抄报、抄送及印刷说明等。

会议纪要记录的内容一般要抓住事件最主要的核心，切忌蜻蜓点水，或者面面俱到。

应用文书

开幕词，是会议的主要领导人代表会议举办单位，在会议开幕时对与会者的讲话，其内容一般是阐明会议的宗旨、性质、任务、目的、要求和重要意义。开幕词集中地体现了会议的指导思想，对会议具有指导性、方向性意义。它被称做是会议的序曲，对会议的进行起着重要的指导作用。

36. 开幕词

(1)什么是开幕词

开幕词，是会议的主要领导人代表会议举办单位，在会议开幕时对与会者的讲话，其内容一般是阐明会议的宗旨、性质、任务、目的、要求和重要意义。开幕词集中地体现了会议的指导思想，对会议具有指导性、方向性意义。它被称做是会议的序曲，对会议的进行起着重要的指导作用。

(2)如何写作开幕词

开幕词一般分为标题、称谓、正文三个部分：

以简洁的话语宣布会议开幕，一般只有一句话，如"中国共产党第十五次全国代表大会现在开幕"、"中华人民共和国第十二届运动会现在开幕"。

第一部分，标题。常见的有三种形式：

A.会议名称加"开幕词"。如《中国共产党第×次全国代表大会开幕词》《中国人民政治协商会议第×次会议开幕词》等。

标题下面用括号标明致词的日期，在日期下方正中写上致词人的姓名。

B.用"×××在××会议开幕式(闭幕式)上的讲话"作为标题。如《曾庆红同志在第四次信访工作会议开幕式上的讲话》。

C.新闻式的标题，主标题揭示主旨，副标题说明"在××会议上的开幕词"。如《我们的文学应该站在世界的前列——中国作家协会第六次会员代表大会开幕词》。

第二部分，称谓。称谓是对与会听众的称呼，写在标题下，另起一行，顶格。

要根据会议的性质和与会者的实际情况，准确地选用称谓，注意不要有所遗漏，一般用泛称，如"各位代表，各位同志"，"朋友们"，"同志们"，"女士们"，"先生们"等。

第三部分，正文。开幕词正文包括三个部分：

A.开头部分。以简洁的话语宣布会议开幕，一般只有一句话，如"中国共产党第十五次全国代表大会现在开幕"、"中华人民共和国第十二届运动会现在开幕"。

有的还在开头部分简要地说明会议是在什么形势下召开的，有什么意义，会议的筹备情况和出席会议的人员情况，等等。

B.中间部分。这一部分的内容有：

第一，简略说明会议的主要议题和议程。

第二，阐述会议的意义及其重要性。

第三，概述会议的指导思想及今后的任务。

这一部分是正文内容的重点，要写得条理清晰，重点突出。

C.结尾部分。一般分两个层次：

一是向有关人员表示感谢。

二是用凝练的、富有鼓动性的语言发出号召或表示祝愿。

最后往往用"预祝会议圆满成功"之类的语句或以振奋人心的号召结束全文。

(3)例文：

连云港市工商业联合会第十届会员代表大会开幕词

(2002 年 6 月 28 日)

周文银

各位代表、各位领导、各位来宾：

连云港市工商业联合会第十届会员代表大会在市委、市政府的亲切关怀下，在省工商联、市委统战部的指导帮助下，今天隆重召开了。这是市工商联全体会员的一件大喜事。

莅临今天大会的有：省委统战部、省工商联的领导同志；市委、市人大、市政府、市政协的领导同志；各兄弟市工商联的领导同志；市委统战部、市各民主党派、各人民团体和市直有关部门的负责同志；各县区委统战部的负责同志。各位领导的亲临，充分体现了党和政府及社会各界对我会工作的关心和支持。在此，我代表市工商联第十届会员代表大会主席团，向各位领导和来宾表示热烈的欢迎和衷心的感谢！

出席今天大会的会员代表中，有为社会主义现代化建设作出突出贡献的老一辈工商界人士，也有沐浴着改革开放春风成长起来的新一代非公有制经济代表人士；有团体会员代表，也有经济工作者代表。新老代表欢聚一堂，共商新形势下工商联工作大计，这充分体现了我市工商联事业兴旺发达，后继有人。

这次大会是在全国上下认真学习贯彻江泽民总书记“五·三一”重要讲话，我市广大干部群众为实现富民强市、快速崛起的目标而努力奋斗的新形势下召开的一次盛会，是进入新世纪后第一次会员代表大会。开好这次大会，对于加强工商联自身建设，巩固和发展政治交接成果，进一步发挥具有统一战线性质的人民团体和民间商会职能，努力培养和造就一支合格的有中国特色社会主义事业建设者队伍，促进我市非公有制经济健康快速发展，都具有十分重要的意义。

这次代表大会的主要议程是：一、听取和学习市委和省工商联领导同志讲话；二、听取和审议《连云港市工商业联合会第九届执行委员会工作报告》；三、选举产生连云港市工商业联合会第十届执行委员会、常委、会长、副会长、秘书长；四、推选出席省工商联八届会员大会代表；五、通过大会决议其他有关事项。

应用文书

出席今天大会的会员代表中，有为社会主义现代化建设作出突出贡献的老一辈工商界人士，也有沐浴着改革开放春风成长起来的新一代非公有制经济代表人士；有团体会员代表，也有经济工作者代表。

开幕词是会议的序幕，同样是会议极其重要的组成部分。开幕词的精彩程度、是否吸引人，对下一步会议的顺利进行有着直接的影响。

各位代表、各位同志，江泽民总书记5月31日在中央党校省部级干部进修班毕业典礼上发表了重要讲话。他的讲话高屋建瓴，内容丰富，思想深刻，论述精辟，进一步丰富和发展了马克思主义理论，进一步深刻阐述了“三个代表”的重要思想，是对建设有中国特色社会主义伟大事业发展规律新的认识和总结，是对“七一”重要讲话的继续和深化，是为党的“十六大”召开所作的重要思想理论准备，是在新世纪全面推进党的建设，全面推进社会主义现代化建设的纲领性文件。我们一定要认真学习，把握实质，全面贯彻，为我市的经济发展，人民富裕，社会稳定多作贡献。

这次大会是一次非常重要的会议。希望与会代表不辜负全体会员的重托，解放思想，集中精力，开好这次大会。让我们共同努力，完成这次大会预定的各项议程，把这次会议开成一个承前启后、继往开来的大会，开成一个团结、民主、和谐、奋进的大会。

预祝大会满成功！

开幕词是会议的序幕，同样是会议极其重要的组成部分。开幕词的精彩程度、是否吸引人，对下一步会议的顺利进行有着直接的影响。

37. 闭幕词

(1)什么是闭幕词

闭幕词，是会议的主要领导人代表会议举办单位，在会议闭幕时的讲话。其内容一般是概述会议所完成的任务，对会议的成果作出评价，对会议的经验进行总结，对贯彻会议精神提出要求和希望。

(2)如何写作闭幕词

闭幕词与开幕词一头一尾，相互对应，有着明显的宣告性特点，闭幕词的正文分为三个部分：

A. 开头部分。用简短的文字说明会议在什么情况下圆满结束或“胜利闭幕”。有时还在这一部分概括地对会议作一总的评价。

B.中间部分。这一部分是主体部分，内容较多，首先对会议情况作简要的叙述和评价，诸如学习了什么，讨论了什么，参观了什么，通过了什么，研究解决了什么，取得了什么经验与成绩，会议有什么重要意义，等等；然后向与会人员提出如何贯彻会议精神的要求，提希望，发号召。

这一部分要写得层次清楚，重点突出，有号召力和鼓动性。

C.结尾部分。代表全体与会人员对为大会工作的同志表示感谢，宣布会议闭幕。

(3)例文：

武汉市第十一届人民代表大会第一次会议闭幕词

(2003 年 1 月 12 日)

赵零

各位代表、同志们：

武汉市第十一届人民代表大会第一次会议，经过全体代表和同志们的共同努力，圆满完成了预定的各项议程。在大会即将闭幕之际，我谨以大会主席团的名义，向全体代表、列席会议的同志和参加旁听的市民，表示衷心的感谢！向为大会付出辛勤劳动的新闻媒介的朋友、武警官兵、公安干警以及会议工作人员，致以诚挚的谢意！

会议期间，代表们以邓小平理论和“三个代表”重要思想为指导，认真学习贯彻党的十六大精神，紧密联系武汉实际，审议通过了各项议题和决议；并积极反映人民群众的意见和愿望，提出了许多高质量的议案和宝贵的建议。大会批准的市政府工作报告，明确了我市今后五年及 2003 年的奋斗目标和任务。大会经过民主选举，产生了新一届市级国家机关的领导人员。会议开得很成功，这次会议是承前启后、继往开来的大会，是民主团结、求真务实的大会，是鼓舞人心、催人奋进的大会。会议审议通过了我市全面建设小康社会、率先基本实现现代化的宏伟蓝图，必将对武汉的经济和社会发展产生深远的影响。

……

各位代表、同志们，武汉正处在改革开放和现代化建设的关键时期，崇高的使命激励着我们，艰巨的任务鞭策着我们。现在目标已经确

应用文书

闭幕词可以说是为会议结束划上了一个圆满句号。闭幕词应尽量写得精彩，切忌虎头蛇尾，草草收场，甚至使人对整个会议留下不好的印象。

定，关键在狠抓落实。把宏伟蓝图变为美好现实，要靠全市上下和全体人民的共同努力。让我们高举邓小平理论伟大旗帜，全面贯彻“三个代表”重要思想，紧密团结在以胡锦涛为总书记的党中央周围，在中共武汉市委的领导下，万众一心，扎实工作，奋发图强，为实现我市全面建设小康社会的目标而努力奋斗！

现在我宣布：武汉市第十一届人民代表大会第一次会议闭幕！

闭幕词可以说是为会议结束划上了一个圆满句号。闭幕词应尽量写得精彩，切忌虎头蛇尾，草草收场，甚至使人对整个会议留下不好的印象。

38. 讲话稿

(1)什么是讲话稿

讲话稿是领导人在开会中所作的讲话的稿件，表现领导人对会议的指示和关心，往往是会议的补充报告。它是个人或个人以集体的名义，在重大的会议中，或在较隆重的场合，或各种群众性的集体上发表全部讲话内容的文稿。

(2)如何写作讲话稿

讲话稿同“通知”等其他应用文样式不同，它没有一个固定的格式。讲话稿由标题和正文两部分组成。

第一部分，标题。标题的形式有如下几种：

A.讲话人加会议名称加文种，如《万里同志在全民义务植树绿化首都动员大会上的讲话》。

B.正题加副题。如《向全市人民热烈祝贺新年———彭冲同志代表市委和市人民政府发表广播讲话》，正题是作者拟定的，副标题是编辑者加上去的。

C.“在”加“××会议”加“上的讲话”。如《在欢迎金日成主席的宴会

应用文书

讲话稿是领导人在开会中所作的讲话的稿件，表现领导人对会议的指示和关心，往往是会议的补充报告。它是个人或个人以集体的名义，在重大的会议中，或在较隆重的场合，或各种群众性的集体上发表全部讲话内容的文稿。

上的讲话》。

D.会议名称加文种。如《延安文艺座谈会上的讲话》。

第二部分，正文。这部分的写作方法，与写一般文章有相同的地方，如选择材料、确立主题、选用体裁、安排结构、运用语言等，和常用文体基本一致。不同的地方是，除不署名外，其他部分的表达方式同书信体文章一样，前面有称呼，开始有问候，最后有祝贺、敬意、勉励的话等。作者这样写作的目的，都是为了收到更好的讲话效果，是为了缩短讲话人同听众之间的距离。

(3)例文：

辉煌业绩是怎样创造的

——×××在××会议上的讲话

朋友们：

大家好!

如果您经常使用电脑，您肯定听说过一个叫“连邦软件”的公司，这是我省最大的软件销售企业；如果您经常上网，您大概浏览过一个叫“8848”的网站，这是国内目前最大的电子商务网站之一；如果您是一个关心股市行情的人，您或许熟悉综艺股份和最近在香港上市的南大苏富特软件股份有限公司。这些著名的公司，这些著名的网站都属于同一家企业———江苏综艺集团。

如果我告诉您，这个集团10多年前还只是江苏通州市黄金村的一家乡镇企业，一个普普通通的靠21台缝纫机起家的村办小厂，您会相信吗？短短十几年的时间，这家小厂就跃升为一个资产市值近百亿元、跨行业跨国界的大型企业集团，而且进军中关村、控股多家国内名牌网站，这不能不说是一个奇迹。创造这一奇迹的是一位30多岁的年轻共产党员，他叫昝圣达。

昝圣达，一位普通农民的儿子，如果没有艰苦创业的决心，没有勇于进取的精神，没有无私奉献的情怀，或许他永远悄无声息。当然，也肯定没有综艺集团的今天。

……

昝圣达通过不断超越自我，迅速实现了从农民到企业家，从一般

应用文书

讲话稿通常是个人才华和能力的一种综合体现，如果一个人的讲话稿获得了听众的阵阵掌声，那么这个人已经取得了成功的第一步。

单位年度预算说明书指纳入预算管理的行政机关、团体、事业单位对本单位年度预算的数字进行说明的文字。

农民企业家到具有现代化经营理念和管理才干的高素质企业家的飞跃，他的确是大有希望的新人。我们深信，昝圣达一定会在希望的田野上创造出新的灿烂、新的辉煌！

谢谢大家。

讲话稿通常是个人才华和能力的一种综合体现，如果一个人的讲话稿获得了听众的阵阵掌声，那么这个人已经取得了成功的第一步。

39. 单位年度预算说明书

(1)什么是单位年度预算说明书

单位年度预算说明书指纳入预算管理的行政机关、团体、事业单位对本单位年度预算的数字进行说明的文字。

(2)如何写作单位年度预算说明书

单位年度预算说明书的内容一般以文字说明体式为主。它由三方面组成：

第一部分，概况。即写出本单位主要财务状况。按主管部门要求而定，差额预算单位概括反映收入支出的全貌及利润分配情况；全额预算单位反映支出的数额及职工人数。

第二部分，分项说明。由于单位预算相比财政预算简单得多，可按预算科目逐条解释，也可挑选包涵内容多、比较重要、容易出问题的科目列示，并加以分析，如差旅费增加，与去年相比增加的因素很多，有人员增加、物价上涨、工作范围扩大等，要分析有根有据，譬如：物价上涨可据当年物价上涨指数来匡算。

第三部分，措施。有收入的差额预算单位要对组织收入的措施进行说明，要有可操作性，提出可能存在的困难和问题。

(3)例文：

××单位2003年度经费预算编制说明

随着业务工作量的扩大，所需经费有所增加，2003年度经费预算总额×万元，其中：正常经费×万元；基建费×万元。

一、正常经费预算×万元，由如下组成：

①工资×万元，含聘用司机、打字员等临时人员工资。

②补助工资×万元，其中含月人均水电煤补贴、副食品价格补贴、误餐补贴、奖金、出勤补贴五项之和。

③职工福利费×万元，主要包括医药费。

④离退休人员费用×万元，包括×名离退休人员工资、福利费、医药费等。

⑤公务费×万元，包括邮电费、水电费、差旅费，由于物价上涨增加旅费，二是专项检查旅费含其中，汽车费的养路费、保险费、燃料费、修理费、其他五项合计每台小车平均需2万元左右，共计×万元。

⑥设备购置费×万元，由于业务量增加，需购小车1台计×万元，需添置微机×台，×万元。

二、基建费总额×万元，主要是省和部分地市需购车，预计购×套房，人均面积80平方米，需经费×万元。

我单位将本着“节约使用，合理用款”的原则，切实用活用好资金，保证各项工作的顺利开展，为平衡国家的财政预算做贡献。

单位年度预算说明书一般以过去的一年或几年为参考依据，同时也要考虑一些譬如物价上涨所引起的计算偏差。

40. 可行性研究报告

应用文书

可行性研究报告是在调查研究基础上，分析论证某个建设或改造项目有效可行，并通过比较，提出技术上合理、经济上合算的最佳方案的书面报告。

(1)什么是可行性研究报告

可行性研究报告是在调查研究基础上，分析论证某个建设或改造项目有效可行，并通过比较，提出技术上合理、经济上合算的最佳方案的书面报告。

可行性研究报告在提出方案时，一定要做一些必要的分析，让人一看就明白为什么这样做才是最佳方案。

(2)如何写作可行性研究报告

可行性研究报告的内容一般由标题、正文、落款三部分组成：

第一部分，标题。标题由三个方面的内容组成：

A.单位名称。

B.经营项目。

C.文书名称。

第二部分，正文。占全文的三分之二，由于可行性研究报告的篇幅较长，内容复杂，列述时还要注意各部分大小标题的格式和序码使用的统一。写作时要注意以下几点。

A.论点要鲜明。

B.论据要充足。

C.论证要严密。

第三部分，落款。可行性研究报告的落款应包括经济负责人的签字盖章，另起一行，在右下角署名和日期。

(3)例文：

中国××国际经济技术合作公司与港商合资
经营××出租汽车公司的可行性报告

本报告是由中国××国际经济技术合作公司(以下简称甲方)与香港××金属有限公司(以下简称乙方)在充分协商和调查的基础上共同编写。

一、企业的名称、地址及负责人

1.企业名称：××出租汽车公司。

2.地址：××市××区(具体地址待定)。

3.项目负责人：甲方，×××；乙方，×××。

二、项目的提出(从略，下同)。

三、合资双方简况和经营方针。

四、技术与设备(包括维修设施和维修零配件供应)。

五、组织机构。

六、资金概算和来源。

七、经济效益分析

八、结论。

甲方:×××(盖章)　　乙方:×××(盖章)

代表:×××(盖章)　　代表:×××(盖章)

××××年×月×日

可行性研究报告在提出方案时,一定要做一些必要的分析,让人一看就明白为什么这样做才是最佳方案。

41. 催款书

(1)什么是催款书

催款书是一种催交款项的文书,是在交款单位或个人在超过规定期限,未按时交付款项时使用的通知书。

(2) 如何写作催款书

催款书的内容分为标题、称呼、正文、署名四部分组成:

第一部分,标题。有两种写法:

A.事由加文种,如《关于×××欠款催交通知书》。

B.直接写:"催款通知单"。

第二部分,称呼,即应交付欠款单位或个人的名称,顶格写。

第三部分,正文。一般不分段,它的主题应明确,要求应具体。正文要写明什么时间、因什么事项而欠款,并且要写明所欠款的数额。

写催款书的目的是促使欠款单位或个人迅速交付欠款,使受文对象知道倘若再行拖欠,就将加收罚金。

第四部分,署名。即催款单或个人的名称及日期。

(3)例文:

应用文书

催款书是一种催交款项的文书,是在交款单位或个人在超过规定期限,未按时交付款项时使用的通知书。

审计报告是审计人员在审计工作结束之际，根据审计任务的完成情况和审计检查的结果，做出公正、客观、正确的结论，送交上级委托机关或受审单位的一种书面文件。

催款通知单

××厂财务科负责同志：

你单位于 ___ 年 __ 月 ___ 日向我厂加工定购××产品 件，货款计金额 ___ 元，发票编号为 ___ 。该货款至今未转入我厂，影响我厂资金周转。接到本通知后，请即办理转账手续，以便结算，逾期按同期银行贷款利率规定，收取利息。如有特殊情况，请及时与我厂财务科×××同志联系。我厂电话:__________，地址:__________ 开户行:_________，账号:__________。

××厂财务室

××××年×月×日

催款书的语言一般力求简洁，不必要有太多的客套话，但用词应注意分寸。做到既要达到催款的目的，同时又不伤害对方。

42. 审计报告

(1) 什么是审计报告

审计报告是审计人员在审计工作结束之际，根据审计任务的完成情况和审计检查的结果，做出公正、客观、正确的结论，送交上级委托机关或受审单位的一种书面文件。

(2)如何写作审计报告

审计报告的内容由标题、称呼、正文、署名四部分组成：

第一部分标题和第四部分署名的写作格式与催款书没多大区别。

第二部分，称呼。应是委托进行审计的单位或个人。

第三部分，正文。是最为关键的，写作时要注意以下几点：

A.一定要以会计凭证、账簿、报表为依据。

B.要全面把握被审计对象适用的党和国家的政策规定。

C.对审计出来的问题要表述得恰如其分，既不夸大，也不缩小，在

措词上要准确无误。

D.处理意见要写得明白、肯定,不能含糊其辞、模棱两可,如有罚、没收款,应写明数额、上缴期限和上缴方式。

(3)例文:

关于对××钢厂200×年财务收支情况的审计报告

省审计局:

按照今年的计划安排,我局派出审计组于200×年×月×日至×月×日,对××钢厂200×年财务收支情况进行了全面审计。现将审计情况报告如下:

一、××钢厂基本情况

……

二、审计出的问题

1.将银行贷款的罚息36.4万元列入了企业管理费。

……

4.违纪向集体企业让利。

三、处理意见

……

××市审计局

二〇〇×年×月×日

审计报告只有由获得特定审计资格的人员才能书写。在写审计报告时,要尽量做到公正和客观,更不能带有个人感情的成分。

应用文书

审计报告只有由获得特定审计资格的人员才能书写。在写审计报告时,要尽量做到公正和客观,更不能带有个人感情的成分。

43. 商标注册申请书

应用文书

商标注册申请书是商标注册申请人向工商管理部门申请取得商标注册时所使用的文书。在递交申请书的同时还须附商标图样10张及说明书、委托书等。

(1)什么是商标注册申请书

商标注册申请书是商标注册申请人向工商管理部门申请取得商标注册时所使用的文书。在递交申请书的同时还须附商标图样10张及说明书、委托书等。

(2)如何写作商标注册申请书

商标注册申请书的内容由以下部分组成：

第一部分，标题。要根据《中华人民共和国商标注册法实施细则》规定，符合标准的格式。

第二部分，称呼。称谓应写“国家工商行政管理局商标局”。

第三部分，正文。它的内容包括：

A.写明商标名称和使用商标的商品类别(应按国家规定的商品分类标准准确写明)。

B.写明商品名称、用途、主要原料、技术标准。

C.写明申请人姓名、地址、营业执照号码、经济性质并加盖企业印章。

第四部分，尾部。写明附件和申请(县、省(市)商标管理部门审核意见及签署)日期。

(3)例文：

商标注册申请书

××工商行政管理局商标局：

现拟以_____商标使用于商品分类表第_____类的下列商品，申请注册。

申请人(盖章)：____________________

地址：____________________________

负责人签字：__________

下附附件×份。

××××年×月×日

在商标注册申请书里，申请商标的图样一定要清晰、规范，对商品的分类标准要明确，以便于商标局审核。

44. 注销登记申请报告

(1)什么是注销登记申请报告

有的企业因各方面的原因，准备停业或中止企业业务而写的申请报告，叫注销登记申请报告。

(2)如何写作注销登记申请报告

注销登记申请报告由三部分组成。

第一部分，标题。标题直接写“注销登记申请报告”即可。标题也可写单位加文种，如“××企业注销登记申请报告”。

第二部分，正文。写明注销登记的原因，申请从什么时间开始注销，批准单位、债务情况等，最后写“特申请办理注销登记，请审查核准，予以注销”。

第三部分，结尾。写明企业名称、法定代表人名称及加盖公章、私章，还要写清抄报、抄送的单位。最后应写清附件。

应用文书

有的企业因各方面的原因，准备停业或中止企业业务而写的申请报告，叫注销登记申请报告。

(3)例文：

注销登记申请报告

××市××区工商行政管理局：

我商店自开业以来，虽然对满足当地群众生活需要起了一定的作

应用文书

在写注销登记申请报告时，一定要附有企业债务处理情况的详细材料，以便工商部门下一步进行核实。

用，但由于商店地处偏僻的生活区，附近居民较少，经营效益一直不佳，特别是最近商店附近的居民陆续动迁，商店经营情况更差。为此，经××市××副食品公司批准，商店决定从×年×月×日开始停办歇业，商店经营期间的债务已自理完毕。特申请办理注销登记，请审查批准，予以注销。

附件：企业债务处理情况证明材料

××市××区××副食品商店(公章)

法定代表人：×××(签字盖章)

××××年×月×日

在写注销登记申请报告时，一定要附有企业债务处理情况的详细材料，以便工商部门下一步进行核实。

45. 招标书

(1)什么是招标书

招标书是招标人利用投标者之间的竞争达到优选买主或承包的目的，从而利用和吸收各地、甚至各国的优势于一家的商品交易行为所形成的书面文件。这是订立合同的一种法律形式。

(2)如何写作招标书

招标书分为招标公告、内部招标文件、科技项目招标书。

第一种是招标公告，由标题、正文、落款三部分组成。

第一部分，标题。由招标单位名称及文种构成。

第二部分，正文。由前言、主体和结尾组成。前言写明招标单位的基本情况和招标目的。主体包括文件编号、招标项目名称、招标范围，招标投标方法、招标时限、招标地点等。结尾写明招标单位的名称、地址、电话号码传真等。

第三部分，落款。一般写明制定招标公告的日期。

第二种是内部招标文件，由标题和正文两部分组成。

第一部分，标题。有四种形式。一是完全性标题，由"招标单位+招标性质和内容+招标形式+文体"组成。二是不完全性标题，由"招标单位+招标形式+文体"构成。三是只写文种名称。四是广告性标题。这种标题灵活、醒目。

第二部分，正文。主要说明招标宗旨，介绍招标的法律依据，招标、投标、开标的要求，招标的方法、时间、程序以及招标、投标双方应遵守的原则等。投标企业须知即把没有写进招标公告和招标章程的，而投标单位又必须做到的一些具体问题写进这个文件。此文件用表格表述较为适宜。

第三种是科技项目招标书，一般由两部分组成：即招标广告和招标任务书。科技招标广告(公告)一般包含：

A.招标号，即招标编号。

B.招标原则。

C.招标项目。

D.招标起止日期。

工程项目招标书，写明招标号、建设单位名称及联系人、工程项目建设地点、工程内容、建筑面积、质量要求、建设工期、招标截止日期。

应用文书

招标书是招标人利用投标者之间的竞争达到优选买主或承包的目的，从而利用和吸收各地、甚至各国的优势于一家的商品交易行为所形成的书面文件。这是订立合同的一种法律形式。

(3)例文：

××机电设备招标中心公告

第〔98〕号

××机电设备招标公司、××市投标公司受××市地铁公司委托，对下列设备联合招标。

欢迎具有本招标项目生产供应能力和法人资格的国内外厂家参加投标，国外投标者须联合中国国内企业共同设计、制造。

标书编号：SMEYC———88021

招标设备名称：质构掘进机

主要技术参数：机型：土压平稳式，数量：7 台

隧道衬切：外径：6200mm，内径：5500mm

标书售价：270 美元(外国企业和中外合资企业)

招标书的各项要求和指标要尽量写得详细、明确,投标的截止日期也应有严格的规定。

1000元人民币(中国企业)

发售标书时间:2003 年 5 月 26 日~2003 年 6 月 25 日

每天上午:9:00~11:00　下午:1:30~4:30(星期日除外)

发售标书地点:××机电设备招标公司××中山东一路 18 号 114 室

投标地点:××机电设备招标公司

××中山东一路 18 号 114 室

电话:×××××××

传真:××××××××

联系人:×××

开户银行:××市建行二支行

账号:×××××××××××

投标截止日期:2003 年 7 月 25 日 12 时

开标地点:另行通知

本招标项目要求投标者根据招标文件规定在 1999 年 6 月 1 日至 1999 年 6 月 25 日期间把概念设计交与招标人后,方可正式参加投标。

招标书的各项要求和指标要尽量写得详细、明确,投标的截止日期也应有严格的规定。

46. 投标书

(1)什么是投标书

投标是与招标相对应的。投标书是投标人按招标人的要求具体向招标人提出订立合同的建议,是提供给招标人的备选方案。

(2)如何写作投标书

投标书的内容分为以下几部分。

第一部分,标题。写明"投标申请书"、"招标答辩书"或"投标书"

即可。

第二部分，正文。由总题和主体组成。总题，即写明投标的依据和主导思想。主体，应把投标的经营思想和经营方针、经营目标、经营措施、要求外部条件等内容具体、完整、全面地表述出来，力求论证严密、层次清晰、文字简练。

第三部分，落款。写明投标单位(或个人)的名称和投标日期。

投标书的写作，要求实事求是、具体清晰、准确准时。

(3)例文：

承包××食品机械厂投标书

如果我中标，我将把“荣辱与共，创新求实”作为企业精神，执行“一业为主，多种经营”的方针，严格产品质量，信誉至上。

一、主要经营指标及实现的依据

(1)产值、利润指标：×年产值达到×万元，利润×万元；×年产值×万元，利润×万元；×年产值×万元，利润×万元；×年产值××万元，利润×万元。

(2)产品品种和质量指标

三年内研制两个售油器新品种，×年制冷产品达到部颁标准，×年肉食机械达到部颁标准，三年内创市优产品×个。今后每年要更新换代一个新产品。

……

二、步骤与措施

整个工作分两步走，第一年主要抓理顺管理体制，打好基础，后两年主要抓企业管理上等级，产品质量的达标和新产品的开发。采取的主要措施是：

1.狠抓技术，提高产品质量。一年半之内，对一线工人全部实行技术培训，厂里每周举行一次技术讲座。生产线工序之间实行承包责任制。对外协作单位实行择优录用。逐步增添检验设备，增加×名检验人员，对检验人员分期培训。

2.抓好经营，提高服务质量。教育职工树立市场服务观念，信息观念和经济效益观念，主动积极搞好本厂产品的生产和经营，使产品做到

应用文书

投标是与招标相对应的。投标书是投标人按招标人的要求具体向招标人提出订立合同的建议，是提供给招标人的备选方案。

商品说明书，也叫“产品说明书”或“使用说明书”。它是关于商品的构造、性能、规格、用途、使用方法、维修保养等的文字说明。

人无我有，人有我优，人优我廉。同时，设立公共关系部，提高本厂及产品知名度，选拔×××培训后作推销员。在本市做到产品送货、安装、维修“三上门”。

3.改革人事制度、精简机构。

……

投标人：×××

××××年×月×日

投标书应把我方的优势和长处写出来，要做到有理有据，不但能让对方一目了然，而且要有足够的说服力。

47. 商品说明书

(1)什么是商品说明书

商品说明书，也叫“产品说明书”或“使用说明书”。它是关于商品的构造、性能、规格、用途、使用方法、维修保养等的文字说明。

(2)如何写作商品说明书

商品说明书的写作，一般分标题和正文两大部分。内容复杂的说明书，可印成折子、书本等样式，它由封面、前言、正文、封底等部分组成。

第一部分，封面。一般有“说明书”字样的厂名，有的还印有商标、规格型号、商品标准名称和图样，如要增强顾客的印象，还可配有商品彩照、图样、表格。封面的标题，要求鲜明醒目。

第二部分，前言。前言的形式有的采用书信式，而更多的是采用概述式的短文。

第三部分，正文。这是商品说明书的主要部分。一般是对商品的性能、规格、使用和注意事项进行具体的说明。

第四部分，封底。为方便用户联系，一般封底上注明厂址，含国家地区代号和电话号码、电报挂号等。

商品说明书在编写时应注意以下几点：

A.必须说明白介绍的对象。

B.说明和介绍必须实事求是。

C.文字要简练，数字要准确。

D.以条文的方式出现较好。

E.辅之以图解。

(3)例文：

××洗衣粉说明书

××洗衣粉为××××洗涤剂厂最新推出的高效衣物洗涤剂。

性能：本品采用上等原料及合成蛋白酶微生物的最新配方，能浸洗除净一般洗衣粉所难于洗脱的血渍、尿渍、肉汁渍等混合污渍。

特点：质地柔和，香味芬芳，不伤皮肤，去污力强，泡沫适中，易于漂清。衣物洗后，洁白鲜艳。对丝、毛、棉、麻及其他各种合成纤维等织物，不伤衣料，安全可靠。

使用方法：能浸洗，也能搓洗，用量与一般洗衣粉相同。洗涤温度45℃—46℃温水范围，衣物浸泡在15分钟以上，去污效果更佳。禁忌直接用热水(高于75℃)冲泡溶解洗衣粉，以免影响洗涤效能的最大发挥。

××××洗涤厂

地址：上海市××路××××××

电话：×××××××

商品说明书在日常生活中十分常见。一般要求把商品的功效、性能和各种注意事项明确地表达出来，为了更好地达到说明的目的，可适当配以图片说明。

应用文书

商品说明书在日常生活中十分常见。一般要求把商品的功效、性能和各种注意事项明确地表达出来，为了更好地达到说明的目的，可适当配以图片说明。

48. 计划任务书

(1)什么是计划任务书

凡新建、改建、扩建项目，在确定建设项目前，必须根据国家发展国民经济长远规划和建设布局的要求，由建设单位在可行性调查的基础上，提前编制计划任务书(又称设计任务书)，报送上级主管部门审批。计划任务书是确定项目基本轮廓和委托设计的依据。

凡新建、改建、扩建项目，在确定建设项目前，必须根据国家发展国民经济长远规划和建设布局的要求，由建设单位在可行性调查的基础上，提前编制计划任务书(又称设计任务书)，报送上级主管部门审批。计划任务书是确定项目基本轮廓和委托设计的依据。

(2)如何写作计划任务书

计划任务书采用条文式。封面上的标题及其他内容，应该分行书写，单位名称要用全称。正文部分只需用简洁的文字对上述各项内容作概括说明。

计划任务书一般包括三个部分。

第一部分，封面和目录。封面上主要写明建设项目的全称。有些小型项目，由于计划任务书的内容比较简单，可以在项目名称下面写上建设单位、建设地址、编制日期。大中型项目，内容比较复杂，封面后一般都有目录。

第二部分，正文。大中型工业项目计划任务书，一般包括以下几项：

A.建设的目的和根据；

B.建设规模、产品方案或纲领；

C.矿产资源、水文、地质资料以及原材料、燃料、动力、供水、运输等协作配合条件；

D.资源综合利用和“三废”治理的要求；

E.建设地区或地点与占用土地的估算；

F.防空、防震等的要求；

G.建设工期；

H.投资控制数；

I.劳动定员控制数；

J.要求达到的经济效益和技术水平。

第三部分，报送单位名称及附件。计划任务书的最后部分应写明报送的单位名称，并注明附送的有关矿产资源、工程、地质、水文地质的勘察报告以及有关主要原料、材料、燃料、运输等协作关系意见书或协议文件的名称。

(3)例文:

××胶印书刊印刷厂基本建设计划任务书

一、为适应出版事业发展的需要,逐步解决本市印刷生产力严重不足的矛盾,需建一个年产×万令纸的书刊印刷厂。按照印刷技术发展要求,新厂将以胶印工艺为主,在降低成本、提高质量和缩短生产周期方面,比现有的铅印印刷均有所改善。

二、新厂全年生产能力:胶印照相制版(四开)×副,排字(原稿数字)×万字,胶印书刊印刷×万色令,书刊装订×万令纸。生产工艺:排字主要采用照相排版工艺;封面、插图采用电子分色、照相制版工艺;印刷以高速机印刷正文,以多色机印刷封面、插图,解决全书配套问题;装订以精装、胶订等流水线为主要工艺。

三、新厂以选择在××、××或××地区为宜,尽可能减少原料和成品的运输量。新建厂水文等资源以及地质等勘察、查定等工作,拟请设计部门负责。厂房建筑面积为×万平方米,职工宿舍×平方米,占地×亩。

投产后所需的原材料、燃料、动力和供水等,均无特殊要求。其中:

1.主要原材料需用的纸张和油墨:纸张列入国家统一计划,全年需要×万令纸,平均每吨按×令计算,全年需纸张×吨;油墨平均每千色令按×公斤计算,全年共需×吨左右。

2.燃料:直接用于印刷和装订的燃料极少,辅助生产所需也有限。新厂全年用煤约×吨,汽油×吨(包括生产、运输)。

3.全年用电约为×万度;煤气约×万立方米。

4.全年市内运输量×吨左右。

四、新建厂因采用照相排版和 PS 版工艺,不存在废气、废液问题,少量显影药水(无毒),可在生产过程中采用过滤和沉淀等措施予以解决。

五、新厂的建设进度:争取×年内批准项目,×年上半年解决征地和工程设计,同年年内力争破土,×年逐步投产。全部工程在×年上半年竣工。

土建工程请本市建筑单位承包。

所需印刷专业设备,向中国印刷物资公司申请订购。

六、基建投资及投资来源:全部投资×万元(其中设备费×万元),可

应用文书

写好计划任务书是基本建设程序中重要的一环。在书写时,要把我方对新项目的宏伟目标和想法清晰明了地表达出来,让对方相信你既有远大抱负,又有能成功的实力。

应用文书

邀请信函是有关单位企业(公司)邀请外方人员参加商业会议或其他会议的信函。

由利润分成解决。

七、基建的经济效果:新厂投产后,将成为本市第一家胶印书刊印刷厂,每年销售收入约×万元,全年利润约×万元,全部投资争取在×年收回。

附件:设计任务计算依据一份(略)

×××公司

××××年×月×日

写好计划任务书是基本建设程序中重要的一环。在书写时,要把我方对新项目的宏伟目标和想法清晰明了地表达出来,让对方相信你既有远大抱负,又有能成功的实力。

49. 邀请信函

(1)什么是邀请信函

邀请信函是有关单位企业(公司)邀请外方人员参加商业会议或其他会议的信函。

(2)如何写作邀请信函

邀请信函的内容比较简单,一般来说,它由以下几部分组成。

第一部分,标题。可直接写“邀请函”或用事由加文种的写法。

第二部分,称呼。

第三部分,正文。正文内容要写得清楚而又简洁。写作时应注意:

A.不要将邀请信函写成通知。

B.要将商务活动的地点时间写清。

第四部分,尾部。写邀请者的名字和日期。

(3)例文:

邀请函

敬启者：

本公司新建××工厂预定于元月 10 日开始投产，于该日下午 2 时整举行投产仪式。特邀请阁下夫妇届时亲临指导。

投产仪式安排如下：

一、中午 12 时在向阳饭店举行午宴。

二、下午 2 时举行开幕式。

三、开幕式后参观工厂。

四、晚间举行酒宴。

届时阁下能否参加，敬请来函确认并告知抵达时间，以便为阁下安排会晤。阁下在 10 日晚上停留一夜的安排费用均由我方支付。

×××敬上

××××年×月×日

邀请函的用词既要简洁，让人对邀请的时间、地点、内容一目了然，又要显得客气、亲切。

50. 借条

(1)什么是借条

借条是借东西时写给出借的个人或集体的一种文字依据。它是日常工作、生活中经常使用的一种应用文样式。

应用文书

借条是借东西时写给出借的个人或集体的一种文字依据。它是日常工作、生活中经常使用的一种应用文样式。

(2)如何写作借条

借条的内容包括标题、正文、署名、日期等四个部分。

第一部分，标题。一般用“借条”二字标出，也有人写成“今借到”三个字的。

第二部分，正文。如标题写的是“借条”二字，正文则正常行文写作。即在标题下，另起一行，空两格写起。写“今借到”则正文顶格写。正文要

写明借到什么单位、什么东西、何时归还。数字要用大写。

第三部分，署名。写借条的单位名称和经手人的姓名。位置写在正文下，分两行写，必要时要盖章或按指印，以示负责。

第四部分，日期。写在署名下，写年、月、日，不要只写月、日。

应用文书

欠条是欠物、欠款的个人或单位写给有关出借的个人或单位的欠物、欠款的文字凭据。欠物、欠款人凭本字据付还欠物、欠款；收物、收款人凭此字据向欠物、欠款人索取欠物、欠款。

(3)例文：

借条

今借到院工会互助金伍佰元整，从五月开始，每月从工资中扣除一佰元整，五个月还完。

借款人：×××

二○○六年四月一日

借条中借款的金额一定要使用规范的大写数字，以避免小写数字容易涂改，引起不必要的误会。

51. 欠条

(1)什么是欠条

欠条是欠物、欠款的个人或单位写给有关出借的个人或单位的欠物、欠款的文字凭据。欠物、欠款人凭本字据付还欠物、欠款；收物、收款人凭此字据向欠物、欠款人索取欠物、欠款。

(2)如何写作欠条

欠条的内容由下面三部分组成。

第一部分，标题。写法有两种：

A.只写“欠条”二字，位置在正文上方中间，字稍大一点。

B.写“暂欠”二字或“今欠到”。

第二部分，正文。写法因标题不同而有变化。如果标题用“欠条”

二字，正文写在标题下面一行，空两格写起。如果标题写“今欠到”，正文要从下面一行，空两格写起。要是标题写“暂欠”二字，正文要从下一行顶格处开始写起。正文要写清楚欠什么单位、什么东西、数量多少、何日还清。

第三部分，欠者姓名和日期。分两行写于正文右下方。

(3)例文：

欠条

我购买商品房，向经理办公室借款贰万元整，已还壹万伍千元，剩余欠款伍仟元整，半年内还清。

欠款人：×××

二〇〇四年三月二十日

写欠条的时候，一般要写明将来还款的日期。

52. 代收条

(1)什么是代收条

归还钱物时，如果本人不在场，由其他人代替收下并转交而写下的证明代收的条据，就叫代收条；由于代收条比收条又多了一层关系，增加一道手续，所以一定要注意内容的严密。

应用文书

归还钱物时，如果本人不在场，由其他人代替收下并转交而写下的证明代收的条据，就叫代收条；由于代收条比收条又多了一层关系，增加一道手续，所以一定要注意内容的严密。

(2)如何写作代收条

代收条的内容由标题、正文、日期三部分组成。

第一部分，标题。写“代收条”。

第二部分，正文。正文中一定要交代清楚还方(人或团体)的名称，收方的名称，归还钱物的名称、种类以及数量。数目字要使用汉字大写。

第三部分，日期。在正文右下角，占两行书写代收人姓名和代收

收条是收到钱和物的个人或单位写给放钱和物的个人或单位的一种凭据。它是简单的、然而却是经常使用的一种应用文样式。

日期。

(3)例文:

代收条

今收到王晓梅小姐还给刘小红小姐的人民币四千元整和一套真丝红裙子作为送给她的生日礼物。

代收人:张丽

二○○三年一月二十九日

代收条最好写明代收物品的每一件明细，同时代收人一定要签上自己的名字和日期。

53. 收条

(1)什么是收条

收条是收到钱和物的个人或单位写给放钱和物的个人或单位的一种凭据。它是简单的、然而却是经常使用的一种应用文样式。

(2)如何写作收条

一个完整的收条,由标题、正文、署名和日期四部分组成。

第一部分,标题。写在正文上方,字稍大一点。

第二部分,正文。写法有两种:

A.如果标题写成“收条”,正文写在标题下面一行,空两格处,即从第三格写起。

B.如果标题写“今收到”三个字,则把正文写在标题下,顶格写。

第三部分,署名。写在正文下靠右边一点。要是发送的个人或单位同自己很熟悉,只署上自己的姓名就行了;如对方比较生疏,要在姓名的前面写上单位名称,以便查找;如果收到东西的个人或单位很多,收到东西的个人或单位亦应既写单位名称又写个人姓名。必要时盖章或按指印。

第四部分，日期。写在署名的下面，独占一行，写年、月、日。

(3)例文：

收条

今收到新桥乡王庄村养鸡专业户王学真夫妇为计划生育委员会捐赠的现金伍佰元整。

××县计划生育委员会办公室

经手人：×××

二〇〇五年十月二十七日

如果收到物品的话，同样要写明物品的名称以及数量。

54. 领条

(1)什么是领条

领条是在领到物品时，写给发放物品的个人或单位的一种文字根据，它是在发放或领取物品的过程中时常使用的一种应用文样式。

(2)如何写作领条

领条由标题、正文、署名和日期四部分组成。

第一部分，标题。有两种写法：

A.在第1行中间写“领条”二字。

B.在第1行中间写“今领到”三个字。

第二部分，正文。正文要写从什么单位领到什么东西、领多少等内容。数字要大写，有时是小写，但在括号里应写一次大写。

第三部分，署名。写在正文右下方。重要的领条，要加公章或私章。有的署名既写单位名称又写个人姓名。遇此情况，最好既盖公章又盖私章。如果只盖一个章，则盖公章。

应用文书

领条是在领到物品时，写给发放物品的个人或单位的一种文字根据，它是在发放或领取物品的过程中时常使用的一种应用文样式。

留言条是一种简短的书信，用于有事告诉别人，对方不在，便留下一张需要对对方讲的话。

第四部分，日期。写在署名下面，要写年、月、日。

(3)例文：

领条

今领到鑫荣公司免费发给女职工的"三八"节日的礼品券肆百元整。

领取人：×××

二〇〇五年三月七日

有人在写领条时，由于疏忽大意，通常只写月、日，时间一久，说不准会造成误会或带来麻烦。

55. 留言条

(1)什么是留言条

留言条是一种简短的书信，用于有事告诉别人，对方不在，便留下一张需要对对方讲的话。

(2)如何写作留言条

一份完整的留言条，一般包括标题、正文两个大部分。

第一部分，标题。多用"留言条"三个字标出。有时也可不加标题，光要正文。

第二部分，正文。正文由称呼、留言内容、署名日期等组成。

A.称呼，要和平时称呼一样。

B.留言内容要写得清楚，具体；字迹不要潦草。

C.署名在正文的右下方，为保密也可只写一个字，但必须让对方知道留言者是谁。

D.期，有三种写法：一是写年月日时分；二是只写"即日"二字；三是

写诸如“即日下午五时”。

(3)例文：

丽丽：

此次来贵府，承蒙热情招待，给你带来许多麻烦，真是感到不安。如有机会，请到我家来玩。

现在是夜里三点钟，再有一个小时火车就要开了，我走了，再见!

老同学 梅

二〇〇五年九月二十五日夜三时

留言条在日常生活中被广泛地使用。在写留言条时，字迹不要潦草，以免对方由于看不清字而弄不明白你要表达的意思。

56. 请假条

(1)什么是请假条

请假条是因公、因私、因病不能上班、出工、上课、参加会议、参加活动时所使用的一种应用文样式。它是我们日常工作、学习和生活中使用率极高的一种应用文样式。

应用文书

请假条是因公、因私、因病不能上班、出工、上课、参加会议、参加活动时所使用的一种应用文样式。它是我们日常工作、学习和生活中使用率极高的一种应用文样式。

(2)如何写作请假条

请假条分为标题、称呼、正文和署名日期四个部分。

第一部分，标题。多直接写“请假条”。

第二部分，称呼。即写上对批准假期的领导的称呼，多是姓加其职务。

第三部分，正文。写上请假的原因、时间，最后写上“请批准”等字样。

第四部分，署名和日期。写上请假人的姓名和写请假条的时间。

写请假条一般要实事求是,不要乱编瞎话。

(3)例文:

请假条

邢经理:

我从昨天晚上开始肚子不舒服,经医生检查是胃炎发作,医生要求我住院治疗,特向您请假7天,请批准。

请假人:×××

二〇〇六年三月二十日

写请假条一般要实事求是,不要乱编瞎话。

57. 申请书

(1)什么是申请书

申请书是个人或集体向组织表达某种愿望,或向机关、团体和单位领导提出某种要求时所使用的一种应用文样式。这种应用文样式在我国各行各业中被广泛应用,它是沟通个人与组织、下级与上级关系的一种重要手段。

(2)如何写作申请书

申请书通常有固定的格式,其内容包括以下几部分。

第一部分,标题。在申请书第一行正中写申请书的名称,一般只写“申请书”三字就可以了,有的则写出内容的主旨,如“入党申请书”、“申请调换工种”等等。

第二部分,称呼。在标题下空一行顶格处写出接受申请书的组织、机关、团体、单位或领导的名称。称呼后用冒号。

第三部分,正文。正文是申请书的主体,在称呼下一行空两格处起写。正文部分要写明申请的事情和理由。如果内容和理由较多,特别是

申请的事情有几种的情况下，每一件事都要分段写，以使层次清楚，不致混淆和错漏。

第四部分，结尾。结尾部分往往是表示礼节或恳切的愿望，如“此致敬礼”、“恳请批准”、“不胜感谢”等。

第五部分，署名和日期。在结尾下一行的靠右写上申请人姓名或单位名称。如是单位，要盖公章；如是个人，可盖私章，也可不盖。在署名后面写上写申请书的年、月、日。

(3)申请书最常见的几种形式

申请书最常见的几种形式包括工作调动申请书、转学申请书、退职申请书等。

工作调动申请书是因为个人或单位的需要调动工作而向原单位写的申请。

转学申请书是因为父母工作调动或是因为自己学习的需要转学到其他学校，向原校写的把学籍转到要去的学校的申请。

退职申请书，是未到退职年限者因为快到退职工龄，因个人原因而提前向单位写的要求退职的申请文书。

(4) 转学申请书例文：

转学申请书

××大学学生科：

我是本校××系 2003 年进校的二年级学生。最近，我父母因工作需要调至南方××市工作。我是家里的独生女儿，自小得了小儿麻痹症，腿脚行动有些不便，加上从上学期起又得了风湿性关节炎，一个人独立生活有所困难，需要父母的关照。这样，留我一人在北方极为不方便，因此，请求学校将我的学籍转到我父母现在工作的××市××大学。特此申请，恳请批准。

此致

深切的谢意。

应用文书

申请书是个人或集体向组织表达某种愿望，或向机关、团体和单位领导提出某种要求时所使用的一种应用文样式。这种应用文样式在我国各行各业中被广泛应用，它是沟通个人与组织、下级与上级关系的一种重要手段。

申请办理停薪留职书是提前向单位提出的不要工资，离开单位自谋生路的申请书。

申请人：×××

二〇〇四年四月二十八日

转学申请书里一定要把转学的原因详细地说清楚，以便能迅速地得到学校的许可。

58. 申请办理停薪留职书

(1)什么是申请办理停薪留职书

申请办理停薪留职书是提前向单位提出的不要工资，离开单位自谋生路的申请书。

(2)如何写作申请办理停薪留职书

申请办理停薪留职书的内容由以下几部分组成。

第一部分，首部。即标题，可以直接用文种。

第二部分，称呼。写上批准的上级机关名称。

第三部分，正文。写明为什么要停薪留职，原因要合乎情理。

第四部分，结尾。结尾部分是下级向上级表示礼节性的问好，使用的词语要礼貌。

第五部分，署名和日期。在结尾的右下角空一行写上申请人的姓名和日期。

(3)例文：

申请办理停薪留职书

厂领导：

我因家庭人口较多(父母、岳母、小弟及妻、儿共七人)，仅我夫妻俩工作，靠工资收入难以养家。加之老人多病小弟念书，经济收入入不敷出，虽承组织关心，常给予补助，但我不能依靠组织全部解决我家的困难。经过多方考虑并征得家人的同意和支持，筹划开一小饮食

店。今特申请办理停薪留职手续。盼您考虑我家的实际情况，给予批准。不胜感激。

此致

敬礼！

职工×××谨呈

××××年×月×日

申请办理停薪留职书一般要写明自己停薪留职的原因，而且要合乎情理，以便能获得领导的批准。

59. 离婚协议书

(1)什么是离婚协议书

离婚协议书是夫妻双方在感情破裂后到婚姻登记机关解除夫妻关系前就有关财产处理、子女抚养等问题达成一致的协议。这是解除婚姻关系必要的文书。

(2)如何写作离婚协议书

应用文书

离婚协议书是夫妻双方在感情破裂后到婚姻登记机关解除夫妻关系前就有关财产处理、子女抚养等问题达成一致的协议。这是解除婚姻关系必要的文书。

离婚协议书分为标题、正文和署名和日期三个部分。

第一部分，标题。直接写“离婚协议书”。

第二部分，正文。先写协议人的姓名，然后，根据《婚姻法》的规定，协议离婚书应就以下内容达成协议：

A.讲明离婚原因并同意解除婚姻关系。

B.子女的安排(含归谁抚养、抚养费用、探视权等)。

C.财务与债务的处理。

第三部分，署名和日期。解除夫妻关系双方的签名和日期。

(3)例文：

应用文书

介绍信是介绍被派遣人员到其他单位联系工作、学习经验、出席会议、磋商问题、了解事情时所常用的一种专用书信。

离婚协议书

协议人：

杨××

李×

杨××与李×达成以下离婚协议：

一、双方感情破裂，愿意解除双方婚姻关系，双方于本协议签字后10天到县区民政局办理相关手续。

二、双方所生女儿杨蓉，由杨××抚养，李×每月支付1000元的抚养费，其他费用由杨××承担。之后杨××不得要求追加抚养费。李每月可探视一次杨蓉，可合居20小时。

三、财产分配：现住房归杨××所有，但杨××支付10万元给李×作为房屋的补偿；家电家具归杨××所有；手机、手饰归现占有人所有。

四、如有债务，按谁借谁签字谁承担偿还责任的原则处理。

五、双方解除婚姻关系后，不得阻碍对方寻找异性朋友和配偶；不得在女儿面前说诋毁对方的话语，并且应教育儿女尊重父母。

六、双方解除关系婚姻后，不需要对方支付任何补助费或其他费用。

杨××(签字)　　李×(签字)

××××年×月×日

离婚协议书一般要写明夫妻的财产分配情况，如果有子女，更应该写清由谁抚养、抚养费用由谁负担等细节，以免将来引起不必要的麻烦。

60. 介绍信

(1)什么是介绍信

介绍信是介绍被派遣人员到其他单位联系工作、学习经验、出席会议、磋商问题、了解事情时所常用的一种专用书信。

(2)如何写作介绍信

介绍信由标题、称呼、正文、落款四部分组成。

第一部分，标题。可在首行印(或写)明"介绍信"三字。

第二部分，称呼。可在信件开端处，顶格书写受文单位或受文人的名称，也可将受文单位名称写于信件的最后一行(顶格)，但需在其上一行写"此致"二字。

第三部分，正文。空两格起写被介绍人的姓名、身份以及前往接洽的事项和向接洽单位提出的希望和要求。正文写完，另起一行，空两格写"此致"下一行顶格写"敬礼"，表示对对方的感谢。如使用受文单位在文尾的格式，则"此致"的下一行顶格要写受文单位的名称。

第四部分，落款。另起一行，写出介绍信的单位名称、加盖公章。署名下面写清有效期和年、月、日。

(3)例文：

介绍信

×××单位：

　　兹介绍我公司_______同志等___人(系我公司___)，前往贵处联系_______，请接洽。

　　　　此致

　　敬礼

应用文书

　　　　　　　　　　　　××公司(盖章)

　　　　　　　　　(有效期___天) ××××年×月×日

介绍信除了起介绍作用以外，还有证明的作用，所以对人名等重要内容一定要仔细填写清楚。

介绍信除了起介绍作用以外，还有证明的作用，所以对人名等重要内容一定要仔细填写清楚。

61. 证明信

(1)什么是证明信

应用文书

证明信是用可靠的证据证明有关人员或事项真实情况的专用书信。

证明信是用可靠的证据证明有关人员或事项真实情况的专用书信。

(2)如何写作证明信

证明信由以下几部分组成。

第一部分，标题。“证明信”，写在第一行正中位置。

第二部分，正文。开头顶格写送达机关名称；接着写要证实的具体事实，说明材料来源等。

第三部分，结束语。一般用“特此证明”。有的开头没写送达机关名称的，可用“此致××单位”。

第四部分，落款。证明制发机关、日期，加盖公章。

总的说来，证明信的写作要实事求是，简明扼要，要有明确的结论，用词准确。

(3)例文：

证明信

×××大学：

×××同志 1994 年 3 月至 1999 年 9 月在我院工作，曾任基础部主任。该同志工作认真负责，能以身作则，团结同志，成绩突出，1995 年、1996 年两次被评为我院先进工作者。

特此证明。

××学院(盖章)

2000 年 8 月 10 日

写证明信时，一定要持慎重、严肃的态度。也许由于这份证明，会导致一个人命运的改变。

62. 表扬信

(1)什么是表扬信

表扬信是对某些单位或个人的先进思想、模范事迹用书信形式表示赞扬时所使用的一种文书样式。

表扬信,可以寄给报社,在报上发表;可以寄到或亲自送到受表扬者的所在单位;可以自己用红纸抄出,贴于公共场合。

(2)如何写作表扬信

表扬信的内容由如下几部分组成。

第一部分,标题。正中写“表扬信”三个字。

第二部分,称谓。写被表扬的单位、个人的称呼。如果是写给个人的,应在姓名之后加上“同志”、“先生”等字样,后边加冒号,顶格写。

第三部分,正文。另起一行,空两格写表扬的内容,交待表扬的缘由。重点叙述人物事迹的发生、发展、结果及其意义。叙述要清楚,要突出最本质的方面。事实本身就具有很大的说服力,因此,要让事实说话,少讲空道理。

第四部分,结尾。如果是写给被表扬者的所在单位或领导者的,可提出建议:“在×××中加以表扬”,“×××同志的优秀品德值得大家学习,建议予以表扬”等。如果是直接写给本人的,则要适当谈些“深受感动”,“值得我们学习”等方面的内容。

第五部分,最后要写上表示祝愿的话,如“此致敬礼”、“祝好”、“谨表谢意”、“向你学习”等等。但“此致”、“祝”、“谨表”、“向你”等字写在末尾,其余的字,要另起一行,顶格写。

第六部分,署名。单位名称或个人姓名。如果以个人名义写的表扬信,应在后边详细写明发信人的地址,签上自己的姓名,并在下方注明年、月、日。

(3)例文:

应用文书

表扬信是对某些单位或个人的先进思想、模范事迹用书信形式表示赞扬时所使用的一种文书样式。

表扬信,可以寄给报社,在报上发表;可以寄到或亲自送到受表扬者的所在单位;可以自己用红纸抄出,贴于公共场合。

应用文书

表扬信一定要写出被表扬人的优秀事迹来，让人知道到底是什么事情令人感动或值得大家学习。

表扬信

××大学全体师生：

本月6日中午，在×××路3号院发生火灾。

我校××系三年级学生周××发现火情之后，不顾自己身体有病，奋不顾身冲进火海。由于火势很猛，屋里烟浓，周××冲进屋后，房门马上被紧紧地吸住，外面的人进不去，周××在呼吸困难的情况下，临危不惧，急中生智，打破窗户玻璃，屋里压力减轻，把门打开了。救火中，周××发现立柜里还有一盒五四式手枪子弹，在十分危险的情况下，他毫不犹豫地捧起弹盒扔到窗外，避免了一场严重事故的发生。在周××的带领下，大火终于被扑灭，周××同学却被烧焦了头发，烫伤了双手，他的英勇表现使所有在场的人赞不绝口。

正值全国开展学雷锋运动之时，周××不顾个人安危，临危不惧，挺身而出，抢救他人家庭财产，这是一个值得表扬的高尚行为。在此，校委员会研究决定对周××同学提出表彰，要求全校广大师生以周××同学为榜样，将学雷锋运动推向高潮。

特此表扬!

××大学校委员会
2005年6月18日

表扬信一定要写出被表扬人的优秀事迹来，让人知道到底是什么事情令人感动或值得大家学习。

63. 慰问信

(1)什么是慰问信

慰问信是向对方表示关怀、慰问的信函。它是在他人处于特殊的情况下(如战争、自然灾害、事故)，或在节假日，向对方表示问候、关心。慰问信包括两种：一种是表示同情安慰；另一种是在节日表示问候。信应写得态度诚恳、真切。

(2)如何写作慰问信

慰问信一般由以下几部分组成。

第一部分，标题。慰问信的标题有两种，一种是只写“慰问信”三个字；另一种是加上慰问的对象和信的种类，如“致中国人民解放军驻××省部队全体指战员的春节慰问信”。

第二部分，称呼。标题下空一行，顶格写，写全称。如果对象多，要一一写进去。对象的前边，多加“敬爱的”或“亲爱的”或“尊敬的”等字，表示尊重。

第三部分，正文。因为对象和目的不同，这部分内容也不完全一样。一般说来，慰问信的正文应包括如下几个方面：

A.用一般文字写明因为何事而向对方写慰问信。

B.比较全面而具体地叙述对方的英雄事迹或对方所遭受的困难。

C.结合形势和任务，提出希望或鼓励对方战胜困难。

D.写慰问信的单位或个人向对方表示决心。

E.用一段鼓励或祝愿的话作出总结。

第四部分，署名和日期。位置在右下方，分两行写。如果写给个人，可以直接寄给对方；如果是以集体或政府名义写的，可以事先印好，由专人送去或寄去；如果是上一级的机关写的，可以登报。

应用文书

慰问信是向对方表示关怀、慰问的信函。它是在他人处于特殊的情况下（如战争、自然灾害、事故），或在节假日，向对方表示问候、关心。慰问信包括两种：一种是表示同情安慰；另一种是在节日表示问候。信应写得态度诚恳、真切。

(3)例文：

慰问信

美利坚合众国华盛顿白宫乔治·沃克·布什总统阁下：

我昨晚与你通电话后不久，便惊悉贵国一架客机在纽约失事，造成重大人员伤亡和财产损失。我对此深感悲痛。

我谨代表中国政府和人民，向您并通过您，向美国政府和人民表示深切慰问，对遇难者表示哀悼。

中华人民共和国主席　江泽民

××××年××月××日晨于北京

感谢信是受到帮助的单位或个人对于帮助、关怀、支援过自己的单位或个人表示感谢的专用书信。感谢信除有感谢的意思外，还有表扬的意思。

64. 感谢信

(1)什么是感谢信

感谢信是受到帮助的单位或个人对于帮助、关怀、支援过自己的单位或个人表示感谢的专用书信。感谢信除有感谢的意思外,还有表扬的意思。

(2)如何写作感谢信

感谢信的结构同一般书信相近,由标题、称呼、正文、署名和日期等组成。

第一部分,标题。标题多是文种,即写上"感谢信"。

第二部分,称呼。这主要是写上对自己帮助、关怀或支持过的单位或个人或者他们的上级单位的名称,也有的因为人数众多而不写称呼的。

第三部分,正文。感谢信的正文多半分为三个方面:

A.为何事向对方表示感谢。

B.所感谢对象的先进思想和模范事迹,这里要写得既概括又确切,字里行间满怀感激之情。叙述中要交代清楚时间、地点、人物、事件、原因、结果。

C.热情赞扬对方的可贵精神及其影响,并表示自己对此事所持的态度。

第四部分,署名和日期。写上自己的姓名或单位名称及写作感谢信的时间。

(3)例文:

感谢信

我公司于××××年×月×日在南京举行隆重开业典礼。此间收到全国各地许多同行、用户以及外国公司的贺电、贺函和贺礼；上级机关及全国各地单位领导、世界各地的贵宾、国内最著名的电缆线路专家等亲临参加庆典，寄予我公司极大的希望，谨此一并致谢，并愿一如既往与各方加强联系，进行更广泛、更友好的合作。

××电缆有限公司

董事长：×××

总经理：×××

××××年×月×日

感谢信表明你对对方作法的一种态度和回应，是许多单位之间联系和沟通的桥梁和枢纽。

65. 贺信

(1)什么是贺信

贺信也称祝贺信，是某一集体或个人向取得重大成就、新的胜利的集体或个人表示祝贺时用的专用书信。当某个单位、部门举行重大会议或庆祝活动时，别的单位或个人向他们表示祝贺时，也用贺信的形式。

应用文书

贺信也称祝贺信，是某一集体或个人向取得重大成就、新的胜利的集体或个人表示祝贺时用的专用书信。当某个单位、部门举行重大会议或庆祝活动时，别的单位或个人向他们表示祝贺时，也用贺信的形式。

(2)怎样写作贺信

一封贺信一般由如下几部分组成。

第一部分，标题。贺信的标题多用“贺信”或“祝贺信”标出。标题多用花边装饰，以示祝贺。标题的字要大一些，要工整、大方。

第二部分，称呼。写在标题下，空两行，顶格写。要写全称，要亲切。称呼之后加冒号，表示有话向对方说。

第三部分，正文。这一部分，一般由三段组成。第一段，结合当时的形势，热烈赞扬对方所取得的成就及其重大意义。第二段，分析对方取

得成就的原因，进一步表示祝贺。第三段，向对方提出希望及自己表示虚心学习的决心。

第四部分，署名、日期。写在正文右下方，占两行，写全名。

应用文书

贺词就是祝贺之词，是就节日、他人生日、典礼落成等表示祝贺的文书。

(3)例文：

贺信

曼谷泰王国总理他信·西那瓦阁下：

在阁下就任泰王国总理之际，我谨向阁下表示热烈的祝贺。

近年来，在我们两国政府和人民的共同努力下，中泰友谊不断加强，各领域的合作继续深化。中泰友好关系符合两国人民的利益，有助于地区和平、稳定与繁荣。我相信，在阁下任期内，两方友好合作关系必将取得更大发展。

祝泰王国国家昌盛，人民幸福。

中华人民共和国国务院总理　朱镕基

××××年××月××日于北京

贺信是向对方表示一种尊敬和礼貌的形式，可以加深彼此之间的友谊和感情。

66. 贺词

(1)什么是贺词

贺词就是祝贺之词，是就节日、他人生日、典礼落成等表示祝贺的文书。

(2)如何写作贺词

一篇贺词的结构，由五部分组成。

第一部分，标题。多用“贺词”，有的也在“贺词”前加上事由。

第二部分，致贺词者的单位名称、职务和姓名。

第三部分，称呼。即对被祝贺的对象的称呼。

第四部分，贺词的正文。

第五部分，在正文右下方写上年、月、日。

(3)例文：

2002 年新年贺词

江泽民

女士们、先生们、同志们、朋友们：

在 2002 年新年钟声即将敲响之际，我很高兴通过中国国际广播电台、中央人民广播电台、中央电视台，向全国各族人民、向香港特别行政区同胞和澳门特别行政区同胞，向台湾同胞和海外侨胞，向世界各国的朋友们，致以新年的祝贺！

过去的一年是新世纪的第一年。在这一年里，中国各族人民团结奋斗，各方面都取得了可喜的成就。我们继续深化改革、扩大开放，坚持扩大内需的方针，推进经济结构调整和西部大开发，在全球经济增长明显减缓的情况下，我国经济继续保持较快增长。精神文明建设和民主法制建设以及各项社会事业取得新的进展。这些成就的取得，说明新世纪初中国的经济社会发展有了良好的开端。

在这一年里，中国共产党和中国人民热烈庆祝了中国共产党成立八十周年。我们回顾了中国共产党团结和带领全国人民为民族振兴长期艰苦奋斗的历程，总结了历史经验，决心全面贯彻"三个代表"要求，继续坚定不移地走建设有中国特色社会主义的道路。

……

最后，祝各位新年快乐，阖家幸福！

谢谢！

二〇〇一年十二月三十一日

应用文书

写贺词应充满热情，向他人发表热情洋溢的祝贺；同时撰写贺词应对他人的成就予以肯定。

写贺词应充满热情，向他人发表热情洋溢的祝贺；同时撰写贺词应对他人的成就予以肯定。

67. 公开信

应用文书

公开信是书信的一种，它是写信者不需保密并想让更多的人阅读和知道时所用的一种应用文样式。

(1)什么是公开信

公开信是书信的一种，它是写信者不需保密并想让更多的人阅读和知道时所用的一种应用文样式。

(2)如何写作公开信

一般公开信由四部分构成。

第一部分，标题。此类标题同一般文章标题相似，有表扬式的，有揭露式的，但是多用“公开信”三个字。

第二部分，称呼。称呼写所写信的对象，称呼写于标题下第二行，后加冒号。

第三部分，正文。其内容是写信者要表扬或批评的人物和事实的经过及写信者要表明的态度。

第四部分，结尾。写表示敬意和祝愿的话。如“祝快乐！”、“祝撰安！”等，后边加感叹号。

(3)例文：

公开信

敬爱的各族教师同志们：

今天是教师节，全国各地在庆祝这个光荣的节日，谨向你们致以亲切的问候和崇高的敬意！

你们——全国各级各类学校上千万教师和教育工作者，是我国工人阶级知识分子队伍中的一个重要生力军。建国以来，你们为提高全民族的科学文化水平，为培训数以亿计的有觉悟、有文化、有体力的各行各业的劳动者，为培训上千万能够适应现代科学技术发展的专门人才，作出了巨大的贡献！党感谢你们，政府感谢你们，人民感谢你们！

教育是崇高的事业。教育要面向现代化，面向世界，面向未来。共

产主义事业的接班人，要靠你们培育。他们的思想、品德，要靠你们去塑造；他们对人类文明继承和发展的能力，要靠你们去培训。你们的劳动，是一种科学的也是艺术的创造。教育直接关系着我国未来一代新人的成长，直接关系着“四化”的成败、民族的兴衰、祖国的前程。“尊师重教”，是一个国家、一个民族文明的重要标志。教师工作应该成为社会上最受人尊敬和最值得羡慕的职业之一。

……

“尊师重教”社会风尚的逐步形成，我国教育事业一定会出现一个蓬勃发展的局面。

各族教师同志们，你们肩负着光荣的历史重任。希望你们不断地提高自己的思想政治水平和文化业务水平，具有高尚的道德，渊博的知识，掌握教育教学工作规律，教书育人，为人师表，为祖国的社会主义教育事业作出更大的贡献。

祝同志们节日快乐!

×××

××××年×月×日

在公开信中，值得注意的是，如果是批评对方，一定要善意诚恳；如果是表扬对方，一定要中肯、适当。

68. 求职信

(1)什么是求职信

求职信是求职者写给招聘单位、希望获得某一工作的信函。

应用文书

求职信是求职者写给招聘单位、希望获得某一工作的信函。

(2)如何写作求职信

在格式上，求职信与普通的信函格式相同，但是，它有标题，标题一般写上“求职信”或“求职”，其他与普通信函没有多少区别。

A.求职信所给的对象很难明确，也许是人事部一般职员，也许是经

应用文书

求职信不但要介绍自己过去的一些基本情况，同时应表明自己对未来的工作热情和决心。

理，如果对老板比较了解的话可以直接给老板。如果根本就不认识招聘公司的任何人，求职信最好写上“人事部负责人收”较妥。如果直接写人事部经理或“老总”收可能不妥，如果该信落到一般职员手中的话，可能使得这些人不高兴。

B.求职信具有毛遂自荐的作用，求职信应介绍自己的个人情况，如年龄、性别、所受教育程度、专业、工作经验和特长、以往工作所得的成绩，等等。

C.求职信是自我表白，要简明扼要，实事求是，不能说大话、假话。

(3)例文：

求职信

尊敬的领导：

您好!

感谢您在百忙之中审阅我的求职信!

这个月以来，我的心一直像小鹿一样跳个不停，外面汹涌而来的招聘信息让我心动。我爸爸是一名乡村教师，我舅舅是一名中学教师。长期的熏陶，幼小的我便憧憬能成为一名优秀的教师，站在讲台上激扬文字……今天我怀着激动的心情向您毛遂自荐! 我叫范如歌，是北京师范大学 2002 届英语教育专业的本科毕业生。

我酷爱读书，特别是文史类，大部分中外名著(中英文版)都看过。这些书对我大有裨益：陶冶性情，丰富知识，开阔视野。这对我的教学工作大有帮助。

……

经过四年的学习与实践，我有信心与能力胜任大中专院校及中学英语听、说、读、写教学。当然，我初涉世事，某些方面还不成熟，但我将正视自己的不足，并以自己的谦虚、务实、稳重来加以弥补，不断完善、充实、提高自己。我期盼能有一个扬我所长的天地，我将为之奉献我的青春、智慧与汗水!

我家是教师世家，我热爱孩子，热爱教育，因为教育是育人的工程，所以，我非常渴望成为一名优秀的教师。

尊敬的领导，请给我机会，我会以十分的热情、十二分的努力去把

握它!

谢谢您的慧目!

此致

敬礼!

自荐人:×××

2002年1月18日

求职信不但要介绍自己过去的一些基本情况，同时应表明自己对未来的工作热情和决心。

69. 辞职信

(1)什么是辞职信

辞职书就是向工作单位辞去原职位和工作时的一种应用文书。

(2)如何写作辞职信

辞职书的内容包括如下五部分:

第一部分,标题。一般写上“辞职信”、“辞职申请书”等。

第二部分,称谓。多是单位人事部门,也有的写单位领导。

第三部分,辞职理由和请求。

第四部分,感谢的话语。

第五部分,署名、署时。

应用文书

职书就是向工作单位辞去原职位和工作时的一种应用文书。

(3)例文:

辞职申请书

公司人事部:

我因为要去美国留学,故需辞去现在的工作,请上级领导批准。

感谢公司领导和同事在工作中对我的关心和支持。

欢迎词是指在接待或招待客人的正式场合中，主人发表的表示欢迎之意的致词。

衷心祝愿公司兴旺发达!

市场部 ×××
二〇〇二年二月八日

辞职信要写明自己辞职的原因，同时用词要显得礼貌、客气。

70. 欢迎词

(1)什么是欢迎词

欢迎词是指在接待或招待客人的正式场合中，主人发表的表示欢迎之意的致词。

(2)如何写作欢迎词

欢迎词的内容分以下几部分。

第一部分，标题。第一行正中写标题，字体略大，可写“欢迎词”三个字或写“×××在欢迎×××会上的讲话”。

第二部分，称呼。第二行顶格写称呼，称呼要讲究礼仪，姓名要写全，要用尊称。

第三部分，正文。正文要表达三层意思：

第一层，开头要对客人表示热烈的欢迎，诚挚的问候和致意。

第二层，阐述来访的意义，赞颂客人各方面取得的成就，也可回顾双方之间的交往与友谊，赞扬双方之间的友好合作。

第三层，最后表示良好的祝愿或希望。

第四部分，结尾。再一次对客人表示热烈的欢迎和良好的祝愿。

第五部分，署名、日期。正文右下方署名，如标题有名称，可不署名。署名下一行标明日期。

(3)例文：

欢迎词

各位来宾、各位朋友：

“春来谁做韶华主，总领群英是牡丹。”在春风送暖、百花吐艳的时节，古都洛阳迎来了第×届牡丹花会。热情好客的古都人民，诚挚地欢迎外国朋友、港澳台同胞和来自祖国各地的客人光临洛阳！

花，是社会文明的标志，也是一个地方繁荣昌盛的象征，自古以来，我国人民就有养花、种花的优良传统。……

年年岁岁花相似，岁岁年年“会”不同。愿洛阳牡丹花会在中外友人的关注和全市人民的共同努力下，愈办愈好！

祝各位来宾在洛阳期间精神愉快，身体健康！

第×届牡丹花会组委会主任：×××

二〇〇五年五月五日

可根据彼此之间关系的疏密程度，在姓名前面加上表示亲切的修饰性词语，如“尊敬的”、“敬爱的”、“亲爱的”等。

71. 祝酒词

(1)什么是祝酒词

祝酒词是祝词的一种。

祝酒词是党和国家领导人或者是机关单位的负责人，在吉庆佳节、外宾初到或举行宴会前所发表的表示热烈欢迎和诚挚的感谢的讲话。我国人民在逢年过节遇有喜事，以招待亲朋好友时所讲的表示热烈欢迎客人光临的讲话，也称为祝酒词。

应用文书

祝酒词是祝词的一种。

祝酒词是党和国家领导人或者是机关单位的负责人，在吉庆佳节、外宾初到或举行宴会前所发表的表示热烈欢迎和诚挚的感谢的讲话。我国人民在逢年过节遇有喜事，以招待亲朋好友时所讲的表示热烈欢迎客人光临的讲话，也称为祝酒词。

(2)如何写作祝酒词

祝酒词一般由标题、称呼、正文三部分组成。

应用文书

祝酒词可因不同的场合和不同的人而异，既可以写得热情、奔放，也可写得亲切、委婉。

第一部分，标题。写法有两种：一种是只用“祝酒词”三个字标明，另一种用“××的祝酒词”(或“宴会上的讲话”)来写，表明“祝酒词”是什么人致的，他是什么职务。

第二部分，称呼。在标题下第二行，顶格写对到会者的称呼，后面加冒号。称呼要热情、友好、亲切；还要全面，把到会者都能包括进去。

第三部分，正文。祝酒词的正文多由四到五个层次组成。

第一层，写致祝酒词者在什么时候代表谁向到会者表示欢迎感谢和问候。这一层一般用一段文字表达。如果到会者面比较广，而又需要分别表欢迎、感谢和问候的，则用二三段文字构成。如果到会者中有外宾，要把欢迎外宾的内容放第一段，而后根据不同情况再写第二、三段。

第二层，写回顾、总结过去一年或者前一个时期所取得的成就。这层中的每项成就只用一句话加以概括表达，一般不要分析。

第三层，写在新的一年里或今后一个时期，我们所面临的光荣而艰巨的任务。一般分项提出不作阐发。

第四层，写致词者提议为什么而干杯。“为……干杯”的内容要与招待会内容和参加招待会的人有密切的关系。

(3)例文：

祝酒词

女士们、先生们：

晚上好！“中国国际××展览会”今天开幕了。今晚，我们有机会同各界朋友欢聚，感到很高兴。我谨代表中国国际贸易促进委员会××市分会、中国国际商会××分会，对各位朋友光临我们的招待会，表示热烈欢迎！

“中国国际××展览会”自上午开幕以来，已引起了我市及外地科技人员的浓厚兴趣。这次展览会在上海举行，为来自全国各地的科技人员提供了经济技术交流的好机会。我相信，展览会在推动这一领域的技术进步以及经济贸易的发展方面将起到积极作用。

今晚，各国朋友欢聚一堂，我希望中外同行广交朋友，寻求合作，共同度过一个愉快的夜晚。最后，请大家举杯，

为“中国国际××展览会”的圆满成功，

为朋友们的健康，
干杯!

×××
××××年×月×日

祝酒词可因不同的场合和不同的人而异，既可以写得热情、奔放，也可写得亲切、委婉。

72. 欢送词

(1)什么是欢送词

欢送词是指向客人告别的正式场合中主人发表的表示送别客人的致词。

(2)如何写作欢送词

欢送词的格式和写法一般同欢迎词，只是正文部分的内容有所区别，应对客人表示热烈的欢送并对客人在这一阶段取得的成绩予以肯定，给予适当的评价。

(3)例文：

欢送词

尊敬的××博士，尊敬的朋友们、同志们：

××博士结束了在我校为期三年的执教生活，近日就要回国了。今天我们备此薄餐，为××博士送行。

三年来，××博士以出众的才智和辛勤的工作，赢得了全校师生的信赖与尊敬。他所做的几次学术报告，开阔了我们的视野，推动了学校的教学改革。对此，请允许我代表全体师生对××博士再次表示感谢!

在三年的教学工作和日常交往中，××博士与油脂专业的师生诚挚

应用文书

欢送词是指向客人告别的正式场合中主人发表的表示送别客人的致词。

答谢词是指在公众场合对别人的帮助或招待表示感谢时所说的话。

交流，以友相待，结下了较为深厚的友谊，我们为此而感到高兴。

中国有句古话："海内存知己，天涯若比邻。"千山万水无法阻挡我们友谊的发展，隔不断彼此之间的联系。我们期望××博士在适当的时候再回来做客，讲学。

××博士将踏上回程的时候，请带上我们全体师生的深情厚谊，也希望能给我们留下宝贵的意见和建议。

校长 ×××

二零零五年十一月十二日

欢送词的结束语，一般要以生动感人的语言对客人表示希望和勉励，并显示出依依惜别的感情。

73. 答谢词

(1)什么是答谢词

答谢词是指在公众场合对别人的帮助或招待表示感谢时所说的话。

(2)如何写作答谢词

答谢词的格式和写法与欢迎词、欢送词基本相同，只是正文的内容有所不同：

A.答谢词首先是对对方致以衷心的感谢。

B.对对方的成就和双方的友谊表示赞颂，结尾提出自己的希望和良好祝愿。

C.答谢词的写作要求是要求语言生动，感情真挚、热情，有礼貌。

(3)例文：

在接受救灾粮仪式上的答谢词

亲爱的××领导，远道而来的客人们：

今天，我们怀着无比感激、无比振奋的心情，在这里迎接××红十字会给我们县师生捐赠救灾粮的亲人。

今年7月以来，我国遭受了百年未遇的大旱灾。7、8、9三个月，炎阳连天，滴雨不下，池塘干涸，溪河断流，田地龟裂，禾苗枯死，真是赤地千里！虽经我们奋力抗灾，但自然灾害的肆虐，使10多万人饮水困难，30多万亩田颗粒无收。我们县的中小学生，就有一万多名因受灾辍学，还有几万名靠同学、教师、亲属的接济度日。然而，党和政府没有忘记我们，兄弟县市的乡亲没有忘记我们。省市领导多次亲临，视察灾情，组织救援，市、县国家干部职工争相解囊，捐粮捐钱。今天，我们又接到了你们无私捐助的大批救灾粮食。"一方有难，八方支援"，团结互助，无私奉献，这只有在今天优越的社会主义制度下，只有在我们伟大的社会主义中国才能办到！

谢谢你们，远方的亲人。我们全县中小学生、全县人民，一定从你们的援助中吸取力量，奋发图强，重建家园；努力学习，奋勇登攀，以崭新的成绩，来报答党和人民的关怀，报答我们的深情厚谊！

×××

二零零三年十月二日

答谢词一般要写得情真意切，表示出自己内心发自肺腑的感激之情。

74. 保证书

应用文书

保证书是个人、单位、集体为了响应组织或上级部门号召开展工作、完成任务而提出的保证做好工作、完成任务的决心的一种书信。

(1)什么是保证书

保证书是个人、单位、集体为了响应组织或上级部门号召开展工作、完成任务而提出的保证做好工作、完成任务的决心的一种书信。

(2)如何写作保证书

保证书的内容由以下几部分组成。

保证书是对未来做事情的一种决心，行文时应注意使用恳切、真挚的语气。

第一部分，标题。在第一行正中用稍大的字体写上“决心书”或“保证书”的字样。一般情况下不写明事情的主题。

第二部分，称呼。在标题下空两行顶格写明接受决心书或保证书的领导、单位、组织、机关，团体的名称，有时可冠以“敬爱的”等修饰词。称呼后加冒号。

第三部分，正文。称呼后下一行空二格起写正文。正文是决心书或保证书的主体。保证有几条，决心有几点，最好分行写，以使面目清楚。

第四部分，结语。可以写“请予批准”、“此致敬礼”等，也可以不写。

第五部分，署名和日期。结语之后下一行靠右写署名，如果人数众多，最好是各人都签名；如果是单位、集体，写上名称后最好盖上公章。在署名下一行的下方写上书写决心书或保证书的日期。

(3)例文：

保证书

尊敬的领导：

我因酗酒失态，和顾客争吵，以至动手打了顾客，违反了超市规定，损害了超市的声誉，错误是十分严重的，受到警告处分也是十分应该的。事后，我向领导作了检讨，并登门向顾客赔礼道歉，负担了全部医药费和其他经济补偿。为严肃检讨错误，防止以后再犯，我特作出以下保证：

一、加强学习，提高觉悟，从思想上解决问题。

二、戒除酗酒恶习，从今天起戒绝喝酒。

三、提高服务质量，热爱本职工作，视顾客如亲人，热心服务，微笑服务。

四、尊重顾客，在任何情况下不和顾客争吵，做到骂不还口，打不还手。

五、工作时间内不闲聊天，不吃东西，切实做到超市规定的“八不准”。

以上保证请领导和同志们严加监督。

保证人：×××

二〇〇六年一月三十一日

保证书是对未来做事情的一种决心，行文时应注意使用恳切、真挚的语气。

75. 诉状

(1)什么是诉状

诉状是向法院提起诉讼的书面形式，也就是“起诉状”。公诉的文件称之为起诉书，公民个人以及机关、团体、企业、事业单位作为原告向人民法院提起诉讼的文件称之为诉状。

(2)如何写作诉状

写作诉状，一要懂得结构模式，二是明确写作要求。

无论刑事诉状、民事诉状或行政诉状，其结构均由三个部分、八个方面组成，可简称为“三部八点”式的结构模式。

第一部分，首部。首部由标题和当事人等内容组成：

A.标题。标题是诉状的名称。有一般式、具体式两款。一般式，如“刑事诉状”、“民事诉状”、“行政诉状”、“刑事附带民事诉状”等等。具体式，如“王××诉陈××人身伤害案刑事诉状”、“林××诉朱××虐待、离婚案刑事附带民事诉状”、“余××诉夏××履行合同案民事诉状”、“郑××诉县长黄××炸毁楼房案行政诉状”，等等。

B.当事人。在原告人(刑事诉状写“自诉人”)和被告人栏内，分别写明他们的姓名、性别、年龄、民族、籍贯、职业、工作单位和住址。

先写原告人，有几个依次写几个，其中有代理人的，就在该原告人的名字下一行写，再写被告人。如有第三人，最后写第三人，有几个也依次写几个。

第二部分，主体。主体主要写清楚以下事由：

C.请求事项。这是自诉人或起诉人，提起诉讼的目的要求，如属刑事诉状，就要写明追究被告人的刑事责任；如属民事诉状，就要写明请

应用文书

诉状是向法院提起诉讼的书面形式，也就是“起诉状”。公诉的文件称之为起诉书，公民个人以及机关、团体、企业、事业单位作为原告向人民法院提起诉讼的文件称之为诉状。

讲清诉讼的理由，是在叙述事实、提供证据的基础上进行的剖析和归纳，剖析要就事论理，归纳要揭示要害。为此就要引用有关的法律条文来说明问题，使诉讼有根有据有力，合情合理合法，立于不败之地。

求法院依法解决原告要求的有关民事权争议的具体事项。如属刑事附带民事的诉状，就要明确提出两方面的具体请求。如遭殴打致重伤，提起刑事诉讼又附带提起民事诉讼，请求事项既要写明请求追究被告人伤害罪，又要写明要求被告人赔偿全部医药费用等。

B.事实和理由。既然请求事项是起诉的目的和要求，那么事实和理由部分，既可说是起诉的事实和理由，也可说是请求事项的事实和理由。请求事项与事实和理由，都是诉状的主体部分。

叙述诉讼的事实，要讲清时、地、人、事、因、果诸要素。原告人同被告人的关系，冲突或争端的背景、起因、时间、地点、主要情节及大致经过，冲突或争端的焦点与实质，被告人给原告人所带来的严重后果及其应负的责任，都要写得十分清楚。同时就诉讼的事实提供人证、物证、书证。

讲清诉讼的理由，是在叙述事实、提供证据的基础上进行的剖析和归纳，剖析要就事论理，归纳要揭示要害。为此就要引用有关的法律条文来说明问题，使诉讼有根有据有力，合情合理合法，立于不败之地。

第三部分，尾部。尾部主要有以下内容：

A.投诉法院。主体部分写完以后，另起一行或空两格，或在中间，或在上行文后写“此致”，再另起一行顶格写“×××人民法院”。

B.签名盖章。具状人在右下方签名盖章。

C.书状时间。在具状人下一行写年、月、日至末格。

D.附项。写明：

第一，本状副本______份；

第二，物证__________件；

第三，书证__________件。

(3)诉状最常见的几种形式

诉状最常见的几种形式包括民事诉状、刑事诉状等。

民事诉状是民事案件的原告人或其法定代理人，为维护自己的民事权益就有关民事权利和义务的纠纷，向人民法院提出诉讼请求时，所使用的一种特殊应用文样式。有人又称它为民事起诉状。

刑事诉状是刑事案件的受害一方(又称自诉人)或者由他的法定代理人,根据事实和依照法律,向人民法院提起诉讼,控告被告人侵犯自身权益,要求追究刑事责任时,所常使用的特殊应用文样式。

(4)民事诉状例文:

民事诉状

原告人:刘××,男,60 岁,汉族,退休工人。

住址:金海区金山县兆关。

被告人:刘金山,男,32 岁,汉族,工人。

工作单位:金山区金山县劳教场。

住址:同上。

请求事项:要求被告赡养

事实与理由:

原、被告系养父子关系。原告因膝下无子于 1950 年抱养被告,当时被告刚刚满月,数十年来,原告千辛万苦将被告抚养成人,于 1966 年为被告安排工作,1968 年为被告择妻安家。

被告成家后,于 1969 年要求与原告分家,分家后对被告一切不管不问,一分钱不给,过年过节也不回家,原告靠拉架车挣钱糊口。现在原告已经年老,生活困难,被告不仅不帮忙、不赡养,而且意欲抢占原告家产,每逢原告家来亲戚,被告就怀疑原告暗中给别人东西,因此,必来大吵大骂,有时动手打原告。

综上所述,原告认为,原告将被告抚养成人,尽到了做父亲的义务,被告在原告老年以后, 理应尽赡养义务, 由于被告数十年来不赡养原告,打骂原告,根据《中华人民共和国婚姻法》第 15 条、第 20 条规定和《中华人民共和国民事诉讼法》第 81 条规定,原告依法起诉,请人民法院查清事实,依法判令被告履行赡养义务。

此致

金海区人民法院

具状人:刘××

二〇〇二年八月一日

应用文书

诉状中的事实和理由,是主体中最重要的组成部分,宁愿多花费时间,也一定要精心地把它写好,因为这往往是下一步成功的关键。

诉状中的事实和理由，是主体中最重要的组成部分，宁愿多花费时间，也一定要精心地把它写好，因为这往往是下一步成功的关键。

应用文书

申诉状是刑事案件中的当事人、被害人及其家属，或者其他公民，对于已经发生法律效力的判决认为有错误而不服，向有关人民法院或人民检察提出申诉，请求重新审查案件时所使用的一种应用文样式。

民事案件中的当事人、法定代理人，如果遇有类似情况，可以运用申诉状，向人民法院或人民检查院提出申诉，请求重新审查案件。

76. 申诉状

(1)什么是申诉状

申诉状是刑事案件中的当事人、被害人及其家属，或者其他公民，对于已经发生法律效力的判决认为有错误而不服，向有关人民法院或人民检察提出申诉，请求重新审查案件时所使用的一种应用文样式。

民事案件中的当事人、法定代理人，如果遇有类似情况，可以运用申诉状，向人民法院或人民检查院提出申诉，请求重新审查案件。

使用申诉状的意义是：它维护了法律的尊严，它维护了申诉人的合法权益。其作用是：它能达到“有错必纠”的目的，又能使已生效的法律文书保持稳定。

(2)如何写作申诉状

要掌握申诉状的结构方法。一般说，申诉状的内容由如下六部分组成。

第一部分，标题名称。一般写“申诉状”三个字，位置在第二行中间。

第二部分，写申诉人的个人基本情况。这些情况包括：姓名、性别、年龄、民族、籍贯、职业、住址。刑事案件中的申诉人如果在押，还要在情况后面写上现押在什么地方。要是写申诉状者不是被告本人，而是被告人的辩护人、亲属或其他公民，要在情况后面写清申诉人的姓名、职业以及同被告人的关系。倘若是民事案件中的当事人申诉的，注意还要写清对人民法院的何字何号的判决而提出申诉的。具体写法是：“申诉人×××因××案不服×××人民法院〔20××〕××字第××号刑(民)事判决的申诉状”。

第三部分，写申诉请求的目的。在这部分中，申诉人要简单明白地

把请求人民法院要解决的问题，要达到的申诉目的表示出来。如要求撤销变更原案，或者要求再审，以纠正原判中的错误。

第四部分，写申诉的事实和理由。申诉状的主要内容就是写在这一部分内。一般写法有如下几层意思：

A.摆清事实。即在申诉事实上摆清真实情况。其要求是：全、实、准。

首先，申诉事实要求全。主要事实情节有关的次要事实要摆出来。

其次，在事实上要求实。即所申诉的事实确凿可靠，不是虚构伪造。

第三，要在事实上求准。即指对申诉的事实，在内容上、文字上都做到准确无误。

B.列示证据。除了用文字表达摆清事实以外，为了证实申诉事实的准确、可靠，申诉人还应把同自己请求目的相符合的人证、物证、书证明确地列出来。必要时加以说明。

C.说明法律适用情况。在申诉状中申诉人要从两个方面去考虑：

第一，看原判适用法律是否得当。如果原判适用法律不当，对案件的性质、罪名认定错了，在这里申诉人在申诉状中要阐述正确适用法律和应当援引的法律的条、款、项。

第二，看原判是否违反诉讼程序。如果原判在审判中严重违反诉讼程序，申诉人在申诉状中，要指明正确执行诉讼程序的做法及规定。

D.讲清理由。即理由要在申诉状中写充分，要做到这一点，必须从两个方面下手：

第一，申诉的事实精确，推理前提真实、可靠。

第二，要使理由和结论有内在联系，不能脱节。

第五部分，结尾。此部分包括：

A.写申诉状所递交的单位。写法是：在正文下面另起一行空两格写“此致”二字，接着另起一行顶格与“×××人民法院”。

B.申诉人签名盖章。

C.写明年、月、日。写在申诉人姓名下面，如果申诉状是请人代写的，要在年、月、日下面，另起一行写上“代书单位：×××法律顾问处”。

应用文书

除了用文字表达摆清事实以外，为了证实申诉事实的准确、可靠，申诉人还应把同自己请求目的相符合的人证、物证、书证明确地列出来。必要时加以说明。

(3)例文：

刑事申诉状

申诉人:刘××(受害人刘×平之兄),男,31 岁,汉族,××区建设局第三施工队工人,住××区同胜胡同甲 1 号。

我因"伤害致死人命"一案,不服××市高级人民法院〔98〕高刑终审第 226 号刑事判决,现提出申诉。理由如下:

我是受害人刘×平的哥哥。我于 1998 年 4 月 8 日下午收到××市高级人民法院(98)高刑终审第 226 号判决书,我认为判决书对杀人犯彭××在定性和量刑上均失公正,叙述事实有出入,我们无法接受。

1.判决书定彭××为伤害致死罪是不恰当的。我认为彭××应定故意杀人罪。因为刘×平并未对彭或其他人造成任何人身威胁,彭××没有必要用三棱刮刀来主持"正义"。他如果真是出于"正义",不是出于故意杀人的动机和目的,在刘×平赤手空拳的情况下,完全可以采取劝阻和以理服人的方法。为什么要选择最要害的部位——心脏,并一刀刺死刘×平呢?

2. 判决书叙述事实有出入。判决书说修建队书记要去医院看病,刘×平进行拦截和挑衅,这与事实不符。事实是:我母亲多次去找××镇修建队要求解决工作问题,均遭到修建队长彭××毒打。为此,我母亲找到××区委和××法院,但都未作处理,叫我母亲找修建队书记。6 月 19 日我母亲找到书记杨××后,又遭到书记的打骂,然后书记要坐卡车去医院,我母亲拦车不让上,因此他打了我母亲,问题还没有解决,可是他们强行把我母亲拉开,把车开走了。我和我母亲也走路去医院了。在这个过程中,我弟弟刘×平根本不在场,怎么会"拦截"和"挑衅"呢?到了中午十二点,刘×平找我母亲回家吃饭,彭××用从仓库拿出的三棱刮刀,一刀刺在刘×平心脏,然后穿过马路逃跑了。我弟弟只身一人,而彭××他们人多势众,我弟弟没带凶器,彭××却带着凶器,我弟弟怎么会跟他们"挑衅"?彭××刺死我弟弟并逃跑,为什么判决书对此只字不提?

3.××市高级人民法院终审判决书根据《刑法》第一百三十四条第三款之规定,判处彭××有期徒刑七年,实属定性不当。由于定性不当,所以适用法律错误,判刑太轻。本案被告人犯的是故意杀人罪,应按《刑法》第一百三十二条治罪。

为此,我们全家请求法院对此案重新复查审理,依法对杀人犯

申诉状在列示证据一栏中,应尽可能详细地把人证、物证等证明加以说明,这些都有利于人民法院正确地查明案件的真实情况,从而全面和正确地认定案件的性质。

彭××从严惩处，替我弟弟刘×平伸冤，以维护国家法律的尊严，保障公司的人身安全。

此致

××市高级人民法院

申诉人：刘××

一九九八年四月十四日

申诉状在列示证据一栏中，应尽可能详细地把人证、物证等证明加以说明，这些都有利于人民法院正确地查明案件的真实情况，从而全面和正确地认定案件的性质。

77. 答辩状

(1)什么是答辩状

答辩状是诉讼活动中，被告人对原告人的诉状内容提出答辩时，所使用的一种法律应用文样式。它是被告人一种应诉的法律行为的书面形式。

在诉状活动中使用答辩的好处是，它有利于人民法院全面审理案件，有利于维护当事人的合法权益。

(2)如何写作答辩状

要掌握答辩状的结构方法。答辩状一般由下面五部分组成。

第一部分，标题名称。一般用“答辩状”标出，写在第二行中间，两边空格相等。

第二部分，写答辩人的个人基本情况。其中包括：姓名、性别、民族、籍贯、职业、住址。

第三部分，写答辩人的案由和理由。具体方法是：

A.案由。在此写明为何人上告何案件而提出的答辩。例如，民事案件答辩状的案由可以这样写：“现将××××为遗产分配一案上告一事，答

应用文书

答辩状是诉讼活动中，被告人对原告人的诉状内容提出答辩时，所使用的一种法律应用文样式。它是被告人一种应诉的法律行为的书面形式。

在诉状活动中使用答辩的好处是，它有利于人民法院全面审理案件，有利于维护当事人的合法权益。

辩如下:”。

B.理由。答辩状的主要内容都写在这里。在这里要明确地回答原告人的诉讼请求,阐明自己对案件的主张和理由。具体写法,多从如下两个方面来写:

第一方面,承认诉讼请求。就是被告人对原告人所提出的一些请求表示接受。当然这种承认是有条件的,否则对原告人所提出的诉讼请求全部接受,那根本就不需要答辩了。这种承认,在多数情况下,被告在答辩状中,常常附带着条件,而且又不是承认原告的全部诉讼请求,只承认其中的一部分。例如,在买卖双方因经济关系而发生纠纷,被告(如果被告是买方的话)要承认双方确实订有供销合同,也承认应该付款,但是供方所提供货物未能达到合同要求,当时又未发现,销方不能按合同日期付款,只有供方承认以次充好,同意买方提出的降价条件时才能全部付款。一般说来,在多数情况下,被告都遇有类似的问题。承认这些诉讼的请求,并不意味着你的“官司”就打输了,而且还可能有利于你更好的进行答辩。

第二个方面,反驳诉讼请求。就是被告在答辩状中提出充分的理由和有力的证据,驳斥原告人的诉讼请求。反驳的目的是使原告败诉,自己获胜。这种反驳可分三步来进行:第一步,先紧紧地抓住原告人在诉状、上诉状中所列举的错误事实;或者找出对方在适用法律条款上不当之处。第二步,被告人列举出事实和证据,作为反驳对方所提要求的有力论据。第三步,运用逻辑推理进行论证,驳斥对方在论证中的逻辑错误。

在答辩状中要想反驳成功,还必须做到如下几点要求:

A.在答辩状中始终坚持实事求是的原则。

B.抓住诉状和上诉状中的关键问题进行反驳,列举事实,阐明理由。

C.针对诉状和上诉状的“漏洞”或“破绽”,抓住要害,尖锐犀利地进行反驳。

第四部分,写明被告人的答辩意见。答辩的意见可从三个方面提出:

A.找出有关法律条文,说明自己答辩的正确性,即证明自己的答辩是有法律根据的。这些条文要找准,选用适当。

应用文书

就是被告人对原告人所提出的一些请求表示接受。当然这种承认是有条件的,否则对原告人所提出的诉讼请求全部接受,那根本就不需要答辩了。

B.依据所列正确事实，说明自己的法律行为的合理性。

C.在上述两项答辩的基础上，一针见血地揭示出原告人法律行为的虚假性，并进一步请求人民法院公开合理地进行最后裁决。

第五部分，结尾。结尾部分写如下三点内容：

A.写明自己的答辩词应送的人民法院名称。写法是：在正文下起一行空两格写“此致”二字，然后另起一行顶格写“××人民法院”。

B.答辩人签名盖章。

C.写答辩状上交的年、月、日。

(3)例文：

民事答辩状

答辩人杨×，女，50岁，汉族，乙市人，本市棉纺厂工人，现住本市北区文山路8号。

因原告李×诉我继承纠纷一案，提出答辩如下：

第一，我对公婆尽了主要的赡养义务，依法有权继承遗产。原告在起诉书中诬告我对公婆未尽赡养义务，长期婆媳不和，事实恰恰相反。我自1977年嫁到李家，1987年后丈夫、公公相继谢世。家人去世，我的精神受到严重打击，眼见婆婆年老体弱，小姑李×尚小，我不忍置老少于不顾，一直未再嫁。此后三口之家全靠我料理，关系很融洽。1991年底原告出嫁，也是我一手操办。10年来，我与婆婆相依为命，对婆婆照顾周到，我守寡伴在婆婆身边，给了她极大的安慰，从未发生大的争执。家里的主要家务由我料理，房屋也是我请人修缮。由于我有工作要上班，婆婆有时主动干家务也是正常的。1999年婆婆去世，我一人料理后事，原告在起诉中诬告我只顾自己快活，要婆婆为我操持家务，以此证明我未尽赡养义务，实属居心叵测。倒是原告未对自己的母亲尽应尽的义务，长大结婚都是我与婆婆一手操办，婚后专顾经营自己的小家庭，对其母亲的生老病死漠不关心，人一死就吵着要房子，是十分不道德的。根据我国《继承法》第12条的规定，丧偶儿媳对公、婆尽了主要赡养义务的，应作为第一顺序继承人，我有权继承公婆的房产。

应用文书

关于遗产的分割，原告在起诉前曾要求房屋由她继承，我可以继续住在东屋，对此我坚决反对。我与原告同属第一顺序继承人，但在考虑继承份额时，应根据权利义务一致的原则，考虑继承人对死者在生前所尽的义务。

第二，关于遗产的分割，原告在起诉前曾要求房屋由她继承，我可

在答辩状中，一定要抓住对方在诉状中露出的破绽或漏洞，对其关键问题进行详细的说明，切忌在一些鸡毛蒜皮或无关重要的问题上浪费太多笔墨。

以继续住在东屋,对此我坚决反对。我与原告同属第一顺序继承人,但在考虑继承份额时,应根据权利义务一致的原则,考虑继承人对死者在生前所尽的义务。我负担全部赡养责任,尽了应尽的义务,理所当然应继承较大的份额,我要求继承堂屋与东屋(86平方米)。

总之,第一,原告父兄死后,我担负了养家的重担;第二,我对婆婆尽了全部赡养义务;第三,我负责对房屋进行了必要的修缮。请人民法院查明事实,并根据《继承法》第12条规定之精神和权利义务一致的原则,对我的继承要加以确认和保护,并驳回原告的无理请求。

此致

北区人民法院

答辩人 杨××

二〇〇〇年三月十四日

在答辩状中,一定要抓住对方在诉状中露出的破绽或漏洞,对其关键问题进行详细的说明,切忌在一些鸡毛蒜皮或无关重要的问题上浪费太多笔墨。

78. 反诉状

(1)什么是反诉状

反诉状,是指在诉讼一审程序中,为维护自己的合法权益,被告以本诉的原告作为被告,向原法院提出新的独立诉讼请求所制作的诉讼文书。反诉应在诉状中提出,并应缴诉讼费。

(2)如何写作反诉状

反诉状由首部、正文、尾部三部分构成。

第一部分,首部。首部由标题、当事人基本情况、案由构成。

A.标题。写明“反诉状”。

B.当事人基本情况。即反诉人与被反诉人基本情况。

C.案由。说明本诉和反诉的案由，并表明反诉之意。一般的写法："被反诉人提出××××(本诉案由)之诉，现反诉人因×××(反诉案由)，特提起反诉。"

第二部分，正文。正文包括反诉请求、事实与理由两部分。

①反诉请求，扼要说明反诉要求的具体内容。

②事实与理由，该部分是反诉能否成立的关键，反诉的事实与理由一般需写明以下几方面情况：

第一，陈述反诉成立的事实；

第二，提出证据材料支持反诉事实；

第三，阐明反诉与本诉的相关性，反诉状中必须说明反诉与本诉密切相关，两者是可以合并审理的；

第四，根据反诉事实性质，引用相关的法律条款，提出具体的反诉请求。

第三部分，尾部。尾部包括呈送机构、落款、附项三部分。

(3)例文：

反诉状

反诉人：向阳春百货大楼

地址：万泉市路宝和120号　　　　电话：×××××××

法定代表人：李小丽，女，46岁，总经理

委托代理人：高青林，男，29岁，××律师事务所律师

被反诉人：芊芊万通热水瓶厂

地址：万泉市和平西路23号　　　　电话：×××××××

法定代表人：宋军，男，34岁，厂长

被反诉人起诉反诉人拒付货款，反诉人认为被反诉人不按合同规定质量标准供货，以次充好，损害了反诉人的商业信誉，特提起反诉。

反诉请求：

1.反诉人未售出货物全部退还被反诉人。

2.被反诉人赔偿反诉人违约金××元。

3.反诉人已售出货物按合同规定支付货款。

应用文书

反诉状，是指在诉讼一审程序中，为维护自己的合法权益，被告以本诉的原告作为被告，向原法院提出新的独立诉讼请求所制作的诉讼文书。反诉应在诉状中提出，并应缴诉讼费。

事实与理由：

2001年5月12日，反诉人与被反诉人签订一份购销合同，反诉人向被反诉人订购××牌××型热水瓶300只，价值6万元。反诉人售出被反诉人所供货物后，不断有顾客向反诉人投诉商品质量问题，并要求退货(证据一)。于是，反诉人将合同封存样品与被上诉人实际供货样品送×××质量检验所检验，检验结果表明：合同封存样品基本达到国家有关部门规定的质量标准，而被上诉人实际供货样品则有四项指标不合格，质量确实存在严重问题(证据二)。反诉人是万泉市最大的商业大楼之一，有着良好的商业信誉。为维护消费者的合法权益，维护反诉人良好的商业信誉，反诉人多次去函去电(证据三)，要求被反诉人派人前来处理此事，被反诉人置之不理。反诉人在此情况下才不得不通知银行拒付货款。而被反诉人就因此向法院提出诉讼，起诉反诉人拒付货款违约。为此，反诉人以产品质量纠纷提起反诉，起诉被反诉人违约，不按合同规定质量标准供货。

综上所述，被反诉人不按合同规定质量标准供货，以次充好，违反了《合同法》第×条和《标准化管理条例》第×条的规定，损害了反诉人良好的商业信誉。为此，特向你院提起反诉，请求依法判决。

此致

×××人民法院

反诉人：向阳春百货大楼

法定代表人：李小丽

二〇〇二年十二月十八日

附：1.本状副本两份。(略)

2.书证三份。(略)

有些案件本身就错综复杂，由于双方总是从自己的角度出发，认为自己有理。因此，既使作为被告方，只要自己有充分的理由，同样也可以反客为主，状告对方。

有些案件本身就错综复杂，由于双方总是从自己的角度出发，认为自己有理。因此，既使作为被告方，只要自己有充分的理由，同样也可以反客为主，状告对方。

79. 撤诉申请书

(1)什么是撤诉申请书

撤诉申请书是民事纠纷和刑事自诉案的原告在案件未审理完毕前,因为与被告庭外和解或者其他原因,请求撤销起诉的文书。

案件一经撤诉,法院将终止审理。撤诉申请,法院一般应同意。

(2)如何写作撤诉申请书

撤诉申请书由首部、内容、尾部三部分构成:

第一部分,首部。首部主要写两项内容:

A.标题。写成"撤诉申请书"。

B.申请人的姓名、住址等。

第二部分,内容。因为撤诉意味着双方间纠纷已基本解决,所以写撤诉状就不需要再叙述案件事实,诉讼请求和理由了。只写三点:

A.撤回的案由。

B.撤诉的案由。

C.请求批准。

第三部分,尾部。写明两点:

A.致送机关。

B.在右下方写:"具状撤诉人:×××"(签名或盖章)并注明年月日。

应用文书

有些案件本身就错综复杂,由于双方总是从自己的角度出发,认为自己有理。因此,既使作为被告方,只要自己有充分的理由,同样也可以反客为主,状告对方。

(3)例文:

撤诉申请书

申请人:中国建设银行珠海市河东区办事处。

法定代表人:林明强,男,38岁,主任。

我单位诉中国农业银行××办事处拖欠工程垫款人民币58899.5元的纠纷一案,已由你院立案受理。

在此期间,农行××区办事处要求××市××区人民政府进行调解。

2002年4月11日，由区政府刘震副区长参与，由区政府农财办公室主任高原同志邀集农行××区办事处主任徐向东同志、副主任程晓晓同志就上述拖欠工程垫款问题进行了协商，最后双方达成协议，并形成了2002年8月4日会议纪要(见附件)，结清了上述拖欠建筑工程垫款人民币58899.5元。

根据《中华人民共和国民事诉讼法》第127条的规定，特向你院申请撤诉，请予批准。

此呈

珠海市河东区人民法院

申请人：中国建设银行珠海市河东区办事处(盖章)

法定代表人：林明强

二〇〇二年八月二十三日

在写撤诉申请书之前，一定要仔细地考虑清楚，要知道，案件一经撤诉，法院便将终止审理。

80. 收养协议书

(1)什么是收养协议书

收养协议书，是收养人与送养人为子女收养而依法订立的收养协议。

根据法律规定，自收养关系成立之日起(收养协议签订并办理登记后生效)，养父母与养子女的关系适用法律关于父母子女关系的规定，而子女与原生父母的关系解除。

(2)如何写作收养协议书

收养协议书由以下几部分组成。

第一部分，首部。写“收养协议书”。收养人与送养人的姓名、住址情况。

应用文书

收养协议书，是收养人与送养人为子女收养而依法订立的收养协议。

根据法律规定，自收养关系成立之日起(收养协议签订并办理登记后生效)，养父母与养子女的关系适用法律关于父母子女关系的规定，而子女与原生父母的关系解除。

第二部分,内容。内容主要写以下两点:

A.被收养人情况。

B.收养人的条件。

C.送养理由。

D.手续的办理。

E.收养人的义务。

F.解除收养的条件。

第三部分,尾部。尾部主要写以下两点:

A.收、送养人的姓名,签字、盖章。

B.写明年、月、日。

(3)例文:

收养协议书

甲方(收养人):伍××,河北省定州市××街×号

乙方(送养人):刘××,河北省定州市××村人

甲乙双方就收养伍东东(被收养人姓名)达成协议如下:

第一条　被收养人的基本情况

被收养人:伍东东,男,6岁,健康,河北省定州市西乡村人

第二条　收养人伍××是××街的镇书记(职务),现年38岁(已婚,收养人为夫妻双方),住址:(定州市××街×号)。

第三条　收养人伍××夫妇都是镇上的干部,身体健康,有稳定收入,曾有一女,因病夭折,其妻已做了绝育手术,故想收养一子。收养人的健康、财产状况等符合收养法规定的收养条件。

第四条　送养人刘××,农民,下身瘫痪,其妻因嫌他穷于2000年不辞而别,至今未归。因为孩子年幼,尚需要人照顾,刘××自己生活尚不能自理,为了孩子能健康成长,所以同意伍××夫妇收伍东东为养子。

第五条　收养人伍××保证在收养关系存续期间,尽扶养被收养人之义务。

第六条　甲乙双方在本协议签订后10天内,到××民政局办理收养登记手续。本收养协议自×××公证机关公证之日起生效。

甲方:伍××(签字、盖章)

应用文书

收养协议书中的各项内容,如收养人、被收养人的姓名一定要仔细地填写清楚,以免由于笔画的错误,引起将来的麻烦。

遗嘱是立遗嘱人生前对其遗产所作的处分或对其他身后事物所作的安排，并在死之时发生效力的以书面形式的意思表达。

公证遗嘱最具法律效力。

乙方：刘××(签字、盖章)

××××年×月×日

收养协议书中的各项内容，如收养人、被收养人的姓名一定要仔细地填写清楚，以免由于笔画的错误，引起将来的麻烦。

81. 遗嘱

(1)什么是遗嘱协议书

遗嘱是立遗嘱人生前对其遗产所作的处分或对其他身后事物所作的安排，并在死之时发生效力的以书面形式的意思表达。

公证遗嘱最具法律效力。

(2)如何写作遗嘱

遗嘱由首部、正文、尾部三部分组成。

第一部分，首部。标题，写“遗嘱”。

第二部分，正文。即立遗嘱人的自述。要写清遗嘱的内容要点，即财产的安排或其他事项的决定等。

第三部分，尾部。要写如下内容：

A.立遗嘱人的签名盖章。

B.证明人的签名盖章。

C.日期。

(3)例文：

遗嘱

立遗嘱人：李××，女，78岁，湖北省沙市人，住沙市××街××号。

我现在身患绝症，不久将永诀人世，特立此遗嘱，对我身前财产进行处理。

我现有私房一栋，上下共6间，位于沙市××街××号；银行存款6万元；自行车一辆。

我死后，6间私房大儿子金晓东拥有楼上3间，小儿子金××拥有楼下3间。银行存款6万元，给女儿金××。自行车一辆给长孙张×读书用。

本遗嘱一式三份，经公证机关证明后，分别由大儿子、小儿子、女儿各执一份。

遗嘱人：李××
证明人：刘××
王××
二〇〇二年十月十八日

立遗嘱人在立遗嘱时，一定要写上签订的具体日期，因为在现实生活中，立遗嘱人有可能立下两份或多份不同的遗嘱，此时，到底哪一份遗嘱真实有效，签订日期起着十分关键的作用。

82. 宣告死亡申请书

(1)什么是宣告死亡申请书

宣告死亡申请书，是指经利害关系人申请，由人民法院依照法律的规定的程序，宣告下落不明一定期限的公民死亡的一种法律文书。

应用文书

宣告死亡申请书，是指经利害关系人申请，由人民法院依照法律的规定的程序，宣告下落不明一定期限的公民死亡的一种法律文书。

(2)如何写作宣告死亡申请书

向人民法院提出宣告死亡，应当提交申请书，填写申请书应当注意说明申请被宣告死亡人的原因和理由、申请人与被申请人的关系。它的写法和格式，由标题、正文、结尾、署名和日期四部分组成。

尽管有些人多年下落不明，但法律上并不承认其死亡，只有在向人民法院提出宣告死亡申请书并公布一定期限生效以后，法院才对其死亡进行认可。

(3)例文：

宣告死亡申请书

申请人：×××(姓名、性别、年龄、职业、住址)

申请事由：请求人民法院宣告××(死亡人姓名)死亡

事实和理由：

被申请人×××(写明姓名、性别、年龄、籍贯、职业、原住址。)与申请人×××系××(写明双方关系，是夫妻，还是父子、母子等)关系，因其××××(写明原因)，至今已下落不明满四年。根据《中华人民共和国民法通则》之规定，特向贵院提出申请，请求宣告×××为死亡。

此致

申请人：×××

××××年×月×日

尽管有些人多年下落不明，但法律上并不承认其死亡，只有在向人民法院提出宣告死亡申请书并公布一定期限生效以后，法院才对其死亡进行认可。

83. 广告

(1)什么是广告

广告是一种应用性的说明文，是企业事业单位或个人向消费者或服务对象介绍商品、报导服务内容或文娱节目的一种宣传手段。

(2)如何写作广告

广告的内容一般包括标题、正文和落款三部分：

第一部分，标题。标题是广告的“眼睛”，必须精心提炼，一定要有吸

引力。

第二部分，正文。正文是提供商品信息细节的部分，一般包括商品的性能、用途、价格、效果、信誉以及使用方法和售后服务等。常见的广告形式有：

A.陈述体。用平直的语言，明白地说出商品的名称、用途、规格、价格等情况。

B.问答体。它利用人们的好奇心和求知欲，用提问的形式来激发顾客的购买欲，生动活泼，具有较强的吸引力。

C.证书体。将产品获得过什么奖毫无保留的告诉给人们，利用人们对政府有关部门组织评比的信任，间接赞誉本产品。

D.幽默体。动用生动的语言和形象进行商品宣传，比如借助文艺表演的形式，如相声、动画、木偶、漫画等。

(3)广告最常见的几种形式

广告最常见的几种形式包括招生广告、招工广告、商品广告、开业广告、租赁广告、产品介绍广告、转让广告等。

招生广告是各类学校招收新生时使用的具有宣传作用的实用文体。它一般采用张贴、登报及在杂志刊登，或用广播、电视的形式进行宣传，达到招收新生的效果。

招工广告是企业单位或事业单位、党政机关招收新的工作人员所使用的一种实用文。

商品广告是商家或个人为了传播商品信息，使自己的产品或商品为公众知晓并进行购买的一种广告文书。这种广告除可贴、广播、登报、录像录音、电视播映外，也可用吊牌、挂牌、灯光宣传。有的商品广告用文字写出，有的用绘画、摄影展出，有的图文并茂。

开业广告是公司、商店等经济实体开始营业所刊登、张贴的告之公众其开始营业的广告。

租赁广告是企事业单位或个人关于出租物品所使用的常用文体。

产品介绍广告是指通过文字、画面、影视形象等，把一种产品的性能、特点、使用方法等向人们进行宣传介绍，让人们了解这种产品，而经常运用的一种广告文体。

应用文书

广告是一种应用性的说明文，是企业事业单位或个人向消费者或服务对象介绍商品、报导服务内容或文娱节目的一种宣传手段。

应用文书

广告可写得生动活泼，以此来对观众构成较强的吸引力，有时也可借助漫画等表现形式，使之更具有吸引观众的目的。

转让广告是指有关单位或个人将自己的固定资产、物品、科研成果转让给别的单位或个人所写的一种传播信息的实用文书。

(4)招工广告例文：

招工广告

经省劳动厅批准，×××矿务局、省煤矿基建公司等单位在我市招收1000名全民所有制工人。

一、招收的工人全部到井下采掘第一线，工种10年不变。

二、招收来源，凡我市城镇待业青年，身体健康，热爱挖掘工作，年满18周岁到28周岁的男青年均可报名。

三、报名办法：我市城镇待业青年凭劳动证、毕业证、户口本报名，报名时交1寸近期免冠照片两张。

报名者可报两个志愿，即可选两个单位。

四、招收办法：经政审、体检合格的人员，按照先报先招的原则和所报志愿进行录取。

五、报名地点：市区青年持证到所在地镇劳动服务公司劳动科报名。

六、报名时间：2005年10月17日–11月17日。

七、在招收中严禁不正之风和弄虚作假，试用期三个月，不符合招收条件的给予清退。

八、招收单位及名额：

×××矿务局：×名。

省煤矿基建公司：×名。

欢迎符合条件者报名！

×××矿务局

省煤矿基建公司

二〇〇五年九月十五日

广告可写得生动活泼，以此来对观众构成较强的吸引力，有时也可借助漫画等表现形式，使之更具有吸引观众的目的。

84. 启事

(1)什么是启事

启事又叫启示，是机关团体、企事业单位、公民个人有事情需要向公众说明，或者请求有关单位、广大群众帮助时所写的一种说明事项的实用文体。

(2)如何写作启事

启事有许多种类，其格式大体差不多，主要写法如下：

第一部分，标题。首行的正中写标题，要用大字醒目地写出，如“招聘启事”、“寻人启事”等；有时在“启事”之前加上“重要”等字样；有时将“启事”两字省去，只写“招聘”、“寻人”。

第二部分，正文。标题下一行空两格开始写正文。正文的内容一般包括目的、意义、原因、要求、特征、待遇、条件等。正文是主体，它决定了启事的效果。

第三部分，署名。落款处要署名，要署全名，如果是单位，最好盖上公章。在署名之后，要写上发启事的年、月、日，并附上联系地址和电话号码等，有时还要把乘车路线写明。

(3)启事最常见的几种形式

启事最常见的几种形式包括寻物启事、寻人启事、招领启事、征婚启事、迁移启事、征文启事等。

寻物启事是个人或单位丢失东西，通过公开声明希望能够得到别人协助寻找时，所使用的一种应用文样式。这种启事有时贴在失物地点，有时贴在单位门口，有时贴在大街上，有时登在报上。寻物启事这种应用文同每个人都可能发生关系，人人都应该会写。

应用文书

启事又叫启示，是机关团体、企事业单位、公民个人有事情需要向公众说明，或者请求有关单位、广大群众帮助时所写的一种说明事项的实用文体。

应用文书

启事的正文部分，要写得具体、明白、详细，有时连细节也要写得非常清楚，不能有半点含糊。

寻人启事是个人或单位寻找下落不明的亲人或同志时所用的一种应用文样式。这种启事多半事前印刷好，贴于交通要道或人口密集处，也有登在报上或同时在电台广播的。

招领启事是拾到东西的个人或集体，用书面形式请失主前来认领时用的一种应用文样式。这种启事，除拾者自己亲自执笔写好贴出之外，还有一种是拾者把拾到的东西交到有关单位，由接收单位代写的。这种启事，多数贴到人们容易看到的地方，也有在广播站播出的，个别的也有登报的。

征婚启事是符合结婚条件的公民，为了找到理想的爱人，公开在报纸上征婚时所使用的一种应用文样式。

迁移启事是指在搬迁新址办公或别处居住时所常使用的一种应用文样式。这种启事多贴在原址的大门口或贴在大门上边，(有时登在报刊上)以便有关人员到新址联系事情。

征文启事，也叫征稿启事。它是报纸、杂志编辑部为了纪念重大节日、重要活动或者繁荣文艺创作，向作者征求稿件时所使用的一种应用文样式。这种启事，有时登在自己的报纸上、杂志上，也有登在别的报纸、杂志上的。

(4)寻物启事例文：

寻物启事

2005 年 12 月 26 日(星期日)上午 11 点半，本人在××街×号超市门口由于走时过急，不慎将上海产的黑色小提包丢失，内装钱包一个，工作证一个，新书三本。经多方寻找，仍未找到。若哪位同志拾到请与本人联系，本人将登门领取，并当面表示感谢。

通讯地址：××××××××××

联系电话：××××××××

手机：×××××××××××

寻物人：×××

二〇〇五年十二月二十七日

启事的正文部分，要写得具体、明白、详细，有时连细节也要写得非

常清楚，不能有半点含糊。

85. 海报

(1)什么是海报

海报是适用于一定范围的告示。它可以用于商品信讯文艺演出、展销、比赛、各种会议等消息的公示。它的传布形式常常是用大纸张、大字体醒目的写出内容，张贴于闹市、人多的地方，也有的直接刷写在墙壁上，也有的刊登在报纸上。

(2)如何写作海报

海报没有严格的格式规定，一般来说，海报的内容分为以下几部分。

第一部分，标题。标题是海报的主题，是内容的焦点。因此，标题必须醒目、新颖、简洁，能把一瞥之间的人的兴趣和注意力紧紧抓住，激起人们踊跃参加的热情。

一般的写法，是上方正中间写出标题，如“海报”、“精彩球赛”、“填补国际空白的科技成就报告会”等。标题的字一定要大而醒目，大到占一张纸的大半都可以。

第二部分，正文。正文的内容，不同的海报差别很大，但概括起来，大约有以下三个方面。

①活动性质。如演出、赛事、会议、商品销售等，要明确写出。

②情况介绍。活动的具体情况要有简明介绍，如球赛：是什么球队，水平如何；演出：有哪些演员、什么剧种、剧目；报告会：内容、报告人情况。

③商品销售：货物、价格和质量如何等情况要让群众心中明白，那才能更好地吸引群众。

应用文书

海报是适用于一定范围的告示。它可以用于商品信讯文艺演出、展销、比赛、各种会议等消息的公示。它的传布形式常常是用大纸张、大字体醒目的写出内容，张贴于闹市、人多的地方，也有的直接刷写在墙壁上，也有的刊登在报纸上。

应用文书

板报、墙报是党政机关、群众团体、学校工厂等单位将国内外大事、本地消息及其他信息摘抄编写，刊登在黑板上或张贴在墙壁上的一种宣传。

第三部分，时间、地点、票价。举行活动的时间，一定要写得明白而具体。

第四部分，结尾。结语后另起一行，稍右写落款。即举办单位的名称，在名称的下一行的右下位置写出书写海报的年、月、日。

(3)海报最常见的几种形式

海报最常见的几种形式包括讲座海报、体育比赛海报等。

讲座海报是大学或者机关单位聘请教授、技术人员，或其他知名人士到大学或者单位去讲座写的海报。

体育比赛海报，是某一场次体育比赛即将举办前将比赛事项通知于公众的一种启事类文书。

(4)体育比赛海报例文：

篮球表演赛

本市篮球队—××市篮球队
对抗激烈，扣人心弦
时间：×月×日下午4点
地点：××体育场
购票地点：厂工会1楼305号
票价：20元/人

海报的结尾，一般可用稍大的字书写“莫失良机”、“欢迎参加”等作为结束语，以达到吸引观众的目的。

86. 板报、墙报

(1)什么是板报、墙报

板报、墙报是党政机关、群众团体、学校工厂等单位将国内外大事、本地消息及其他信息摘抄编写，刊登在黑板上或张贴在墙壁上的一种宣传。

板报、墙报是最简单、举办灵活、为群众所喜闻乐见的宣传形式。它既可以报道群众所在单位的生活状况，又可以表现群众身边的先进人物，交流工作经验，群众看来格外亲切。

(2)如何写作板报、墙报

板报、墙报的内容由标题和正文两部分组成。

第一部分，标题。它的特点有二，第一要吸引读者；第二要有导语的效果。

第二部分，正文。它的特点有三：

A.文章必须短小精悍。

B.文体多样，既有消息、评论，也有其他的文章形式。

C.要通俗易懂，散文、顺口溜、快板书等活泼健康易于人民群众接受。

(3)例文：

义务植树一千棵

在植树节到来之际，高一(4)班的全体同学利用周末时间在郊县的荒山上义务植树一千棵，为全校师生做了榜样。

板报、墙报一般要写得通俗易懂，使广大读者一看便能清晰明了，那种使人容易费解的词句尽量少用。

应用文书

板报、墙报一般要写得通俗易懂，使广大读者一看便能清晰明了，那种使人容易费解的词句尽量少用。

应用文书

办公楼招租广告是房地产开发企业或广告公司为招揽客商前来租用办公楼而制作与播发、刊发的一种广告。

87. 办公楼招租广告

(1)什么是办公楼招租广告

办公楼招租广告是房地产开发企业或广告公司为招揽客商前来租用办公楼而制作与播发、刊发的一种广告。

(2)如何写作办公楼招租广告

办公楼招租广告中常见的内容由标题、正文、落款三大部分组成。
第一部分,标题。直接写“招租”、“招租广告”或“办公楼招租”。
第二部分,正文。它包括:
①出租办公楼的名称、类型。
②出租办公楼所处的地理环境。
③出租办公楼的面积、层数及功能。
④商客联系租用办公楼的方式方法等。

(3)例文:

办公楼招租

我公司有办公楼出租,650m^2,整租或散租。另有 338.4m^2 整层出租,交通便利(北二环与北三环之间),新德街 20 号,地处中关村德胜科技园,有充足的停车位,入住的高新科技企业,可享受多种优惠政策,欢迎垂询洽谈!

单位:北京外贸××公司

地址:北京市××路 202 号

联系人:×××

电话:××××××××

办公楼招租广告应把招租房的具体位置以及优势详细地写出来,

结尾处写上“欢迎垂询”之类的话语，以表示客气。

88. 讲演稿

(1)什么是讲演稿

讲演稿，又称演讲辞，它是演讲者事先准备的供演讲使用的文稿。

(2)如何写作讲演稿

讲演稿一般由开头、主体、结尾三部分构成。

第一部分，讲演稿的开头。开头多种多样，常见的有提问式、叙事式、解题式、明旨式、抒情式、示物式、格言式、套近乎式、引用式等。无论采用哪种形式，都要尽量吸引听众，做到引人入胜。

第二部分，演讲的主体。在主体部分要围绕演讲的论点，合乎逻辑地层层展开，有节奏地掀起波澜，使听众产生强烈的共鸣。演讲的主体部分，要注意丰满、结实、富有内容，以及结构的流畅性和节奏感。

A.流畅，是指讲演稿的结构安排有序，层次分明，衔接恰当，顺畅自如，浑然一体。

B.节奏，是指讲演稿结构安排有起有伏、有张有弛、有动有静、有正有反、有疏有密。

第三部分，演讲的结尾。演讲结尾要简短有力，言短意长，回味无穷。其方法也很多，常用的有：总结式、感召式、抒情式、警言式、呼应式、象征式、引用式等。

好的结尾使听众激动感奋，觉得韵味深刻。演讲结尾切忌画蛇添足，陈词俗套。

应用文书

讲演稿，又称演讲辞，它是演讲者事先准备的供演讲使用的文稿。

(3)例文：

朋友，别说不行

人生的旅途上处处长满了荆棘，鼓起你的勇气，大步向前。请相信，

讲演稿在开头的时候，切忌陈词滥调，故弄玄虚，不着边际，而要尽量生动有趣，吸引住听众。

路是人踏出来的，别说——我不行。

谁一生下来就会走路！有问题时只管站起来发言，即使未必正确，也没有人会讥笑你，即使说得结结巴巴，同学们也会在心中为你鼓掌。喔，别说——我不行。一个生活的勇士，是敢在别人面前展露自己缺点的。万事总是开头难，义无反顾地面对挑战，迈出决定性的第一步，紧接着就会有第二步，第三步……别说你不行。

运动场上，请迈开步伐去拼搏、奋斗吧，别因身体孱弱而退缩，经不起波浪的鱼儿不能跃出水面；只会躲在安乐窝中的雏鹰终究无法在苍穹中翱翔。不要害怕跌倒，它只会使你脚步更踏实、矫健；不必担心失败，失败即是成功之母。通往胜利的路上充满着坎坷。爱迪生为发明电灯曾试验过一千多种灯丝，每次失败，他从不气馁。面对别人的嘲笑，他敢自豪地说："我发现了一千多种物质不适合做灯丝。"这是怎样的勇气和信心啊！朋友，困难在强者面前只能是纸老虎。当你成功时，你就会发觉："这并不难，我行。"

说不行，永远是一种怯懦的表现，总想为自己筑造一堵高墙，自卑地乞求人们莫要剥去他虚伪的外表。朋友，你是否知道：世界之大，方寸之小，若不举步，何来坦途。一个自信，勇于开拓进取的人四周总充满阳光。世界上没有平坦的路可走，只有在崎岖不平的路上不断攀登，才能达到胜利的顶峰。

朋友，请别再说——我不行！

讲演稿在开头的时候，切忌陈词滥调，故弄玄虚，不着边际，而要尽量生动有趣，吸引住听众。

89. 广播稿

(1)什么是广播稿

为广播宣传而写的文字叫做广播稿。

(2)如何写作广播稿

广播稿一般由开头和正文两部分组成。

第一部分，开头，即标题。

第二部分，正文。也是广播稿的血肉，正文要有以下特点：

A.广播稿的内容要有针对性；

B.广播稿的形式可以灵活多样；

C.要写得口语化。

(3)例文：

从陶家信仪《辍耕录》谈起

我国元末明初有个文学家叫陶家信仪，他写过一本书，叫《辍耕录》。为什么起这么一个怪名呢？原来他在晚年时，一面做着官，一面在地里干活。干活累了到树下休息时也不忘写作，想起什么，见到什么，就立即摘取身边的树叶写在上面，回家后贮存在一种叫盎的瓦器里，这种盎口小腹大，他装满一盎放起来。这样日积月累，十年中竟积下了十几盎。后来他把盎一个个打开，取出平时积累的树叶，一张张重新加以修改整理，一共抄成三十卷，这就是他积叶成章的《辍耕录》。

陶家信仪正是靠着这种锲而不舍、日积月累、孜孜不倦的精神才获得成功的。他的故事应该给我们一个启事：只要我们也能抓紧平常的分分秒秒，注重随时留心这种点滴积累，长久坚持下去，我们也会迎来学习上的丰收。

广播稿一般应注重口语化，让人一听便能明白意思。切忌过分书面化，让人有生硬和隔膜之感。

应用文书

为广播宣传而写的文字叫做广播稿。

90. 题词

(1)什么是题词

题词，又可以写作题辞，是指为留作纪念而题写的简短、精炼的

文字。如党和国家领导人为英雄人物的题词，为展览馆、纪念馆题词，师长为晚辈写的题词，同志、同学、朋友之间的题词等均属于带留念性的题词。

应用文书

题词，又可以写作题辞，是指为留作纪念而题写的简短、精炼的文字。如党和国家领导人为英雄人物的题词，为展览馆、纪念馆题词，师长为晚辈写的题词，同志、同学、朋友之间的题词等均属于带留念性的题词。

(2)如何写作题词

题词的内容由以下几部分组成。

第一部分，题词的正文。所题之词在题词的上边或右边写上被题词对象的姓名或单位名称，有时还简单的注明一下题词原因。

第二部分，落款日期。在题词正文的右下边写上题词者的名字和题词时的年、月、日。

(3)例文：

祝贺《中国投资报》创刊5周年

坚持不懈

持之以恒

刘正成

二〇〇二年六月十八日

题词应简短精炼，言短意长，切忌拖泥带水，含糊其词。

91. 凡例

(1)什么是凡例

凡例是对一本书编撰体例的说明文字。它是编撰工作中应当共同遵守的基本原则，是读者了解图书内容和结构的基本线索。

凡例又称发凡、例言等，一般放在书的前面，在古代，任何书籍都是有凡例的(只是有的没有列出)。现在通常只是字典、辞典、手册、年谱、资料汇编之类工具书印有凡例。

(2)如何写作凡例

凡例由以下几部分组成。

第一部分，标题。径标“凡例”等字样，或加上书名。

第二部分，正文。这部分除了原则性地说明大致内容，主要是介绍体例，常见的是采用分条编写的形式；字典、词典介绍条目安排，字辞取舍，注意规范，释义原则，检查方法等，其他书籍多介绍入选标准，排列顺序，资料来源，注释规格等等。

第三部分，签署。要写编撰者姓名和日期，也有的把这一部分省略。

(3)例文：

凡例

一、《辞海》历史学科分中国古代史、中国近代史、中国现代史、世界史等册出版，本册为中国现代史部分(包括中共党史在内)，共收词目1165条。

二、本册所收词目，主要是中国现代史(1919年五四运动到1983年12月)上比较著名的政治运动、历史事件、武装起义和根据地、军队战争、重要会议、路线政策、党派社团、文件著作、历史人物等；凡属现代哲学史、文化史、教育史、科技史、民族史等方面的词目，均列入其他各有关分册。

三、人物词目，只收已故的历史人物，以去世的时间先后顺序排列。

四、重要人物附有插图。

五、一词多用的①②③④……分项叙述。

六、释文的旧地名，一般均夹注今地名。

七、本册前面刊有《分类词目表》，所分类别和排列次序，主要从查阅方便考虑，各类词目均以时间顺序排列。书末另附有《词目笔画索引》，供读者查阅。

八、本册内容及编排，如有错误或不当之处，请指正。

凡例应条理清晰，排列有序，让人清晰明了。

应用文书

凡例是对一本书编撰体例的说明文字。它是编撰工作中应当共同遵守的基本原则，是读者了解图书内容和结构的基本线索。

92. 发刊词

发刊词，是报纸杂志创刊之时向读者“亮相”表明刊物的取向、风格、内容等的宣言，是帮助读者了解自己的说明文。

(1)什么是发刊词

发刊词，是报纸杂志创刊之时向读者“亮相”表明刊物的取向、风格、内容等的宣言，是帮助读者了解自己的说明文。

(2)如何写作发刊词

发刊词的内容由标题、正文、签署三部分构成：

第一部分，标题。标题或径标“发刊词”，或为别致起见，标为“见面的话”、“开篇絮语”、“致读者”等，也有的取正副题的方式。

第二部分，正文。写法多种多样，或明白晓畅，或含蓄深沉，或气势磅礴，或纡徐婉转，不过，这种风格仅和本报(刊)的性质相关，要显示出个性，正文包括本报(刊)的性质、宗旨、方针、读者对象以及稿件方面的要求等等。

第三部分，签署。报刊编辑部名称及日期。

(3)例文：

弘扬诗词艺术

——《××××》发刊词

在我中华民族的文化宝藏中，传统诗词有着特别突出的地位。这不仅由于它历史悠久，作品丰富，而且还因为它具有深刻广泛的社会内涵和无与伦比的诗词美。我国传统诗词最能体现汉语声情意象之美，具有超越浩茫时空的活力。许多优秀诗篇成为千古绝唱，深深植根于人民之中。中国的文学史上悠悠数千年间首先是一部诗歌史。传统诗词对于华夏文化传统的形式，人民心理素质的培育，产生着巨大的影响。诸如爱国主义、忧患意识、博爱情怀、教化思想、理性思考之类，都是诗词中高扬的旋律。它在陶冶情操、砥砺意志、增进道德修养和增强民族凝聚力方面，都潜移默化地发挥着重要的作用，至于传统诗词在诗艺方面的成

就，更是有口皆碑举世公认的。我们要研究继承祖国的这份宝贵遗产及其优良传统，并发扬光大。

“诗言志、歌咏言”，“诗文随世运、无时不趋新”。传统诗词从来具有与时代同步前进的特点。我们今天已经是伟大的社会主义时代，十几亿人民群众正在中国共产党的领导下，为建设富强、民主和文明的社会主义现代化国家而奋斗。诗词也和其他上层建筑一样，必须服务于它的经济基础——社会主义，今天的诗词创作必须在题材、思想、感情、语言、韵律诸方面力求遵循和体现时代精神。这是我们时代诗词事业成功的关键。因此，我们在努力继承诗词传统的同时，必须着意于改革，创新。任何因循守旧的保守思想都是要不得的。

作为中华诗词学会会刊的《××××》的出版，对于振兴传统诗词，促进社会主义精神文明建设，团结海内外诗人、词家和广大诗词爱好者，具有十分重要的意义。

在写发刊词的正文时，无论采用哪一种行文方式，一定要与本报（刊）的主旨和方针有着密不可分的联系。

93. 编者按

(1)什么是编者按

编者按是报刊编辑对将要发表的消息、通讯、文章所加的按语，表明某种观点、态度，给读者一些启示性的说明。

应用文书

编者按是报刊编辑对将要发表的消息、通讯、文章所加的按语，表明某种观点、态度，给读者一些启示性的说明。

(2)如何写作编者按

编者按由标题和正文两部分组成：

第一部分，标题。一般都标“编者按”。

第二部分，正文。这部分因作品内容不同，编辑意图不同，写法有很大差异，大致上有三个类型：

A.介绍型，介绍作者生平、文章写作背景和经过，以及考订、核实文

章中的某些材料，旨在突出文章重点，扩大宣传效果。

A.提示型，指出文章中带普遍性的问题以引起读者注意。

B.评论型，明确地表示自己的观点，发表旗帜鲜明的议论，以启示读者。

(3)例文：

编者按

今年是《××××》创刊40周年，许多作者、读者用题词、贺信、笔谈、论文等多种方式向本刊表示祝贺之意。对此，我们编辑部全体同仁向他们表示由衷的感谢。

本刊决定，第一、二期为纪念创刊40周年专辑。本期发表一组笔谈及12篇学术论文，第二期为学术论文，其他栏目暂停。题词、贺信等，将另行出版。

今后，我们将继续坚持以马克思主义为指导的研究历史的编辑方针，执行“百家争鸣”政策，遵循“解放思想，实事求是”的路线，依靠作者、读者、编者的通力合作，办好刊物，为推动我国历史学的发展作出新贡献。

无论哪一类型的编者按，都应简明扼要，简洁干练，态度鲜明，决不拖泥带水。

无论哪一类型的编者按，都应简明扼要，简洁干练，态度鲜明，决不拖泥带水。

94. 序

(1)什么是序

序，是在图书正文之前说明著述宗旨、经过，介绍本书内容以及进行评价的文章。

(2)如何写作序

序由标题、正文和落款三部分组成。

第一部分，标题。有三种写法：

A.直接写上“序”、“序言”。

B.自己根据“序”的内容拟写一个标题。

C.正副题，自己取一个正题，然后再用破折号连接，写上序，或××书序言。

第二部分，正文。写正文内容时要注意以下几个方面：

A.实事求是，不可故弄玄虚，曲意奉承。

B.言之有物，力戒胡吹浮夸。

C.文字一般不宜过长。

第三部分，落款。即写序者的名字和作序时间。

(3)例文：

现代文学的活化石

——《李华飞文集·笔记回忆录卷》序言

从本世纪 20 年代从事文学创作活动，以至于 90 年代仍笔耕不辍者尚有几人？老作家李华飞即其一也。《李华飞文集》以老作家亲身经历的文学创作活动和炳彪于世的斐然实绩，真实生动地记录和再现了二三十年代以来，从事进步文学活动的以建设新文学为己任的忠于时代、忠于文学，在创作上不屈不挠执着追求的一代文学工作者所走过的，包孕着欢乐与创造、艰辛与苦难的平凡而又辉煌的创作历程；可以毫不夸张地说，李华飞是中国现代文学史的见证人，是现代文学的活化石。

《李华飞文集》的《笔记·回忆录卷》尤值一读。它对于我们认识和了解李华飞的创作经历，有直接的意义。李华飞从 1927 年上中学时即接触新文学并在报纸上与同学四人办文艺副刊，发表了一系列被称为“关文”的散文和诗歌；在此前后，受到“左联”东京分盟及鲁迅、郭沫若、闻一多的创作活动和文艺思想的深刻影响，他自豪地把自己视为这些“五四”新文化运动旗手的追随者和盟友；《一个留学生在东京》、《初出三峡幽燕赴古都》等篇记述了作者早期文学活动的片断。这期间他在日本留学，同时在国内发表小说，较多的是诗歌，其中《渡洪江》是歌颂红军 1935 年万里长征的叙事诗，是国内文坛最早公开在报刊上宣传和歌颂

应用文书

序，是在图书正文之前说明著述宗旨、经过，介绍本书内容以及进行评价的文章。

后记是置于图书正文之后，说明写作图书有关情况的文辞。

中国工农红军长征的不朽业绩的文学作品，影响很大。作者近年文笔更健，耄龄之年，或诗或文，竟畅流不止，似“一日不作诗，心源如废井”者，且文字老练、凝重、沉郁，兴观群怨皆见于笔端；几十年的人生磨练和深邃的文学修养，已使华飞老的作品达到炉火纯青的地步。

本集的笔记和回忆录皆为纪实文字，最能见出作者的人格和性情。在六十年的文学创作的历史长河中，无论是狂潮袭来，处于逆境；或是风平浪静，一路顺风，作者皆保持着一个文学家尊贵的不逢迎、不屈节、不懈怠、不止步的操守和品格。文如其人，人如其文。“笔落惊风雨，诗成泣鬼神”(杜甫)，这正是李华飞的写照。淡泊人生，甘于寂寞，默默追求、我行我素，平淡地埋头于自己终生所钟爱的文学事业中，以文学实绩去证实自己的存在，这才是李华飞，一个令人尊敬的老作家宝贵的精神品格。

研究《李华飞文集》对于我们研究现代文学，研究一个现代作家的历程业绩都是十分必要的。

李保均

××××年×月×日

序的写作自由性较大，作者可随意发挥自己的个性，把自己的一些想法和见解流于笔端。

95. 后记

(1)什么是后记

后记是置于图书正文之后，说明写作图书有关情况的文辞。

(2)如何写作后记

后记的内容由标题、正文、落款、日期四部分组成。

第一部分，标题。即用“后记”或“跋”，字要大一点。

第二部分，正文。写作时无定式，可叙记，可说明，还可适当抒怀与描写，方式概由后记作者根据所记之书、事自定。

第三部分，落款。写作者的名字或代号。空一行，在正文右下方写。
第四部分，日期。写在右下角的落款下面。

(3)例文：

后记

小学语文课，怎样按照“大纲”的要求加强作文素质教学，抓好作文基本功训练？这是一个值得重视研究的课目。编写这本小册子，就是希望能和大家一起共同探讨上述有关问题以及有助于学生作文能力的培养和小学作文教学质量的提高。为此，本书编写试图围绕作文基本训练这一中心选择材料，组织体例。全书着眼于作文的准备和过渡，以及一些单项辅助训练。内容编排大体按年级从低到高的顺序，由易到难，循序渐进，逐步加深。力求讲述简明，多举实例，并将所列训练条目代以作文基本练习设计。限于篇幅，恕不另编练习作业。

本书可供小学语文教师及学生家长课内外辅导学生作文时参考，亦可作小学高年级学生的自学材料。

编完全稿，回头通看，深感粗糙浅薄，甚至问题不少。时间短促，资料不够，是一个原因；编者水平不高，力不从心，则是主要的因素。不当之处，敬望读者批评指正。

深信抛出粗砖，定会引来美玉！

编者

一九九八年十二月

后记可记录成书的过程，可作一些其他的补充说明，也可对一些帮助者表示感谢，言语应诚恳。

应用文书

后记可记录成书的过程，可作一些其他的补充说明，也可对一些帮助者表示感谢，言语应诚恳。

96. 新闻

(1)什么是新闻

新闻，是以宣传为手段反映当前生活的一种社会意识形态。新闻是

新闻，是以宣传为手段反映当前生活的一种社会意识形态。新闻是报刊、广播、电视经常大量运用的一种文体。

新闻，是消息、通讯、新闻特写、速写等体裁的统称。

报刊、广播、电视经常大量运用的一种文体。

新闻，是消息、通讯、新闻特写、速写等体裁的统称。

(2)如何写作新闻

第一，写好新闻首先要把握好新闻六要素。

新闻的六要素如下：

A.真实性

新闻，要求报道真实的事实。人们通过这样的真实事实，可以洞察宇宙万象的恢宏、大千世界的风云、社会发展的趋向、生活演进的动态……

真实性，是新闻的生命线。如果新闻不是写生活真实的事实，那就不会取得人民的信任。新闻中所列举的真实事实还必须是典型的、带有普遍意义的、能反映本质和主流的真实事实。

B.实证性

实证性，就是说新闻要让事实本身说话。新闻反映生活的特殊规律主要的就是让事实本身说话。

写出确定事实的基本要素。一般应交代清楚有关的人、事、时、地、因果、怎样、意义等七个要素。

C.及时性

新闻既然是新近发生或发现的事实的报道和述评，那么就必须有新的事实，新的内容，表现出新的特点与新的意义。否则，写人家已写过或人家早已知道的过时的事实，过时的内容，或者一条新闻写上十天半月才报道，那就不叫新闻了。要突现新闻的“新”，就要及时地捕捉，及时地采写，及时地报道。可以说新闻是一种极重时效的文体。新闻的价值很大程度上决定于迅速及时地采写报道。新闻是今天生活的快摄，是明天的历史，历史是昨天、前天的新闻。

D.广泛性

新闻是面向全社会，对广大群众传播最为广泛的新闻，这是由新闻机构发布的新闻。正因为新闻具有这样的广泛性，所以新闻一经发布就会引起全社会广泛的关注，产生广泛的影响。

E.开放性

新闻是不受空间限制的一种宣传形式，具有冲破闭锁隔绝现象的开放性。新闻要把握其开放性的特点。由于有了迅速灵敏的新闻传播，使当今世界每个角落发生变化的重要信息，都能在瞬间传遍全世界，于是遥远的距离得以缩短，孤陋寡闻者得以开阔视野，居于斗室，足不出户也可以了解宇宙星云，天下大事。

F.变动性

新闻以生活中发生的具有新闻意义的事实作为归依。而生活中的事实不断的有所变动，新闻所要反映的正是变动中的客观事实。

第二,新闻写作的方法。

A.善于捕捉

要写出好的新闻，就要善于捕捉蕴藏在现实生活中的丰富而有意义的新闻题材。要注意深入生活，留心各种各样的事情，将新的分析思考写进“新闻手记”。

B.勤于采访

新闻工作者的实践，主要是指采访的实践。

采访是一门专门的科学，采访是一个完整的系统工程，采访也是一种独特的艺术，采访要顺利进行并获得理想的效果，就要拟写采访提要，找准采访对象，注意采访方式。

C.精于构思

有了从采访中获得的真实情况，要拟定出切乎要旨的新闻稿，还要精心构思。一篇新闻立什么主旨，选取什么材料表现主旨，材料的详略处理，先后安排等等，都得一丝不苟地精心构思。

D.疾于运笔

如果有了材料，又下过一番构思的功夫，就要疾于运笔，迅速成篇，立即发表，这样才不致贻误时机。

运笔要“疾”，不仅仅是从时间上要求快，还要快中求好。

将新闻完成得又快又好的能力，是从艰苦笔耕中获得的，只有勤耕不辍，才能有敏捷的才思，才能“妙笔生花”。

应用文书

将新闻完成得又快又好的能力，是从艰苦笔耕中获得的，只有勤耕不辍，才能有敏捷的才思，才能“妙笔生花”。

97. 消息

消息，是新闻文体的主要形式之一，是传播媒体向社会输出新鲜信息的重要载体，也是公众获取新闻的主要来源。

(1)什么是消息

消息,是新闻文体的主要形式之一,是传播媒体向社会输出新鲜信息的重要载体,也是公众获取新闻的主要来源。

(2)如何写作消息

消息内容由标题、导语、主体、结语四部分组成。

第一部分,标题。消息一般为多行标题,容量很大,消息除了正题以外还有引题和副题。

A.引题又可以称为“眉题”或者“肩题”,其位置在正题之上,字号比正题小。它的作用在于或交代形势、说明背景,或揭示事件意义,或烘托气氛,以引出正题。

B.副题又称为“子题”或者“辅题”,其位置在正题之下,字号也比正题小。它的作用在于补充正题的事实或说明正题的来源和依据,或挑明意义,展示效果,往往起提要的作用。

第二部分,导语。写作方法多种多样,常见的有以下七种:

A.概述式。用凝练的语言,扼要叙述出消息中最主要的事实。

B.摘要式。摘取主要事实,对消息内容进行高度概括,也是导语常用的方式。

C.描写式。对事实发生的环境、时间,或人物的态度作形象、扼要的描述。

D.结论式。即先将从事实中得出的结论端出,然后再作进一步阐述。

E.引语式。引用诗词、民谣、谚语、警句、格言或人物的话语、各种条文等作为开头,然后引出事实。

F.提问式。响亮地提出问题,引起读者的好奇或兴趣,促使其将消息读下去。

G.评论式。对导语中的简要事实明确表态,正确与否,表示鲜明的

倾向。

第三部分，主体。主要有两种结构：

A.以时间为顺序。以时间的顺序来安排材料，即开始怎样，如何发展，怎么结束。

B.依据事物的联系。也就是根据主次、因果等逻辑关系，或先重后轻、或有点有面、或并列安排结构层次。

第四部分，结语。是事实表现后的自然结束，结尾要干净、自然、不造作、不拖沓，尽量起到画龙点睛的作用。

(3)消息最常见的几种形式：

消息最常见的几种形式包括综合消息、人物消息等。

综合消息，是围绕某一主题的新闻事实的综合。它所报道的事实是多方面的、复杂的，其思想性、指导性较强，但时效性不如动态消息。

人物消息又称人物新闻，是以写人为主的消息，迅速及时地反映人物的某一典型事实或某个侧面，时效性强。

(4)综合消息例文：

我国扫盲工作又有相应进展

据新华社北京9月6日电，记者从国家教委召开的全国扫盲协调小组会议暨纪念9·8国际扫盲日会议上获悉，一年来各地贯彻全国扫盲农村成人教育工作会议精神，推进了扫盲工作的发展。据13个省(市)初步统计，去年以来扫盲入学×多万人，脱盲×多万人。

会议透露，我国新疆维吾尔自治区获得了今年联合教科文组织颁发的扫盲奖。这是我国第8次获得国际扫盲奖。

有关人士指出，当前的扫盲工作仍然存在一些问题，主要是一些地方重视不够，人员编制不足，经费短缺，不少乡村没有真正开展工作。国家教委主任王明达在会上强调指出，全国力争平均每年扫除×××万~×××万文盲，到2000年，使全国总人口的文盲率从1990年15.88%下降到10%以下；青壮年中的文盲率从9.3%下降到5%以下；绝大部分青壮年非文盲率达到95%以上，全国基本上完成扫除青壮年

应用文书

综合消息，是围绕某一主题的新闻事实的综合。它所报道的事实是多方面的、复杂的，其思想性、指导性较强，但时效性不如动态消息。

人物消息又称人物新闻，是以写人为主的消息，迅速及时地反映人物的某一典型事实或某个侧面，时效性强。

文盲的历史任务。

消息是各报刊及网络运用得十分广泛的一种新闻形式。在写消息的时候，内容应注意凝炼准确，概括性强，不拖沓。

消息是各报刊及网络运用得十分广泛的一种新闻形式。在写消息的时候，内容应注意凝炼准确，概括性强，不拖沓。

98. 人物通讯

(1)什么是人物通讯

人物通讯是用来报道特定人物和群体的一种新闻报道体裁。这种特定就是典型意义，就是要反映社会和时代的本质的东西。

写人物通讯是我们宣传英雄，树立榜样的好办法。

(2)如何写作人物通讯

第一，深入采访，选择典型

要在新闻事实中搜寻为社会和人们关心的典型事件和典型人物，进行去伪存真、由表及里地深入探究，从中挖掘出有意义的事实，加以报道。

选择典型事件和典型人物有下列三个方面的标准：

A.是否能推动经济、政治和文化的进步与发展，即对社会是否有益。

B.是否为公众注意和关心，即具不具有代表性，有没有普遍的适用性，对社会的启迪、指导和示范作用怎样。

C.典型的事件和典型的人物本身有没有具体、感人的情节，生动的事实。

第二，反复思考，提炼主题

主题是通讯作品的灵魂。有了灵魂，取舍材料、布局谋篇、遣词造句就有了依靠。

在确立主题时，即要考虑现实生活需要，服务于当今社会，也要思量人类生存中永恒的法则。

第三,展开情节,摹写人物

展开事情的变化和经过,描写人物的风貌和感情,是通讯在写作方法上的一个特点。

要鉴别全部的事实材料,选用那些能表现主题和人物特色的情节。要将生动具体材料,背景性的、说明性的概括材料交织起来,做到详略得当,疏密相间。

第四,锤炼语言,形象生动

写通讯可以综合应用各种修辞方法,使事件活灵活现,人物栩栩如生。除了要注意语言的准备、精炼以外,形象生动则是使它可读性较强的一大要素。

写人物通讯要注意的几点:

A.要体现时代精神。人物通讯反映的对象都是我们这个社会这个时代的特殊人物。这个特殊,就是在他们身上体现一种时代精神。这个时代精神有主流和支流,先进人物体现的是时代的主流精神,后进甚至反面人物体现的是时代的支流精神。

B.要抓住人物的特点。人物通讯既要体现时代精神,又要抓住人物的个性特征。这是共性与个性的统一,一般与特殊的统一。共性寓于个性之中,个性是共性的表现。

C.要坚持写“人”。英雄也是人,先进也是人。我们在报道他们时,一定要坚持实事求是,要真实准确,不拔高,不贬低,不造神,不做鬼,要将他们写成有血有肉、有乐有悲的人。

D.摆正典型人物与组织和群众的关系。典型人物不是天外来客,他是在一定的团体里成长起来的,在他的成长过程中,与团体和周围的人们发生了千丝万缕的联系。应该把人物置于群众之中。

应用文书

人物通讯是用来报道特定人物和群体的一种新闻报道体裁。这种特定就是典型意义,就是要反映社会和时代的本质的东西。

写人物通讯是我们宣传英雄,树立榜样的好办法。

(3)例文:

与北京现代的老板对话
——北京现代汽车有限公司董事长徐和谊

手捧两个沉甸甸的奖杯,他会作何感想?

“在汽车行业,我还是个新兵,还要向业内很多资深人士学习和取经。”徐董谦虚地说。

人物通讯可充分发挥文学性的擅长，在尊重事实的基础上，将主人公写得生动鲜活，有血有肉，栩栩如生。

徐和谊从前是搞钢铁的，从钢铁学院毕业就进了首钢，一呆就是十五年。这十五年里，徐和谊从一个大学毕业生到设计组长、科长、院长、副总，一直到掌管了首钢的大权。“首钢是个大熔炉，那段时间我学到了不少企业管理经验，这些宝贵的财富让我终身受益。”他说。

1997年，徐和谊从工厂调到政府主抓北京市工业建设，在北京现代走马上任前，他的身份是北京市委工业工委副书记、北京市经济委员会副主任。在这5年的时间里，徐和谊每天早上都会骑着自行车从石景山赶到东三环的凯富大厦上班。这是他锻炼身体的方式。他平时最喜欢的运动就是骑车和打篮球。“人家都爱打高尔夫，我也就是骑骑车。”徐和谊大笑，工人老大哥的本色表露无遗。

……

徐和谊说，公司已经与清华、北京理工、北京工业大学等几大院校谈过，要搞自主研发。“自主研发的路很长，但我迟早会给大家一个惊喜。”

人物通讯可充分发挥文学性的擅长，在尊重事实的基础上，将主人公写得生动鲜活，有血有肉，栩栩如生。

99. 新闻特写

(1)什么是新闻特写

新闻特写，就是通过生动、形象地描写被报道对象富有特征的片断或瞬间动态，鲜明地再现典型事件、人物、场景的一种新闻品种。严格来说，它属于通讯的一种。

(2)如何写作新闻特写

新闻特写的学生与一般新闻写作相同。但是，根据新闻特写这种文体的特点，在采写中，要注意抓住一个“特”字，具体有以下三点：

A.抓住特殊片断——对准焦点。新闻特写，重要的是要抓住反映的

对象，即事物发展的特殊片断。这个片断的特殊性表现在哪里呢？这种特殊首先表现在要能反映重大的或具有典型意义的题材。

B.运用特殊表现手法——再现事实。抓住了事物特殊片断，只是完成了整个报道过程中的认识过程，重要的还要表现它，将这一特殊片断在笔下或镜头前再现。再现是一门艺术，再现的目的是要使枯燥的文字构成的报道富有立体感、形象感，使人透过文字对事实可视、可感。

C.形成特殊风格——文简意丰。新闻特写一般篇幅不长，多则千字，短则几百字。同时，在结构上也较单一，一般是一根肠子到底，不作散发。这是因为，它不需要叙述曲折的情节，也无需介绍复杂的过程，它只描写一个场景、一个事实的片断或一个人物的特征。

(3)例文：

用躯体为孙女撑起生命空间

昨天凌晨3时左右，消防队员挖出两具尸体。大家注意到其中的一具：死者侧身蜷双臂环抱，右臂支撑在地上，身上形成一个空间。

据了解，死者名叫赵汝灿，在房屋崩塌时，他的双臂中护着年仅3岁的孙女。房屋塌下后仅几分钟，他就离开人世，但他以身体撑起的空间，却使孙女在被困两小时内几乎毫发无损。

赵汝灿的儿子赵崇鼎哭着向记者讲述了当时的情况："26时晚上，我们刚睡下，一阵剧烈的震动后，屋顶就垮了。我大声呼叫，当时妹妹已没有声音，而爸爸好像还有声响。"

爆炸当晚，赵崇鼎住在新建的平房里，屋里有四个人，分别是他父亲、他自己、11岁的妹妹和3岁的侄女。房屋崩塌时，妹妹被倒下的横梁压死。

"我听到倒下的横梁那头有父亲微弱的声音。我大声说，'爸爸，你要坚持住，要撑下去。'但爸爸在那头的声音很低。"赵崇鼎说，他一直试着和父亲说话，但父亲的话音越来越小，约5分钟后，他就听不到父亲的声音了。

10多分钟后，救助人员将赵崇鼎救出。他冲到压着父亲和小美辉的地方帮助救援。"消防队员撑开水泥板、救出小侄女的一瞬间，我看到爸爸的脸，那时他已死去多时。"赵崇鼎说。

应用文书

新闻特写，就是通过生动、形象地描写被报道对象富有特征的片断或瞬间动态，鲜明地再现典型事件、人物、场景的一种新闻品种。严格来说，它属于通讯的一种。

专访，是对新闻人物、新闻事件或针对某一思想主题进行专题访问的一种报道形式。

经医院检查，赵汝灿用生命保护的小美辉并无大碍，仅有一些软组织挤压伤。

新闻特写一般篇幅应短小，结构紧凑是它写作上的一个要求，也是这种文体的风格。

100. 专访

(1)什么是专访

专访，是对新闻人物、新闻事件或针对某一思想主题进行专题访问的一种报道形式。

(2)如何写作专访

专访的内容由标题、主体组成。

第一部分，标题。标题分大、小两个。小标题是对大标题的解释说明。

第二部分，主体。主体有如下一些特点：

A.要交待清楚访问对象和访问原因。专访的对象有些是人人皆知但想更进一步了解其底细的新闻人物；而更多的则是与被报道的问题、事件可能无关或关系不大，之所以访他，是借助于他的身份使问题更加引人注目，让人信服。

B.对被访问者的描叙要有重点。

C.要抓住特点，刻画出人物的精神面貌。

D.要注重描写人物语言，给人以访问的实感。

E.人物专访的结尾，可写一点作者的感受或对被访者的祝愿和希望。这就给文章起到了画龙点睛的作用。

(3)例文

建立企业追求技术进步的机制

——访××公司总经理高级工程师汪××

作为新型的科技企业，如何在实现两个“转变”的过程中探索新的经验，做出新的贡献？近日，记者就这一问题采访了××省××技术股份有限公司董事长兼总经理汪××。

汪××认为，现代经济的发展过程正是经济与科技日益融合的过程，科技进步对经济发展的作用日趋明显，在市场经济发达的国家，追求技术进步成为企业的普遍要求。反观我国，计划经济体制的长期束缚，造成了科技与经济相互分离的状况，企业缺乏追求技术进步的机制是造成我国生产力水平低下、企业产品打不开销路、商品缺乏竞争力的重要原因。因此，对广大企业、特别是科技型企业而言，建立起追求技术进步的机制，是实现两个根本转变的关键所在。

……

目前，“科创”的试验方案已进入实施阶段。访问结束时，汪××充满信心地说，我们有信心在“九五”期间以新的突破，来为实现省委、省政府提出的“富民兴市”战略作出实实在在的贡献。

专访的对象必须是一个比较特殊的人物，不是任何一个普通人的事迹都可以用来写专访的。

101. 简讯

(1)什么是简讯

简讯又称新闻简报、简明新闻。它要求用简短的文字、最快的速度，不需要交待事件发生过程和背景，把事件报导出来，是较简短的一种消息体裁。它内容单一，简明扼要，文字在一二百字以内。它是报纸、广播、电视常用的一种形式。

报纸经常把若干条简讯编成《新闻集纳》《经济简报》《国际简讯》《要闻简报》《国防短波》《市场信息》《望角》等。时效性特强的称快读。一般加有单行小标题。在广播、电视的新闻节目中，若干条编成一组播出，称简明新闻或简讯。

应用文书

简讯又称新闻简报、简明新闻。它要求用简短的文字、最快的速度，不需要交待事件发生过程和背景，把事件报导出来，是较简短的一种消息体裁。它内容单一，简明扼要，文字在一二百字以内。它是报纸、广播、电视常用的一种形式。

简讯虽然要求短小，但应在有限的篇幅内，传达出尽可能多的信息量和重要的思想内容。

(2)如何写作简讯

写作简讯，关键在于“简”。所谓“简”就是简讯不要求6个新闻要素俱全，但主要要素必须有，要将事实交待清楚。简讯常常就是一两段落。写作简讯必须抓住事件的主要和关键之处，并且把它交待清楚。

(3)例文：

简讯

A. 世界最大的五彩翡翠玉雕《群仙祝寿》最近在北京问世。它是由玉的爱好者北京中安投资公司董事长李峰和北京谧龙逸兴文化艺术中心董事长井立志携手合作，投资近亿元人民币，动用十几名玉雕大师耗时6年之久创作的。这件300多公斤重的世界珍品，将在香港拍卖，全部款项用于中国的慈善事业。

B. 全球唯一的重达300多公斤的五彩翡翠玉雕《群仙祝寿》，最近在北京问世。该翡翠原石重达400多公斤，产于缅甸深山峡谷之中。投资近亿元人民币，经过十几名玉雕大师长达6年的精心创作，终于制成了这种世界罕见珍品。

简讯虽然要求短小，但应在有限的篇幅内，传达出尽可能多的信息量和重要的思想内容。

102. 答记者问

(1)什么是答记者问

答记者问，是各级领导人、有关方面负责人或专家、学者直接回答记者提问的一种报道形式。

(2)如何写作答记者问

答记者问的内容由以下几部分组成。

第一部分，标题。标题包括正标题和副标题。

第二部分，正文。正文部分的内容有三点：

A.先对本文内容提出一个广大读者关心的问题。

B.问答进入正题。一问一答，语言要精炼、准确、明了。

C.对本文的总结。

(3)例文：

毕业生供需信息系统反响非凡

——全国人才流动中心负责人答记者问

在98届大中专毕业生面临分配就业之际，国家人事部全国人才流动中心在全国300家省、地、市人才交流服务机构的支持下，创建了“全国大中专毕业生供需信息查询系统”。该系统开通后，98届毕业生和社会各界十分关注，纷纷要求进一步了解情况。对此，本报记者就大家关心的有关问题采访了全国人才流动中心负责人。

问：“查询系统”开通以后，广大毕业生十分关心，请您谈谈建立这一系统的初衷？

答：最近刚刚闭幕的全国人事厅局长会议提出，人事工作正面临两个调整，一是改革以往与计划经济相适应的人事管理体制，建立与市场经济相配套的人事管理体制；二是由传统的人事管理调整到整体性的人才资源开发上来。人事部门作为全国大中专毕业生接收工作的职能部门，面临着两大任务，一是根据《中国教育改革发展纲要》的要求，在保证国家用人计划的基础上，面向自主择业的毕业生，建立“平等、公平、竞争、择优”的就业市场，二是树立服务意识，为毕业生和用人单位提供实实在在的服务。

问：查询系统如何为毕业生查询意向单位？

答：本系统查询意向单位的工作一律由系统工作人员代为进行。不接受毕业生自己上机查询，毕业生根据自己的意愿，认真、准确填写《毕业生查询登记表》，系统工作人员将严格根据毕业生的要求，按毕业生自己要求的日期进行查询，之后将“查询结果通知单”在24小时内寄

应用文书

答记者问，是各级领导人、有关方面负责人或专家、学者直接回答记者提问的一种报道形式。

答记者问通过提问的方式，让读者较直观地了解到一些领导或负责人的想法和下一步的计划安排。

出。

问：……

答：……

……

答记者问通过提问的方式，让读者较直观地了解到一些领导或负责人的想法和下一步的计划安排。

103. 社论

(1)什么是社论

社论是报纸编辑部的重要指导性评论文章，代表编辑部观点的权威性言论，集中反映一定阶级和社会政治集团对当前重大问题和事件的立场、观点、主张，是影响社会舆论的重要方式。

(2)如何写作社论

第一，提炼论点。论点必须具体单一。评论和多数专栏言论属于跟踪现实生活中发生的具体事件、社会现象的说理性小型评论文章，它们不正面接触大政策方针、大是大非的问题。

第二，关键是把"理"评出来。短评和专栏言论的论点具体单一，文章也不能写长，但是一定要把道理评出来，这一点和其他评论以及别的说理文章大同小异。评论如说不出一点道理，无论长短，也无论论点怎样高明，都是不合格的评论。

第三，采用"短平快"的论述节奏。从总体上说，评论的篇幅是比较短小的，文字量极为有限。因此，评论多采用简捷明快、直截了当的论述节奏。对于评论的事，要用尽可能简明的文字交代出来，而不必添加什么铺垫，因而也不需要绕弯子。评论的意见主张也宜开门见山，鲜明干脆地告诉读者，论证问题更要简明扼要，是非曲直的根据在哪儿，点到为止，而不能像写学术论文那样引经据典，长篇大套。

社论的写作要注意以下几个特点：

A.时效性。针对一个时期的一系列重大问题进行全面概述，阐明党的路线、方针、政策，提出指导思想，指明今后的主要任务和奋斗方向。

B.政策性。社论必须贯彻党中央的方针政策，可以根据具体问题阐述政策，不能任意发挥。社论是传达党中央政策的喉舌。

C.针对性。社论都要有的放矢，针对某一事件或某个问题而发，通过对事物或问题的剖析，指明性质。

(3)例文：

同心同德，缔造明天

——祝贺香港特别行政区筹委会成立

香港特别行政区筹备委员会正式成立，并召开第一次全体会议，我们对此表示热烈的祝贺。

5 年前，七届全国人大三次会议通过的《全国人民代表大会关于香港特别行政区第一届政府和立法会产生办法的决定》中规定：“在 1996 年内，全国人民代表大会设立香港特别行政区筹备委员会，负责筹备成立香港特别行政区的有关事宜，根据本决定规定第一届政府和立法会的具体产生办法，筹备委员会由内地和不少于百分之五十的香港委员组成，主任委员和委员由全国人民代表大会常务委员会委任。”

香港特别行政区筹委会正是根据这一决定设立的。它的成立，标志着中国政府对香港恢复行使主权的工作已进入具体落实阶段，筹组香港特别行政区的工作将全面展开。

筹委会的组成，是经过充分酝酿，考虑到各方面的因素和代表性而确定的。内地委员主要是同事务有较多联系的中央和地方有关部门的负责人以及专家、学者；香港委员则照顾到香港社会的各方面、各阶层、各界别，具有广泛的代表性，筹委会中的香港委员为 94 人，几乎占委员总数的百分之六十三，不仅高于“不少于百分之五十”的比例，比之预委会，亦高出 10 个百分点。这既是中国政府坚持“面向港人、依靠港人”方针的具体体现，也是对香港同胞的高度信赖，更是为“九七”以后“港人治港”创造条件。任何不带偏见的人，透过这份筹委会委员的名单，都会进一步看到我国政府贯彻“一国两制”方针的坚定决心。

应用文书

社论是报纸编辑部的重要指导性评论文章，代表编辑部观点的权威性言论，集中反映一定阶级和社会政治集团对当前重大问题和事件的立场、观点、主张，是影响社会舆论的重要方式。

短评，是以简短的评论形式，配合新闻发表，对新闻中的人或事或新闻所包含的重要问题，进行具体评论的报刊文体。

筹委会是一个工作机构，也是我国国家最高权力机关授权设立的权力机构。它不同于预委会，但又和预委会的工作有衔接。筹委会的主要任务是按照基本法的规定和全国人大的决定，筹组第一届特区政府、立法和司法机构。凡属于与未来特别行政区政府有关或涉及香港平稳过渡的诸项事宜。均属其工作范畴。根据中英联合声明的有关规定，1997 年 6 月 30 日以前，英国政府负责香港的行政管理，因此，筹委会不会干涉英政府的日常行政管理。

……

今天，距中国政府对香港恢复行使主权还有 521 天，我们已能听到“东方之珠”回归祖国的清晰足音。我们相信筹委会一定会不负包括香港同胞在内的全体中国人民的重托，贯彻“一国两制”方针，圆满完成这一神圣的历史使命。

(此为《人民日报》社论，有删节)

由于社论具有非常大的影响力，一般在写作社论的时候，对一些重要的观点、立场等，一定要谨慎把握，同时，在文字上，应千锤百炼，字斟句酌。

104. 短评

(1)什么是短评

短评，是以简短的评论形式，配合新闻发表，对新闻中的人或事或新闻所包含的重要问题，进行具体评论的报刊文体。

(2)如何写作短评

第一，把握所要评的人或事，要抓住其实质。
第二，立论。确定自己对所要评论的人和事的观点。
第三，进行写作。
第四，把握好短评的形式。

写作短评：

A.要有针对性，一般着眼于一人一事，一个问题之中一个侧面、一个角度，“评其一点，不及其余”。

B.短评要有新闻性。一般是配合消息、通讯同时发表，从旁点明消息、通讯的新闻价值、思想意义，因此，这种评论的新闻性特点突出。

短评又有两种形式，一种是署有作者名字的短评，不是公然代表编辑部，这种短评不挂“短评”栏头；一种是没有署名的短评，是以编辑部的名义说话的。就要标上“短评”二字栏头。

短评的内容由标题、正文两部分组成。

(3)例文：

伟大的母亲

年逾古稀的张月好，是一个普通的农家妇女。30 多年来，她先后把 14 位儿孙送到部队，常去军营叮咛官兵报效祖国，教育军人家属以国事为重。张月好以自己爱国拥军的模范行动，展示了一个军人母亲的博大胸怀，塑造了一个共产党员的光辉形象。

张月好没有什么豪言壮语，也没有什么惊人之举。她送子参军报国，想的是尽一个母亲的责任；她含辛茹苦，挑起家庭重担，为的是让孩子安心服役；她心系国家，情洒军营，图的是国家富强。这种时时把国家利益放在第一位，自觉为国分忧、国事比山重的高尚情操，为我们提供了一份进行爱国主义教育的生动教材。

登高有望远。张月好同志之所以能够以国事为重，胸怀全局，心系社会主义现代化建设事业，是因为她有着正确的世界观、人生观、价值观。她以自己的实践证明，一个人不论职位高低，也不论能力大小，更不论年老年少，只要牢固地树立了正确的世界观、人生观、价值观，就能够做出有益于国家和人民的业绩来，“人皆可以为尧舜”，张月好值得我们每位同志学习。

应用文书

短评要求短小精悍，要针对某一件事情发表自己的看法，切忌高谈阔论，旁征博引，引申太广。

短评要求短小精悍，要针对某一件事情发表自己的看法，切忌高谈阔论，旁征博引，引申太广。

105. 一般书信

应用文书

一般书信指人们在工作、学习、社会交往中所用的信件。

(1)什么是一般书信

一般书信指人们在工作、学习、社会交往中所用的信件。

(2)如何写作一般书信

一般书信,包括称呼、正文、结尾、署名和日期以及信封五个部分。

第一部分,称呼。是对于收信人的称呼。

A.一般说,平时怎样称呼对方,信的开头就如何称呼,如“××同志”、“××好友”、“×同学”。对亲属、亲戚,特别是直系亲属中的长辈一般不写名字只写称呼,如“爸爸”、“妈妈”。如给集体单位写信,可以写单位名称或单位的全体成员。

B.称呼要顶格写在第一行,表示对收信人的尊敬。称呼后面加上冒号,表示后面有话要告诉收信人。

第二部分,正文。这是一封信的主要部分,要向对方叙述、询问的事情都写在这里。如果事情比较多,可以分成若干段落,每段写一件事情;写完一件事,再写第二件事。写正文一般应注意两点。

A.正文开头一般向对方问候。对一般亲友、同志,可写“你好!”、“你们好!”,对长辈领导要写“您好!”、“你们好!”。问候的话后面要加感叹号,以示郑重、强调。

B.正文要从第二行空两个格写起,以下如果分段,每段开始都要空两格。写信的口气应根据不同对象,注意有所区别。

第三部分,结尾。结尾是写完正文之后的结束语,多半表示祝贺、敬意和勉励。这部分应因人选取适当的词语。如对同志和朋友,一般写上“祝你身体健康!”、“祝你进步!”、“此致敬礼!”。前两种,一般作为一个独立段,写在正文之后空两格处。后一写法是:“此致”写在正文结束的下行空两格。“敬礼!”写在再一行的顶格处。

第四部分,署名和日期。署名,即写上自己的名字,也可以在名字前面写上同收信的关系,如“你的学生×××”。署名应写在正文下倒数第三

行的右方。日期，写在署名下，有时也可以写上在什么地方写的。如“2003 年除夕于北京”。

信写好以后，要是还有什么事情需要补充或漏掉了什么事情，可以补写在信文后面，前面加上“另外”，或“还有”或“又”，或“再者”等，在这些表示过渡的某一个词后面加上逗号或冒号。

第五部分，信封的写法。

信封的写法照邮政部门规定，包括收信人的地址、姓名、发信人的地址、姓名几个部分。还应按规定填写邮政编码。

A.收信人的地址横写，从信封左上角写起；如果直写，从右上方写。信封地址要写得详细些，如果较长，可分两行写。

B.收信人的姓名写在信封中间，字要写得大些。信封上收信人的名字后面，一律写“同志”二字，这是邮递员对收信人的称呼，而不要用写信人的称呼，如“妈妈”、“哥哥”等。这一点在写信封时应注意。

(3)例文：

王丽：

见信好！

时间过得真快，转眼之间，我们中学毕业已经六年了，在这六年中，我总是不由自主地想起同桌的你来，想起我们同桌时互相讨论问题的一幕幕来，那时的你辛勤好学，数学学得尤其好，记得好多的时候，你给我讲过学数学的窍门，现在，数学差的我也渐渐地迷上了数学。

分别六年来，我听同学说你的变化很大，现在已经是单位的骨干了，让我感到很欣慰，很想去看看你，同你叙叙旧，可是，人在江湖，身不由己，无奈我工作缠身，总是腾不出身来。我现在因为学校放了寒假，作为初二班主任的我刚看完一部分学生的试卷，在歇息中，就提笔给你写这封信。

王丽，你们春节放多少天假，你能不能抽出一点时间带着家人来我家玩呀！或者我去看你，好了，信就写到这里吧，请代我向你的全家问好。

祝工作顺利，万事如意，合家欢乐！

你的同学：张小娟

应用文书

书信是最常见的一种交往方式，通过书信，可以向对方表达你的问候，告诉对方你的现况，互相之间沟通感情等等。

二〇〇三年一月十八日

书信是最常见的一种交往方式，通过书信，可以向对方表达你的问候，告诉对方你的现况，互相之间沟通感情等等。

求助信就是要求别人帮助自己解决问题或困难的书信。

这类信是对陌生对象写的。求助信多指如下三种情况：

慕名求教。向名人权威写信请教有关学问和技术上的疑难。

爱物求购。在报刊上看到好的书籍、物品或机械零件等，写信要求对方帮助邮购或托运。

疑问求解。

106. 求助信

(1)什么是求助信

求助信就是要求别人帮助自己解决问题或困难的书信。

这类信是对陌生对象写的。求助信多指如下三种情况：

A.慕名求教。向名人权威写信请教有关学问和技术上的疑难。

B.爱物求购。在报刊上看到好的书籍、物品或机械零件等，写信要求对方帮助邮购或托运。

C.疑问求解。

(2)如何写作求助信

求助信的内容包括标题、正文、落款和日期三部分。

第一部分，标题。写上“求助信”或“×××给×××的信”。

第二部分，正文。先写上称呼，然后重点写出自己的困难和问题，以及希望对方为你所做的事情。

第三部分，落款和日期。写上自己的名字和写信的时间。

(3)例文：

×××给《知音》“不再烦恼”主持人××的信

××：

我和男友相爱将近两年了，他很关心、体贴我。一个偶然的机会，我在他家碰到了一位跳舞时认识的朋友。他曾经向我求过爱，我拒绝了他，告诉他我已有了男朋友，讲好以后以一般朋友相处。他邀我

到他家去玩，我想反正在家也很寂寞，于是就跟他去了。碰巧那天我的男友路过那位朋友的家门口，见我的单车摆在那儿，他很气愤。等我到他家时，他开口就骂我。宣布两人从此分手。我解释说和那位朋友并没有什么不正当的关系，如果说我错了，就请他原谅我这一次，我以后再不和那位朋友来往就是了。但他没有答应。过了几天我去找他，他说这件事无法挽回。我真不明白自己究竟错在哪里，也没有料到会无意中伤害了他！

我们结束恋爱关系已有半年了，但仍然经常来往，每次分手时那滋味不知有多难受。他说既爱我又恨我，无时无刻不在想我！我何尝不是如此呢？我希望他能再给我一次机会，他说这会丢他的面子。有天晚上，我们抱头痛哭了一场，看得出他也很痛苦。××，难道有了男朋友以后，就不能与其他异性接触吗？您说我该怎么办？

×××

××××年×月×日

求助信一般应写得情真意切，并让对方了解你遇到某种困难的真正原因，以便对方能及时地帮助或答复你。

107. 贺信

应用文书

贺信也称祝贺信。它是某一集体或个人向取得重大成就、新的胜利的集体或个人表示祝贺时用的专用书信。当某个单位、部门举行重大会议或庆祝活动时，别的单位或个人向他们表示祝贺时，也用贺信的形式。借用电报拍发的贺信则称为贺电。

(1)什么是贺信

贺信也称祝贺信。它是某一集体或个人向取得重大成就、新的胜利的集体或个人表示祝贺时用的专用书信。当某个单位、部门举行重大会议或庆祝活动时，别的单位或个人向他们表示祝贺时，也用贺信的形式。借用电报拍发的贺信则称为贺电。

(2)如何写作贺信

贺信一般由如下几部分组成。

第一部分，标题。贺信的标题多用“贺信”或“祝贺信”标出。标题多

应用文书

喜报是报告喜讯的专用书信。它有两种类型：一是某个单位在工作中取得了显著成绩或重大创造发明，向上级单位或重要会议报喜的；一种是一个人或集体在学习、工作中取得优异成绩，获得某种光荣称号，上级机关向有关方面或家属报喜用的。

用花边装饰,以示祝贺。标题的字要大一些,要工整、大方。

第二部分,称呼。写在标题下面,空两行,顶格写。要写全称,要亲切。称呼之后加冒号,表示有话向对方说。

第三部分,正文。这一部分,一般有三点要注意。

A.结合当时的形势,热烈赞扬对方所取得的成就及其重大意义。

B.分析对方取得成就的原因,进一步表示祝贺。

C.向对方提出希望及自己表示虚心学习的决心。

第四部分,署名和日期。写在正文右下方,占两行,写全名。

(3)例文:

贺信

××兄:

你筹办的××公司,择定在本月16日开业,这是一件大喜事,以你的精明能干和交际广阔来经营公司,前途定无限量!我不胜向你深致祝贺之意。现派人送上镜框一副,赠作贵公司开业纪念。

祝你开业大发!

友××上

××××月×日

贺信一般要写得热情洋溢,以便让对方真切地感受到你衷心的祝福。

108. 喜报

(1)什么是喜报

喜报是报告喜讯的专用书信。它有两种类型:一是某个单位在工作中取得了显著成绩或重大创造发明,向上级单位或重要会议报喜的;一种是一个人或集体在学习、工作中取得优异成绩,获得某种光荣称号,上级机关向有关方面或家属报喜用的。

(2)如何写作喜报

喜报的格式和一般书信相同。但是喜报应该交待以下内容：

A.完成了什么任务，取得了什么成绩或批准了什么要求。

B.概括说明取得成绩的原因。

C.今后如何更进一步完成更艰巨的任务或取得更大的成绩。

D.写喜报一定要实事求是，简明扼要。

(3)例文：

喜报

集团总公司党委：

我公司于5月3日提前完成了第二季度集团总公司下达的生产任务，特向集团党委报喜！

我公司今年一季度之所以如此快地完成了生产任务，是由于集团党委的正确领导，全公司职工同心协力，开拓拼搏、苦干实干的结果。

现在，我们正精心安排，再接再厉，为争取保质保量提前完成第三季度生产任务而奋斗！

此致

敬礼！

×××公司全体职工

××××年×月×日

喜报先要把值得高兴的事情说清楚，让大家知道喜的原因，然后在结尾处提出以后新的希望与打算。

应用文书

喜报先要把值得高兴的事情说清楚，让大家知道喜的原因，然后在结尾处提出以后新的希望与打算。

109. 贺电

(1)什么是贺电

贺电,又叫庆贺电,它是领导机关、单位或领导以个人名义发给有关单位、集体、个人,以表示祝贺、赞颂的电报。

贺电,又叫庆贺电,它是领导机关、单位或领导以个人名义发给有关单位、集体、个人,以表示祝贺、赞颂的电报。

(2)如何写作贺电

贺电的内容由以下几部分组成。

第一部分,标题。在第一行正中写“贺电”二字,有的贺电也可以不写标题,也可以用事由加文种的形式。

第二部分,称谓。在第二行顶格写收电单位或个人的称呼。

第三部分,正文。正文部分直接写明祝贺的内容、成就、意义。

第四部分,结语。写表示热烈的祝贺和寄予希望的话语。可以紧接正文写,也可另起一行。

第五部分,署名和日期。在右下方写发电单位名称或个人姓名。下边写上年、月、日。

(3)例文:

祝贺张学良先生九十寿辰的贺电

××市士林至善路二段××号

汉卿先生如晤:

欣逢先生九秩寿庆,颖超特电表示深挚的祝贺。

忆昔54年前,先生一本爱国赤子之忱,关心民族命运和国家前途,在外侮日亟、国势危殆之秋,毅然促成国共合作,实现全面抗战;去台之后,虽遭长期不公正之待遇,然淡于荣利,为国筹思,赢得人们景仰。恩来在时,每念及先生则必云:先生乃千古功臣。先生对近代中国所作的特殊贡献,人民是永远不会忘怀的。

所幸者,近年来,两岸交往日增,长期隔绝之状况已成过去。先生当年为之奋斗、为之牺牲之统一祖国振兴中华大业,为其必当不远,想先生思之亦必欣然而自慰也。

我和同辈朋友们遥祝先生善自珍重,长寿健康,并盼再度聚首,以慰故人之思耳!

问候您的夫人赵女士。

邓颖超

一九九〇年五月三十日

贺电应写得情真意切，让对方充分感受到你由衷的祝福。

110. 慰问信(电)

(1)什么是慰问信(电)

慰问信(电)是以组织或个人的名义向某一集体或个人表示安慰和慰问的信件或电文。

(2)如何写作慰问信(电)

慰问信(电)的内容由以下几部分组成。

第一部分，标题。在信的开篇写“慰问信(电)”三字或“××致×××的慰问信(电)”，字体稍大。

第二部分，开头。顶格写被慰问的单位或个人的全称或尊称，后面加冒号。

第三部分，正文。另起一行空两格写慰问信的内容：

A.先写明慰问的时间、原因、接着写表示慰问的话，如“致以节日的祝贺和亲切的慰问”或“致以崇高的敬礼”等。

B.简要回顾过去取得的成绩和受信方的先进事迹、高尚的风格及战胜困难的意志，再指出今后的奋斗方向，向受方表示慰问和学习。

第四部分，结尾。表示愿望和决心，指出希望和前途。

第五部分，署名。写上单位名称或个人姓名。署名下方写年、月、日。

应用文书

慰问信(电)是以组织或个人的名义向某一集体或个人表示安慰和慰问的信件或电文。

(3)例文：

慰问信

××市政、市政府

寿诞请柬亦称寿贴，是邀请亲朋好友参加某人生日用的邀请函。

按传统习惯，每值寿诞，本人不便邀请他人为自己拜寿，一般由子女为老年的长者拜寿，或父母为年幼子女祈寿。

最近以来，特别是5月20日凌晨，你市一些县(区)内不少乡镇遭受狂风、暴雨、冰雹袭击，给农业生产和人民的生命财产造成一定的损失。特向你们和受灾群众表示亲切的慰问，向战斗在生产救灾第一线的广大党团员、各级干部、职工、群众和部队指战员致以崇高的敬意。

我们坚信，有党中央的正确领导，有优越的社会主义制度，有广大人民群众的努力，有各级政府有关部门的支持，一定能够克服灾害带来的困难，安排好受灾企业的生产和人民群众的生活，取得抗灾、生产双胜利，推动工农业生产的大发展。

中共××省委

××省人民政府

××××年×月×日

慰问信的结尾，一般要提出新的希望和方向，让被慰问者重新树立起战胜困难的信心。

111. 寿诞请柬

(1)什么是寿诞请柬

寿诞请柬亦称寿贴，是邀请亲朋好友参加某人生日用的邀请函。

按传统习惯，每值寿诞，本人不便邀请他人为自己拜寿，一般由子女为老年的长者拜寿，或父母为年幼子女祈寿。

(2)如何写作寿诞请柬

寿诞请柬，一般分为标题、正文和尾部三部分。

第一部分，标题。写上“寿诞请柬”或“请柬”。

第二部分，正文。各种请柬内容不同，形式各有区别，但都必须将举办活动的名称、时间、地点、主办人、被邀请人写清楚。

第三部分，尾部。写上署名和日期。

(3)例文：

寿诞请柬

×××先生：
×××女士：

×月×日为家母××××旬正诞，拟于中午12点整于×××酒店举行庆宴。

敬请

光临

×××
×××恭候
××××年×月×日

寿诞请柬一定要将活动举办的具体地点、时间等写得一清二楚，切忌模棱两可。

112. 寿诞启事

(1)什么是寿诞启事

寿诞启事是晚辈、学生、下级为长辈、师长、上级等举办寿庆而向外公布有关庆贺事宜的文书。它的目的和作用是召集有关人员前来庆贺。

应用文书

寿诞启事是晚辈、学生、下级为长辈、师长、上级等举办寿庆而向外公布有关庆贺事宜的文书。它的目的和作用是召集有关人员前来庆贺。

(2)如何写作寿诞启事

第一部分，标题。一般写成“庆贺×××先生/老师××寿辰启事”。
第二部分，正文。它分为：
A.写明寿辰时间、寿星姓名。
B.邀请出席人员。
C.庆贺地点、联系人、电话等。
D.应办事项。

祝寿贺联在祝寿活动中与贺幛用途相似，可以用较为简练的几句文字，表达出贺者对寿者的颂扬祝愿之情。可事先书就送呈，也可即席书写。但祝寿有许多专门用词、用语和成规，是需借鉴，不可落套。

第三部分，落款。写登启事人姓名。

(3)例文：

庆祝张××教授八十五寿辰启事

2001 年 8 月 25 日，欣适恩师、国内知名法学学者张××教授八十五大寿，谨订于是日上午 10 时 30 分在××大学教师大会议室签名祝寿，敬请张教授亲朋好友、学生届时参加。

地点：××大学

联系电话：×××××××

联系人：李×× 曾××

王×× 周××

××××年×月×日

寿诞启事一般应将联系人的电话公之于众，以方便大家进行具体和详细的咨询。

113. 祝寿贺联

(1)什么是祝寿贺联

祝寿贺联在祝寿活动中与贺幛用途相似，可以用较为简练的几句文字，表达出贺者对寿者的颂扬祝愿之情。可事先书就送呈，也可即席书写。但祝寿有许多专门用词、用语和成规，是需借鉴，不可落套。

(2)如何写作祝寿贺联

祝寿贺联的内容如下：

A.字数相等。贺联字数一般不限。但也有一定的规矩：

第一，课对，可以从一个字开始，渐渐增多。

第二，题诗作对的行家，有时写联对的字数，多达几百，这多为名胜

古迹的贺联。

第三,时节贺联,一般以七字为宜;不论字多字少,一副贺联的上、下联(也叫上下句)字数一定要相等。即上联是七字,下联也须是七字。

B.节奏相同。贺联的上下联节奏相同,或叫句式相同。

C.平仄协调。以七字贺联为例:上联是平平仄仄平平仄,下联则一定是仄仄平平仄仄平。平仄相对,平对仄,仄对平;平平对仄仄,仄仄对平平。

D.词性相对。贺联要求虚对虚,实对实。

具体地说,就是名词对名词,数词对数词,量词对量词,动词对动词,方位词对方位词。

(3)例文:

六十花甲寿通用贺联

初周花甲貌如童,海上仙人羡此翁。
西望函关占紫气,东迎蓬海醉春风。
无疆福泽壶天隐,有道声名月旦中。
见说蟠桃花又发,年年尝映寿杯红。
花甲初周鬓未花,清泉白石足徜徉。
忘机自觉儿童狎,屏迹能合日月长。
绮席新传青鸟使,斑衣喜荐紫霞觞。
伫看令予蜚英早,凤羽高骞沐宠光。

祝寿贺联有许多地方是有讲究的,一定要请经验丰富的人士书写,以免文不对题或闹出笑话。

应用文书

祝寿贺联有许多地方是有讲究的,一定要请经验丰富的人士书写,以免文不对题或闹出笑话。

114. 新婚喜联贺幛

(1)什么是新婚喜联贺幛

新婚喜联贺幛是在举行结婚仪式时来装饰婚礼或新房的大门、楹

新婚喜联贺幛是在举行结婚仪式时来装饰婚礼或新房的大门、楹柱、洞房、厨房、客房、父母房等的喜联或贺幛。

因为红红的喜联或贺幛不仅能带来一种吉祥喜庆的气氛，而且它的修辞非常优美、精练，读起来朗朗上口，很能表达庆贺祝福的内容。

柱、洞房、厨房、客房、父母房等的喜联或贺幛。

因为红红的喜联或贺幛不仅能带来一种吉祥喜庆的气氛，而且它的修辞非常优美、精练，读起来朗朗上口，很能表达庆贺祝福的内容。

(2)如何写作新婚喜联贺幛

新婚喜联贺幛思想内容要健康，带有喜庆的笔调。

A.喜联的特点。对联分上下两联。上联挂右边，下联挂左边，如果有横额，横额挂在两联正中。对联的书写不要标点符号。

B.贺幛的特点。贺幛多为竖写，右上方称贺，左下方落款，当中洋洋洒洒为幛语。日期，也竖写在落款的左边。

(3)例文：

楹柱联

想当年蓝田种玉胶漆相投谈恋爱

喜今朝红叶题诗鱼水合欢话良缘

新婚喜联贺幛一定要充满喜庆的气氛，且可以充分发挥中国古对联的优美性。

115. 讣告

(1)什么是讣告

讣告也称讣闻，也写作讣文，是去世者的工作单位或治丧委员会向去世的同志、亲友等报丧时所常用的一种应用文样式。重要的讣告多登在报刊上，一般的讣告通常贴在去世者所在单位的大门口，有的把它印成单张送交有关同志。

(2)如何写作讣告

一篇讣告由如下三部分组成。

第一部分是讣告的标题。用“讣告”二字标出。一般写在一张白纸的上方中间。字稍大点，要工整，写正楷。

第二部分是讣告的正文。正文常用三段文字表达：

第一段，写去世者的职务、姓名，因什么于何年何月何时，在哪里逝世，终年多大岁数。

第二段，写去世者的生平事迹。

第三段，写开追悼会的时间，地点。

第三部分，是讣告的单位和发告时间。

(3)例文：

之一：亲属发讣告

讣告

慈母刘爱美，因病久治不愈，于公历 2002 年 1 月 2 日晚上 7 时在医院抢救无效，不幸与世长辞，享年 90 岁。现定于 2002 年 1 月 6 日上午 10 时 30 分在××殡仪馆 20 号厅举行追悼仪式。

治丧委员会设于×××路×号，负责人：×××

联系电话：×××××××

长子：张××　妻：×××　孙男：张××

次子：张××

泣告

之二：单位发讣告

讣告

中国共产党员、全国劳动模范，××工业公司总工程师×××同志因患癌症医治无效，不幸于 2002 年 11 月 7 日凌晨病逝，享年 66 岁。

×××同志的追悼会定于 2002 年 11 月 10 日下午 3 时 30 分在××殡仪馆大厅 25 号房举行。

特此讣告

××工业公司

应用文书

讣告也称讣闻，也写作讣文，是去世者的工作单位或治丧委员会向去世的同志、亲友等报丧时所常用的一种应用文样式。重要的讣告多登在报刊上，一般的讣告通常贴在去世者所在单位的大门口，有的把它印成单张送交有关同志。

二〇〇二年十一月七日

追悼会仪式就是由追悼去世者的程序而形成的一种应用文样式。

讣告应书写工整，以表示庄严肃穆，并详细地写明开追悼会的时间和地点。

116. 追悼会仪式

(1)什么是追悼会仪式

追悼会仪式就是由追悼去世者的程序而形成的一种应用文样式。

(2)如何写作追悼会仪式

追悼会仪式的写作分为标题、正文两部分。

第一部分，标题。多写为“×××同志追悼会仪式”。

第二部分，正文。即按先后次序列出追悼会上所进行的会议程序。其中应注意：

A.要明确开追悼会的目的、意义。

B.誊抄追悼会仪式草稿的纸要用白的。在开追悼会之前，把它悬挂在追悼会场的适当位置上(多在死者遗像右下侧)。追悼会主持人自己事先要单独有一份这样的会议仪式稿。在开追悼会过程中，不要再看悬挂在布幕上的追悼会仪式了。

C.要掌握追悼会仪式的一般项目。

追悼会仪式，因环境和死者的死因情况不同，而有变化。

(3)例文：

×××同志追悼会仪式

第一项，同志们，×××同志追悼大会现在开始。

第二项，请全体同志肃立。

第三项，现在，我向同志们介绍一下参加今天×××同志追悼大会的

领导同志单位和姓名、来宾单位和姓名,敬献花圈、挽幛、挽联的同志的单位和姓名,参加追悼会的单位的集体代表。(注意:这一部分内容,要另作准备,抄写清楚。事先要反复核实。切忌漏掉,如果有的是大会进行中才赶到,要随到随向与会同志宣布。)

第四项,向×××同志的遗像三鞠躬。(注意:如果追悼会是在火葬场厅举行,就说向×××同志的遗体三鞠躬)

第五项,向×××同志默哀三分钟。(注意,事先要同有关同志约好,默哀的同时奏哀乐。哀乐奏完时,主持人要转身宣布:完毕!)

第六项,请×××同志致悼词。(注意:如果是为蒙冤而死的同志致悼词,还要说明致悼者的职务,以示领导人对这个追悼会重视的程度。)

第七项,请×××同志的生前好友×××讲话。

第八项,请×××同志的家属代表、×××同志的爱人(或子女)×××同志讲话。

第九项,追悼会完毕,请同志们从右至左,分单行,从×××同志遗像前通过,向×××同志的遗像告别。(注意:如果是向遗体告别,可说成"从×××同志遗体绕过"。)

追悼会仪式誊写的字迹一定要工整,切忌潦草马虎,以免显得不礼貌。

117. 悼词

应用文书

悼词是去世者所在单位的某一领导人,代表组织在追悼会上,对死者表示哀悼的讲话文稿。它是开始追悼会过程中所使用的一种应用文样式。

(1)什么是悼词

悼词是去世者所在单位的某一领导人,代表组织在追悼会上,对死者表示哀悼的讲话文稿。它是开始追悼会过程中所使用的一种应用文样式。

(2)如何写作悼词

一篇悼词一般由两部分组成。

应用文书

在介绍死者生平事迹的时候，如果有必要，还可以选用两三个典型的事例来加以说明。即便如此，语言仍需力求简洁。

第一部分，标题。悼词的标题有三种写法。由起草到定稿后，多用“悼词”二字表示；主持人在追悼会上用“×××同志致词”来宣布；登报时，要用《在追悼×××同志大会上×××同志的悼词》来标出。

第二部分，正文。这一部分，在一般情况下，要写如下几层意思：

A.表明用什么样的心情，悼念什么人。

B.写明死者去世前所担任的各种职务名称，由于何种原因在何年何月何日几时几分不幸逝世的，终年岁数。

C.按时间顺序介绍死者的生平，在何年参加革命工作；是否党、团员，何年参加团组织和党组织，在每个历史时期历任什么职务。

D.对已故同志的一生进行正面的称颂。一般根据该同志生前的模范事迹，从几个方面，用一长段文字或几段文字，概括的介绍他的高尚品德和突出贡献。

E.评价该同志去世后带来的损失，从哪几个方面向去世的同志学习，用什么实际行动化悲痛为力量。此层意思是否分段，可酌情决定。

(3)例文：

在追悼陈毅同志大会上周恩来同志的悼词

我们怀着十分悲痛的心情，悼念陈毅同志！

陈毅同志是中国共产党第九届中央委员会委员、中央军委副主席、中华人民共和国国务院副总理和外交部部长，中国人民政治协商会议全国委员会副主席、国防委员会副主席。陈毅同志因患肠癌，治疗无效，于 1972 年 1 月 6 日 23 时 55 分不幸逝世。终年 71 岁。

陈毅同志 1922 年加入中国共产主义青年团，1923 年加入了中国共产党。1927 年参加中国工农红军。红军时期历任师长、军长、江西军区司令员兼政治委员；抗日战争时期，历任新四军一支队司令员，新四军代理军长；解放战争时期，历任华中野战军司令员，华东野战军司令员，华东军区兼第三野战军司令员。全国解放后，曾任上海市市长。

陈毅同志是中国共产党的优秀党员，是中国人民的忠诚战士。几十年来，陈毅同志在党中央、毛主席的领导下，在长期革命战争中，在社会主义革命和社会主义建设中，坚持斗争，坚持工作，努力为人民服务。

陈毅同志的逝世，使我们失去了一位老战友，老同志，是我党我军

的一大损失。我们沉痛地悼念陈毅同志，要学习陈毅同志的革命精神，化悲痛为力量，在以毛主席为首的党中央领导下，在毛主席无产阶级革命路线指引下，谦虚谨慎，戒骄戒躁，为完成国际国内新的战斗任务，争取新的更大的胜利而奋斗。

陈毅同志安息吧!

在介绍死者生平事迹的时候，如果有必要，还可以选用两三个典型的事例来加以说明。即便如此，语言仍需力求简洁。

118. 祭文

(1)什么是祭文

祭文是祭祀或祭奠时对神或对死者朗读的文章。祭文表达人们对亡亲故友的哀悼之情。祭文是在古代和今天的农村办丧事时所必用的文体。

(2)如何写作祭文

祭文由以下几部分组成。

第一部分，标题。标题包括：

A.写成“祭××文”，“××”表示死者的辈份与生者关系。

B.“维”起。

第二部分，正文。正文部分的内容包括：

A.死者逝世的情况。

B.祭奠人。

C.死者生平及事迹。

D.表示哀痛之情。

E.结语用“伏食尚飨”。

(3)例文：

应用文书

祭文是祭祀或祭奠时对神或对死者朗读的文章。祭文表达人们对亡亲故友的哀悼之情。祭文是在古代和今天的农村办丧事时所必用的文体。

应用文书

祭文应写得情真意切，让人感受到生者对死者的无限思念和缅怀之情。

祭祖母文

维

公元××××年×月×日，乃我祖母仙逝安厝之前夕，不孝孙××率全家人等，虔具清酌时馐致祭于先祖母××老孺人之灵前哀泣：天苍苍，地茫茫，我哭祖母别家堂，千呼万唤不闻应，捶胸顿足泪汪汪。忆往昔，我孤苦伶仃失爹娘，饥寒交加，艰难成长。祖母苦心，含泪抚养。相依为命，甘苦共尝。形影相吊，寒暑相望。教我耕耘，训我麻桑。引我习字，育我词章。教孙正直做好人，勤劳俭朴把家当，海深恩表长，祖母深情永难忘。今我长大，配偶成双。云开日出，初见阳光。童子仆怀，天伦刚享。敬奉余年，晨昏周祥。惟愿祖母，长寿无疆。无奈黄天降不祐，祖母，祖母，你去得太早，走得太忙，你劳苦一生，晚福未享。我犊情未报，无限悲伤。号泣祭奠，难诉衷肠！愿祖母九泉有灵，佑我家振业旺，天长地久，福禄齐芳。愿祖母神赴瑶池，来品未尝。祖母，你安息吧！呜呼哀哉！

伏食尚飨

祭文应写得情真意切，让人感受到生者对死者的无限思念和缅怀之情。

119. 墓碑文

(1)什么是墓碑文

墓碑文是在墓碑上介绍死者的姓名、籍贯、成就、逝世日期和立碑人的姓名及与死者的关系的应用文体。

(2)如何写作墓碑文

一般来说，墓碑文没有固定的格式，特别是名人、诗人作碑文，更是笔走江海，自由驰骋。粗略来讲，内容由以下几部分组成。

第一部分，题目。在碑文最前处正中书写题目，字样略大于正文。一般是以碑之所在地、碑记之事、墓主人姓名为题。要求题目明确点明碑

文的主旨,切忌含混、模糊。

第二部分,前言。在题目之下,有的碑文书写"词碑并序"等语,有的不写。而大多碑文在题目之下另起一行空两格写上碑文作者的姓名职衔。

第三部分,正文。是碑文的主体部分。正文的内容,要依碑的性质、功用而定。一般来说,有以下内容:

A.记事碑文,要写出事之过程、意义。

B.功德碑,则要具体述说功德之事。

C.名胜古迹源流碑,则要写出名胜古迹的源流、景状。

D.墓碑,要写出墓主人的身世,经历,突出事迹及性格特点。

第四部分,结语。往往是对碑文述说的内容来一二句总括,或赞或叹,或哀或悲。

第五部分,落款。在结语之后,是落款,即写上为文者的姓名,有时在姓名之前要署上职衔,有的刻在碑石上的落款,要署上三个姓名,即碑文作者、书写者、刻石者。落款之后是时间,要把为文的年、月、日具体写明确。

(3)例文:

程砚秋碑文

程砚秋同志,满族,北京人,生于一九零四年。六岁时学习京剧、昆曲。曾受业于名师王瑶卿之门。十七岁即成班演出。他在歌唱和表演方面刻苦钻研,勇于革新,形成了独特的艺术风格,在中国的戏剧艺术上获得了卓越的成就。三十余年来,他的艺术一直为广大观众所喜爱。

砚秋同志出身贫苦家庭,对于劳动人民有深厚的感情。为人刚正不阿,嫉恶如仇。在北洋军阀和国民党反动统治时期,曾先后编演《春闺梦》《荒山泪》等富有现实主义精神的戏剧二十余出,以反对军阀混战和国民党政府的苛政猛于虎的统治,这表现了他平素所主张的戏剧要对人民负责的精神。抗战爆发后,北平沦陷。他因反对敌伪的压迫,决然脱离舞台生活,下乡务农,坚持不为敌人演出,表现了高尚民族气节。

全国解放后,他为中国人民革命的伟大胜利所鼓舞,从一九四九年起即积极参与国际和平运动和戏曲改革工作。抗美援朝中赴朝慰问中

应用文书

墓碑文是在墓碑上介绍死者的姓名、籍贯、成就、逝世日期和立碑人的姓名及与死者的关系的应用文体。

挽联是悼念死者的文体哀悼之词，也是常见的一种哀情文体。

国人民志愿军，参加抗美援朝捐献演出，并到全国各地进行慰问中国人民解放军的演出。在国家举办的历次全国演员讲习会和日常教学中，他尽心将自己的艺术创作经验传授给新的一代。他工作认真，作风朴素，对党和国家的任务全力以赴。一九四九年他被推选为中国人民政治协商会议第一届全体会议特邀代表，一九五四年被选为全国人民代表大会代表、中国文学艺术联合会全国委员会委员、中国戏剧家协会理事会主席团委员，被政务院任命为中国戏曲研究院副院长等职务。

砚秋同志在党的领导和教育下，革命觉悟不断提高，决心献身共产主义事业，曾经多次申请加入中国共产党，于一九五七年十月被批准为中国共产党预备党员。一九五八年三月九日因患心肌梗塞症不幸逝世，享年五十四岁。经党组织批准，追认为中国共产党正式党员。

墓碑文应写出死者生前的优秀事迹及性格特点，让读碑人对死者能有一个大体上的了解。

120. 挽联

(1)什么是挽联

挽联是悼念死者的文体哀悼之词，也是常见的一种哀情文体。

(2)如何写作挽联

挽联挽幛是追悼逝者所常用的礼仪方式。使用范围广泛，适用一切逝者，无论尊卑、亲疏，格式上均是一样。挽联挽幛因篇幅短小，所以言词多费推敲。

挽联写法上不用横额，要用上下落款。

上款落吊唁对象称呼如“×公先父大人”，上款的标联语如“千古、不朽”等。

下款落吊唁者姓名称呼如“不孝儿××”，下款的末启词如“挽、恭挽、哀挽”等。

挽幛的上款通用如“××先生千古”、“××同志千古”。

(3)例文:

××先生千古
××恭挽

好的挽联、挽幛寥寥数字,却能高度地概括死者一生的品德、功业,并表达出挽者的心情及愿望。

121. 自传

(1)什么是自传

自传是传主通过系统而有侧重的自我介绍,展现自我成长道路,反思历史,达到与读者交流人生看法,自述自己生平的文章。

(2)如何写作自传

自传的写法很简单,没有具体格式,写作时应注意:

A.按时间顺序叙述生平。

B.叙事要详略得当,重点突出。人生经历事情很多,不能都写进自传,要选择主要的事情来写。

C.自传一般要反映传主的思想状况。

D.语言要简明扼要、概括性强,通俗易懂而又朴实无华。

应用文书

自传是传主通过系统而有侧重的自我介绍,展现自我成长道路,反思历史,达到与读者交流人生看法,自述自己生平的文章。

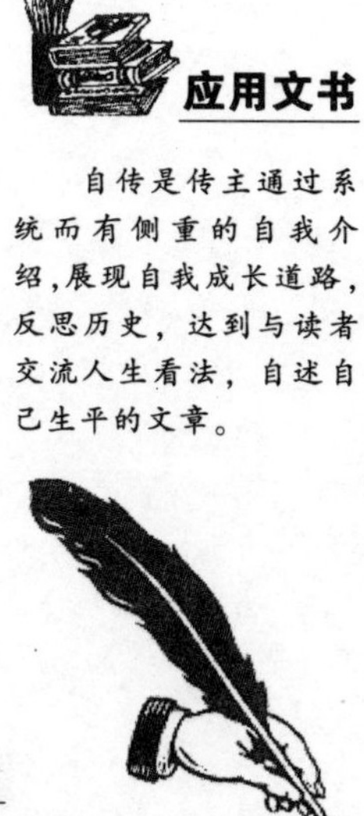

(3)例文:

自传

我姓×,名××,女性,出生于×年×月,现年×岁。××省××县人。个性开朗、文静,身体健康,无不良嗜好。

简历是对自己的生活经历，包括学历、工作经历等有选择重点地加以概括叙述的一种常用文书。

家父世代务农，节俭朴实，辛勤刻苦。家母主持家务，为人善良，克勤克俭。我家境虽清贫，但和乐幸福。在父母亲的悉心关怀和教诲下，我与小弟(比我小3岁)深为理解父母的苦心，相互爱助、鼓励，读书都极为用功。颇受家长、学校、邻里的称赞。

初中毕业后，因家庭经济条件不允许继续深造，只能在家协助父母干些农活及家务。但我不忘继续求学的志愿，后得亲友赞助，我继续考入高中，三年高中生活，我奋发努力，并尽力多参加治安活动和工读，将挣来的钱，不做它用，专购学习书籍。我门门功课成绩达到优等，而且初步掌握书法的技巧和知识，在校内外多次获奖。在社会活动中我结识了几个良师益友，他们对我的成长，起到帮助和促进作用，是我永远值得怀念的。

我利用假期，学过中英文打字，操作电脑以及家用电器的维修小知识，还初步学会了英语会话。假期还在一贸易公司做临时工，时间虽短，但收获不小。

闲余时间，我爱听音乐，爱唱歌曲，有时自拉自唱。书是我的生活要素之一，日不可少。我也喜欢交朋友，但我生活单纯简朴，从不进歌厅舞场。

自传不仅要让人知道传主的经历、事迹，而且要让人知道传主的思想面貌，这是与简历不同的地方。

122. 简历

(1)什么是简历

简历是对自己的生活经历，包括学历、工作经历等有选择重点地加以概括叙述的一种常用文书。

(2)如何写作简历

简历的结构由标题、正文、署名和日期四个部分组成。

第一部分，标题。一般写“××简历”或只写“简历”。

第二部分，正文。正文的的写作，根据内容的多少，可分为全篇一段式和全篇分段式两种：

A.全篇一段式。从姓名、出生地、籍贯、出生年月日、民族、团体党派写起，按照时间顺序叙述主要的学习、工作经历，主要才能、贡献以及工作、学习、生活中有典型意义的事等。

B.全篇分段式。适用于经历相对丰富的人物，可以纵向总述经历之后，再分段叙述每个阶段的主要经历。

第三部分，署名和日期。有时可以省略不写。

(3)例文：

谭××简历

谭××，男，汉族，1919 年农历 3 月 15 日生于××省××县××乡。家庭贫苦，靠父母务农、亲友帮助读书至初中毕业，在当地当小学教员，1838 年入中共地下党，从事抗日救亡活动，1946 年任地下党××支部宣传委员。解放初期任××县政治指导员，1952 年调××党校学习，结业后调至县土产公司任经理。1954 年任××县文教科副科长。1957 年错划成右派，下放××农场劳动；1980 年平反调××县图书馆任馆长，1983 年离休至今。

简历的概括性要强，应在较短的文字内，将自己的主要才能和擅长之处表现出来。

123. 小传

(1)什么是小传

小传，是相对“传”来说的，也是记载人物生平事迹的文体，比“传”要小。

所谓“小”，一是内容比“传”少，小传虽然也要求写出人物的人生历

应用文书

所谓“小”，一是内容比“传”少，小传虽然也要求写出人物的人生历程全貌，但只是选择几个重点来表达，或者将许多事一一作简略介绍；“小”的第二个含义，是篇幅短小，它比“传”和“评传”明显地“小”多了。但小传虽小，也要求能看出人物人生道路的主要轨迹和其思想、性格的主要特征。

人物简介是介绍各种人物主要事迹的短小精悍的实用文体。

程全貌，但只是选择几个重点来表达，或者将许多事一一作简略介绍；"小"的第二个含义，是篇幅短小，它比"传"和"评传"明显地"小"多了。但小传虽小，也要求能看出人物人生道路的主要轨迹和其思想、性格的主要特征。

(2)如何写作小传

小传的内容由标题和正文两部分组成。

第一部分，标题。常用"×××小传"标出，有时只标明传主的名字。

第二部分，正文。常由开头、主体、结尾构成。

A.开头，主要介绍人物的姓名、性别、出生年月、籍贯、家庭出身、政治面貌、职务、职称等。

B.主体，记叙人物生活事迹，应着重写人物的活动和成就。

C.结尾，对人物作出一定评价。

(3)例文：

柔石小传

柔石，原名平复，姓赵，一九〇一年生于浙江省台州宁海县的市门头。前几代就是读书的，到他的父亲，家景已不能支，只好去经营小小的商业，所以他直到十岁，才能入小学。一九一七年赴杭州，入第一师范学校；同时为杭州晨光社之一员，从事新文学运动。毕业后，在慈溪等处为小学教师，且从事创作，有短篇小说集《疯人》在宁波出版，是为柔石作品印行之始。一九二三年赴北京，为北京大学旁听生。

……

柔石有子二人，女一人，皆幼。文学上的成绩，创作有诗剧《人间的喜剧》（未印），小说《旧时代之死》、《三姊妹》、《二月》、《希望》等，翻译有卢那卡尔斯基的《浮士德与城》，戈理基的《阿尔泰莫诺夫氏之事业》及《丹麦短篇小说集》等。

写小传时，一定要紧抓住人物最突出的事迹来写，切忌将许多无关紧要的事情罗列出来。

124. 人物简介

(1)什么是人物简介

人物简介是介绍各种人物主要事迹的短小精悍的实用文体。

(2)如何写作人物简介

人物简介的内容由标题和正文两部分组成。

第一部分,标题,介绍单个人的标题,可用“××简介”;介绍群体的标题,可以在人物简介前加上单位名称,如“中国女排运动员简介”。

第二部分,正文。其内容有被介绍人的姓名、性别、年龄、职业、突出贡献、获得的荣誉称号等。写作时要把上述材料按先后次序写上。

(3)例文:

×××教练简介

×××,××省人,男,今年××岁,现为××排球队教练。

他在 60 年代和 70 年代曾是中国男排的优秀二传手,19××年他担任中国女排主教练后根据现代排球的发展趋势和中国运动员的特点,把欧美式的高举强攻和亚洲式的快速多变结合起来,经过努力,使这支队伍形成了自己的一套独特打法,终于登上了世界排坛的高峰。2003 年 3 月第××届世界杯赛获得“最佳教练员奖”。

人物简介的正文部分,可以对人物作简明扼要的评价。

应用文书

人物简介的正文部分,可以对人物作简明扼要的评价。

125. 回忆录

(1)什么是回忆录

应用文书

回忆录是记述过去亲身经历过的某一件事的发生、发展过程的文体。

回忆录有的回忆一个事件，有的叙说某人的片段故事，还有回忆整个过去经历过的历史。

回忆录是记述过去亲身经历过的某一件事的发生、发展过程的文体。

回忆录有的回忆一个事件，有的叙说某人的片段故事，还有回忆整个过去经历过的历史。

(2)如何写作回忆录

回忆录的写法，可以追求一个历史阶段，也可以描写一个生活侧面，可以记叙人物的一生事迹，也可讲述人物的片断故事，灵活多样，格式不一。写回忆录应注意：

A.内容真实可靠；

B.事例典型突出；

C.感情真挚感人。

(3)例文：

藤野先生

将走的前几天，他叫我到他家里去，交给我一张照片，后面写着两个字道“惜别”，还说希望将我的也送他。但我这时适值没有照相了；他便叮嘱我将来照了寄给他，并且时时通信告诉他此后的状况。

我离开仙台之后，就多年没照过相，又因为状况也无聊，说起来无非使他失望，便连信也怕敢写了。经过的年月一多，话更无从说起，所以虽然有时想写信，却又难以下笔，这样的一直到现在，竟没有寄过一封信和一张照片。从他那一面看起来，是一去之后，杳无音息了。

……每当夜间疲倦，正想偷懒时，仰面在灯光中瞥见他黑瘦的面貌，似乎正要说出抑扬顿挫的话来，便使我忽又良心发现，而且增加勇气了，于是点上一支烟，再继续写些为“正人君子”之流所深恶痛疾的文字。

回忆录的写法灵活多变，不拘一格，可记叙、可抒情，但无论哪一种方式，都应发自内心的真实感受。

126. 校史

(1)什么是校史

校史是记述一所学校的创办、发展、变迁的历史的实用文体。它通常记叙学校的历史、光荣传统、培养出的人才及对教育事业的贡献。

(2)如何写作校史

校史的写作没有固定的写作格式。就其内容讲,一般要记叙学校的筹建、创办、发展变化、校舍、设备、班次、人数、历届校长和书记、教师名录、学生通讯录等;就其形成讲,一般用章节体按时间先后顺序写作。应注意以下几点:

A.取材真实、具体。

B.选择学校档案列入校史表格内。

C.写人记事,略古详今,记实求真。

(3)例文:

××省××一中校史

章节目录

第一章 造福乡梓,创办××州立中学堂

第一节 初建时期的××中学

第二节 三四十年代的××中学

第三节 ××中学的教学

第四节 ××中学的品德教育

……

第四章 群星璀璨

第一节 园丁之歌

第二节 群星璀璨

第三节 校园欢歌

应用文书

校史是记述一所学校的创办、发展、变迁的历史的实用文体。它通常记叙学校的历史、光荣传统、培养出的人才及对教育事业的贡献。

厂史是指记述厂矿企业建立、发展、兴旺乃至衰亡情况的史志性文体。

为了增强可读性，校史可适当增加一些文学的色彩，但曾经历过的人与事，均应真实可信。

127. 厂史

(1)什么是厂史

厂史是指记述厂矿企业建立、发展、兴旺乃至衰亡情况的史志性文体。

(2)如何写作厂史

写厂史要注意以下四点：

A.材料要真实、确凿，不能虚构和编造，哪个年代、一个数据、一个细节都不能失实，真实是厂史的生命。

B.线索要明晰。

C.要独具特色。

D.写作前认真调查研究，注意材料的取舍和使用材料的详略，凡带共性的材料，应力求详写。

(3)例文：

金沙江畔的明珠——××钢铁公司

在金沙江畔，川滇两省的交界处，矗立着一座大型的现代化钢铁联合企业——××钢铁公司。她是我国自行设计、自己建设的第一座钢铁联合企业。40年来，××钢铁公司为我国西南地区的开发，为我国钢铁工业的发展和国民经济的振兴，作出了巨大的贡献。这种贡献，不仅表现在钢铁方面，甚至不仅限于物质方面，更重要、更本质的是在精神方面，它是××人的自立更生的英雄气魄的真实写照。无怪乎，凡是到过××的人，无不交口称赞，把××比喻为镶嵌在金沙江畔的一颗璀璨明珠，把××

看做是我国钢铁工业的骄傲。

××是××年按照党中央的指示开始筹建的，40年来的实践证明，开发和建设××地区，是一项具有远见卓识的正确的战略决策。

……

未来的××，将是一个具有中国特色的生产和科研基地。

厂史记录了一家工厂建立及发展的整个过程，内容应真实可靠，一些大事均应有明确的时间记载。

128. 方志

(1)什么是方志

方志又叫地方志。记一方之物土，是“一方之全书”。

作为反映当地地理、历史、经济、文化的地方志，是一个地区、一个时代历史社会的真实反映。

(2)如何写作方志

方志大体上也是由概述和几个分解的部分组成的。在写作时，要注意以下四点：

A.编修方志要掌握多方面的材料，包括自然的与社会的、历史的与现实的、文字的和采访的。还要对材料进行鉴别，以分清真伪，考核有无，定是非，区别芜菁。

B.古代封建统治阶级从自身目的出发，使志书成为天使天命神送的说教，圣明君主的替词和官宦士绅的家谱，而历史的创造者——人民群众，是没有地位的。新方志必须把颠倒的历史再颠倒过来，充分肯定人民群众创造物质文明和精神文明的伟大业绩，反映他们的聪明才智、首创精神和优秀品质，要为农民领袖、能工巧匠、英雄劳模、革命先烈树碑立传。

C.写方志要坚持历史唯物主义的原则，实事求是，忠于史实，反映

应用文书

方志又叫地方志。记一方之物土，是“一方之全书”。

作为反映当地地理、历史、经济、文化的地方志，是一个地区、一个时代历史社会的真实反映。

应用文书

方志力求严谨，所有的材料应真实可靠。对一些模棱两可、目前难以下结论的事件，切不可草率地做出判断。

历史的本来面貌；不可掠美，把不属于本区域的人和事附会于本地方志中。要把当地重大历史事实放在整个国家历史背景下予以考察，坚持与国史统一。

D.不可用文学表达技巧加以渲染夸张，要求语言简约准确、严谨，读来流畅自然。

(3)例文：

××省方言简志提纲

××省方言概况

第一章　导言

第一节　××省方言的历史发展及其在汉语诸方言中的地位

第二节　××省方言分区概述

第三节　音标符号说明

第二章　××省方言的基本特点

第一节　××省方言语言特点

第二节　××省方言词汇特点

第三节　××省方言语法特点

第三章　××省方言标音举例

第一节　民歌儿歌

第二节　谚语迷语歇后语

第三节　民间故事

第四节　语法例句

第四章　××省方言地图

方志力求严谨，所有的材料 dj 应真实可靠。对一些模棱两可、目前难以下结论的事件，切不可草率地做出判断。